U0095156

100个句子
记完7000个雅思单词

俞敏洪 / 编著

浙江教育出版社·杭州

扫码获取资源

图书在版编目(CIP)数据

100个句子记完7000个雅思单词 / 俞敏洪编著. --
杭州：浙江教育出版社，2020.3（2023.12重印）
ISBN 978-7-5536-8938-8

Ⅰ. ①1… Ⅱ. ①俞… Ⅲ. ①IELTS－语法－自学参考
资料②IELTS－词汇－自学参考资料 Ⅳ. ①H314②H313

中国版本图书馆CIP数据核字(2019)第089171号

100个句子记完7000个雅思单词
100 GE JUZI JI WAN 7000 GE YASI DANCI
俞敏洪　编著

责任编辑	赵清刚	
美术编辑	韩　波	
责任校对	马立改	
责任印务	时小娟	
封面设计	曹晰婷	
出版发行	浙江教育出版社	
	地址：杭州市天目山路40号	
	邮编：310013	
	电话：（0571）85170300－80928	
	邮箱：dywh@xdf.cn	
印　　刷	济南新先锋彩印有限公司	
开　　本	710mm×1000mm　1/16	
成品尺寸	168mm×230mm	
印　　张	22.5	
字　　数	438 000	
版　　次	2020年3月第1版	
印　　次	2023年12月第19次印刷	
标准书号	ISBN 978-7-5536-8938-8	
定　　价	68.00元	

《100 个句子记完 7000 个雅思单词》的由来

用句子记单词的方法源自我 20 多年前的教学经历。我在进行托福教学的时候发现，大量同学在学习上存在三个问题：1. 背单词很难；2. 理解句子很难；3. 理解文章很难。

其实这三个问题是连在一起的：词汇量不够必然影响到理解句子，理解句子结构的能力不强必然影响到阅读理解，而阅读理解能力的提升必然来自对单词的理解和对句子结构的理解。

上述三个难题导致很多学生失去了学习英语的热情，我就想起了我在高考备考的时候使用的方法。我参加了三次高考，第一次英语只考了 33 分，第二次考了 55 分，第三次考了 90 多分。为什么第三次会有这样一个飞跃呢？完全是因为第三年我学英语的时候碰到的一件事情。

当年，我们的英语老师总结出了高考中他认为包含最重要词汇、句子结构、语法等的 300 个句子，对我们说："同学们，这 300 个句子非常重要，你们在座的如果能把这 300 个句子背得滚瓜烂熟，那么英语分数就能提高。"

当时我把高中英语课本上 40 多篇英语课文全都背得滚瓜烂熟了，但是英语分数还是提不上去，好的时候 70 多分，不好的时候 60 多分。那这 300 句会不会管用呢？我就想，死马当作活马医，试试再说，于是就开始背这 300 个句子。背完 10 句之后，我就想随手把这些句子写出来。但是我却发现，我对这些句子的理解并不够深刻，比如说中间出现的单复数形式、冠词、介词、词组的用法等我其实并不理解。这样把 300 句背下去，其实英语水平也不一定能提高多少。所以当时我做了一个看似很笨的事情，就是按照自己的理解，把这 300 句英语全部翻译成中文，然后再根据我自己翻译过来的中文，将其回译成英文。这一回译，我就发现了问题：第一，我翻译过来的英文句子不如原句精练、地道；第二，我发现原来自以为很懂的句子结构译出来却跟英文原句不一样，通常都是错的。另外，还有一些定冠词、不定冠词、单复数等语法点也常常是有问题的。

在这个过程中我发现，原来我自以为不是问题的事情，在汉译英的过程中就会出现问题。于是我对照原来的英文句子，琢磨我为什么会犯错。其中 90% 以上的问题我自己都能弄懂，10% 左右自己弄不懂的地方我就去问英语老师。就这样，我一句一句地往下翻译，从第一句翻译到第 300 句，每天翻译 50 个句子，六天翻译完一遍。第二周，我开始第二次翻译，这一遍比第一遍有所进步，但是我发现了两个现象：第一，该犯的错误还是会犯，那么连续两次在同一个地方犯的错误很明显就是我的弱点，就是我需要加强的地方；第二，在第一次翻译时"瞎猫碰上死耗子"蒙对的地方，在第二次翻译时出现了错误，这就说明这些地方在第一遍翻译时并不是真正理解，只是蒙对了。

总结了错误以后，我就开始第三遍翻译。这次依然有错误，但是错误明显比第二遍减少了，句子结构也越来越接近原句。第三遍翻译完以后，我又翻译了第四遍、第五遍。翻译了五遍之后，基本上形成了一个特点：随意指向任何一句中文，我译出来的英文基本上跟原句是一模一样的，完全没有语法错误和句子结构错误。除此之外，对每一个词、每一个词组的选择原因，每一个习惯用法的使用规则及句子的构成原理，我都了如指掌。这个时候，我发现自己是真正理解了这些句子。

到了第二个月，我的模考成绩有了大幅提高。一个月之前，我的高考英语模拟考试只考了 70 分左右，但是过了一个月，在把这 300 个句子弄得滚瓜烂熟以后，我的模考成绩竟然接近 90 分，而且从此以后，直到高考前（这 300 个句子是老师在高考前四个月发给我们的），我的英语模考成绩一直没有低于 90 分。高考英语，我考了 95.5 分。

我的例子告诉大家，学习其实是有方法的，我们首先要琢磨出来学习的最佳方法，再去学习。不管学什么东西，我觉得最核心的要点就是在有限的范围内进行深度的理解和融会贯通。在有限的范围内进行深度的理解和融会贯通以后，在扩大范围之后，我们对所有扩大范围内的东西就会有似曾相识的感觉，而这会让你的思维更敏锐，反应速度更快，同时因为你有了学习的深度，广度也就比较容易扩展开去。

20 多年前我在教托福的时候，有学生给我提了同样的问题："俞老师，我们觉得单词很难背，句子也读不懂，阅读理解也做不完，请问有没有什么好方法？"那么基于上面所说的学习原理，我就想把自己中学学英语的方法激活一下，分享给大家。《100 个句子记完 7000个托福单词》出版以来获得大量读者的好评，为了更有针对性地帮助正在备战雅思考试的考生，我又特意为广大雅思考生编写了这本《100 个句子记完 7000 个雅思单词》。

我在剑桥雅思真题中找了 100 个我认为雅思考试中最重要、最核心的句子，这 100 个句子包含并延展出雅思考试的约 7000 个单词，也基本包含了雅思考试中阅读理解的句子结构，同时还包含几乎所有语法要点。

学习《100 个句子记完 7000 个雅思单词》的时候，大家可以套用我中学时的方法，先读一遍句子，再把上面的英文句子盖住，然后根据核心词汇和中文译文把这些句子全部回译成英文。你如果能按照这样的方法学习这 100 个句子，最后根据这 100 个句子的中文译文，做到一字不差地还原成英文原句，那我基本上可以有把握地告诉你，你对句子结构的理解、对单词的掌握和对阅读文章的理解都会非常到位。

这 100 个句子表面上看是很难，但是一旦你熟悉以后，你的英语水平，尤其是对于词汇的掌握，对英语句子结构和语法点的掌握，以及阅读和理解长句子和复杂句子的能力，就会飞跃性地提升，可能比你浮光掠影地读几百篇英文文章要更加管用。这就是我从自己的经历中得出的一个行之有效的方法。语言的学习是一个不断熟练、不断重复、不断交流，最后让自己变成熟能生巧、彻底掌握如何应用的过程，如果大家能遵循这种方法去学习语言的话，相信大家在英语的学习上会有更大的收获。

俞敏洪

Preface
前言

本书收录雅思考试各个题型中的典型句子共 100 个。通过对其中核心词汇、主题归纳词汇及重要语法点的讲解，帮助考生学完 100 个句子的同时掌握 7000 个考试相关词汇，提升考试阅读速度，提高攻克考试难关的几率。

基于"100 个句子记完 7000 个单词"在广大英语学习者中深远的认知度，本套丛书拟以图书为核心，结合线上线下不同载体的传播特色，整合资源，衍生出在线课程、音频及电子书等不同的形式以满足读者不同层次的阅读及学习需求。

1. 精选雅思典型句子

句子的选取基于对雅思真题地毯式透彻研究的基础之上，把考题中最具代表性且考生最易出错的句子一网打尽。

2. 用句子记核心单词

重点讲解每个句子中的核心词；同时给出核心词的同义词、反义词、同根词及常考搭配；归纳与句子主题相关的考试词汇。

通过以上主题式归纳的办法，考生学完 100 个句子的同时也把 7000 个考试相关词汇牢牢记在脑中。

3. 用句子学重要语法

逐一分析 100 个句子的语法结构，每个句子代表一个典型的语法现象。学完 100 个句子，考生不用再抱着厚重的语法书叹气，雅思考试考查的语法重点、难点尽在掌握之中。

4. 用句子提高阅读速度

书中收纳的句子将从内容、形式及难度上充分体现雅思考试对考生英语水平的要求。经典长难句解析在手，考生再也不用担心文章读不懂、阅读速度慢的问题。

5. 在线课程与图书内容完美结合

邀请新东方名师录制配套课程，在线课程与图书内容配套研发，以名师魅力激发考生学习兴趣，学习效果更上一层楼。

Instruction

使用说明

语法笔记
提炼句子主干，分析句子结构，解析语法要点。

Sentence 01
There is considerable debate over how we should react if we detect a signal from an alien civilisation.
如果我们探测到了来自外星文明的信号，我们应该如何回应是一个备受争议的问题。

（剑桥雅思9）

100 个精选句子
本书精选雅思考试真题句子，并配以精准翻译。

语法笔记

本句的主干是 There is considerable debate...，这句话用到了 there be 句型，其中 how 引导的宾语从句 how we ... alien civilisation 作介词 over 的宾语，该宾语从句中又包含了一个由 if 引导的条件状语从句。

核心词表

considerable /kən'sɪdərəbl/ *adj.* 相当大（或多）的，可观的；值得考虑的；重要的

记忆 词根记忆：consider（考虑）+able（能…的）→能纳入考虑范围的→值得考虑的

同义 great *adj.* 大量的；很大程度的
large *adj.* 巨大的
much *adv.* 大量
substantial *adj.* 可观的

react /ri'ækt/ *v.* 反应；反抗；起化学反应

搭配 react positively to a suggestion 赞成一项提议

同义 respond *v.* 反应

detect /dɪ'tekt/ *v.* 察觉

同根 undetected *adj.* 未被
detectable *adj.* 可发

signal /'sɪgnəl/ *n.* 信
v.（向…）发信号；标志着

记忆 联想记忆：sign（签名）+al→用签名作为自己的标志→标志

alien /'eɪliən/ *n.* 外星人；*adj.* 外国的；相异的

搭配 alien species 外来物种

civilisation /ˌsɪvəlaɪ'zeɪʃn/ *n.* 文明（社会），文化

记忆 词根记忆：civilis(e)（使文明开化）+ation（表名词）→文明

核心词表
重点讲解每个句子中的核心词，同时给出核心词的同义词、反义词、同根词及常考搭配。

主题归纳

表示"**争论，争辩**"的词：

bicker /'bɪkə(r)/ *vi.*（为琐事）争吵

搭配 bicker over 为…争吵

brawl /brɔːl/ *n./vi.*（在公共场合）争吵，打斗

contention /kən'tenʃn/ *n.* 争辩

主题归纳
根据句子主题，归纳出雅思考试中与该主题相关的词汇，相关单词串联记忆。

legislation /ˌledʒɪs'leɪʃn/ *n.* 法律；立法

记忆 来自 legislate (*v.* 制定法律)

legislative /'ledʒɪslətɪv/ *adj.* 立法的，有关立法的；*n.* 立法机关

搭配 legislative assembly 立法议会

legitimate /lɪ'dʒɪtɪmət/ *adj.* 合法的；正当的；*v.* (使) 合法

记忆 词根记忆：leg (法律) +itim+ate (使…) → (使) 合法

同根 legitimately *adv.* 合情合理地

legitimise /lɪ'dʒɪtəmaɪz/ *v.* (使) 合法；正式批准

记忆 词根记忆：leg (法律) +itim+ize (使…) →使被法律认可→ (使) 合法

outlaw /'aʊtlɔː/ *n.* 歹徒，亡命之徒；*v.* 宣布…为非法

记忆 合成词：out (出) +law (法律) →超出法律范围→宣布…为非法

vested /'vestɪd/ *adj.* 法律规定的；既定的

记忆 联想记忆：法律规定 (vested) 的年龄，就被授予 (vest) 选举的权利

与 "心理学分支" 有关的词：

abnormal psychology 变态心理学

criminal psychology 犯罪心理学

educational psychology 教育心理学

group psychology 从众心理、群体心理学

individual psychology 个体心理学

personality psychology 个性心理学、人格心理学

social psychology 社会心理学

与 "心理学研究内容" 有关的词：

acrophobia /ˌækrə'fəʊbɪə/ *n.* 恐高症

记忆 词根记忆：acro (高点) +phobia (某种病) →恐高症

affective /ə'fektɪv/ *adj.* 情感的

同根 affection *n.* 感情

allergy /'ælədʒi/ *n.* 过敏症

apathy /'æpəθi/ *n.* 无感情，无兴趣，冷漠

记忆 词根记忆：a (无) +pathy (感情) →无感情

assertive /ə'sɜːtɪv/ *adj.* 武断的

记忆 词根记忆：assert (断言) +ive (…的) →武断的

attributable /ə'trɪbjətəbl/ *adj.* 可归因于

记忆 词根记忆：attribut(e) (把…归于) +able (可…的) →可归因于

claustrophobia /ˌklɔːstrə'fəʊbɪə/ *n.* 幽闭恐惧症

记忆 词根记忆：claustro (密闭空间) +phob (恐惧) +ia (某种病) →幽闭恐惧症

congenital /kən'dʒenɪtl/ *adj.* 先天的

记忆 词根记忆：con (共同) +genit (出生) +al (…的) →与生俱来的，出生就带来的→先天的

delusion /dɪ'luːʒn/ *n.* 迷惑，欺骗

记忆 词根记忆：de+lus (玩) +ion →玩阴的 (手段) →欺骗

deviance /'diːviəns/ *n.* 偏常；异常行为 (或特征)

记忆 词根记忆：de (偏离) +vi (路) +ant →偏离正规，不太正常→偏常

同根 deviant *adj.* 不正常的，偏离常规的

disorder /dɪs'ɔːdə(r)/ *n.* 混乱；失调；*vt.* 扰乱，使失调

记忆 词根记忆：dis (不) +order (顺序) →无序→混乱

同根 disorderly *adj.* 混乱的，无秩序的

17

Contents
目录

Sentence 01

There is considerable debate over how we should react if we detect a signal from an alien civilisation.

如果我们探测到了来自外星文明的信号，我们应该如何回应是一个备受争议的问题。

（剑桥雅思9）

语法笔记

本句的主干是 There is considerable debate...，这句话用到了 there be 句型，其中 how 引导的宾语从句 how we ... alien civilisation 作介词 over 的宾语，该宾语从句中又包含了一个由 if 引导的条件状语从句。

核心词表

considerable /kən'sɪdərəbl/ *adj.* 相当大（或多）的，可观的；值得考虑的；重要的

记忆 词根记忆：consider（考虑）+able（能…的）→能纳入考虑范围的→值得考虑的

同义 great *adj.* 大量的；很大程度的

large *adj.* 巨大的

much *adv.* 大量

substantial *adj.* 可观的

react /ri'ækt/ *v.* 反应；反抗；起化学反应

搭配 react positively to a suggestion 赞成一项提议

同义 respond *v.* 反应

detect /dɪ'tekt/ *v.* 察觉；侦查，探测

同根 undetected *adj.* 未被发现的

detectable *adj.* 可发现的，可察觉的

signal /'sɪgnəl/ *n.* 信号；暗号；标志；*v.* （向…）发信号；标志着

记忆 联想记忆：sign（签名）+al →用签名作为自己的标志→标志

alien /'eɪliən/ *n.* 外星人；*adj.* 外国的；相异的

搭配 alien species 外来物种

civilisation /ˌsɪvəlaɪ'zeɪʃn/ *n.* 文明（社会），文化

记忆 词根记忆：civilis(e)（使文明开化）+ation（表名词）→文明

主题归纳

表示"争论，争辩"的词：

bicker /'bɪkə(r)/ *vi.* （为琐事）争吵

搭配 bicker over 为…争吵

brawl /brɔːl/ *n./vi.* （在公共场合）争吵，打斗

contention /kən'tenʃn/ *n.* 争辩

1

contentious /kən'tenʃəs/ *adj.* 爱争论的；有异议的

controversial /ˌkɒntrə'vɜ:ʃl/ *adj.* 争论的

记忆 词根记忆：contro（相反）+vers（转）+ial（…的）→反着转的→争论的

controversy /'kɒntrəvɜ:si/ *n.* 争论，辩论

搭配 beyond controversy 无可争论的

controvert /ˌkɒntrə'vɜ:t/ *v.* 驳斥；反驳

记忆 词根记忆：contro（相反）+vert（转）→反着转→反驳

counter /'kaʊntə(r)/ *v.* 反驳，反对；对抗，抵消

debatable /dɪ'beɪtəbl/ *adj.* 可争辩的；有争议的

搭配 a debatable point 有争议的地方

deny /dɪ'naɪ/ *v.* 驳斥，反对

disagreement /ˌdɪsə'gri:mənt/ *n.* 争论

disprove /ˌdɪs'pru:v/ *v.* 反驳；证明…有误

记忆 词根记忆：dis（不）+prov（证明）+e→证明不可行→证明…有误

dispute /dɪ'spju:t/ *v.* 争端，纠纷；*n.* 论辩

搭配 in dispute 在争议中

dissentious /dɪ'senʃəs/ *adj.* 争论的

eloquence /'eləkwəns/ *n.* 雄辩，口才

搭配 eloquence training 口才训练

eloquent /'eləkwənt/ *adj.* 雄辩的

搭配 eloquent speech 雄辩的演讲

gainsay /ˌgeɪn'seɪ/ *v.* 否认，反驳

quarrel /'kwɒrəl/ *v.* 争论

同义 argue *v.* 争论，辩论

rebut /rɪ'bʌt/ *vt.* 驳斥，反驳

refute /rɪ'fju:t/ *v.* 反驳；否认

rejoinder /rɪ'dʒɔɪndə(r)/ *n.* （粗鲁的）回答

记忆 词根记忆：re（重新）+join（连接）+der→（别人说完了）再接上→回答

retort /rɪ'tɔ:t/ *n./v.* 反驳

squabble /'skwɒbl/ *v.* 争吵；口角

搭配 squabble with 与…争吵

tiff /tɪf/ *n.* （朋友或情侣之间的）争吵

搭配 tiff with sb. 与某人的争吵

wrangle /'ræŋgl/ *vi.* （长时间的）争论；*n.* （持久而复杂的）争辩

与"探索太空"有关的词：

dweller /'dwelə(r)/ *n.* 居住者，居民

evolution /ˌi:və'lu:ʃn/ *n.* 进化，演化；发展

搭配 the evolution of man 人类的进化过程

extract /ɪk'strækt/ *v.* 取出；提取；/'ekstrækt/ *n.* 摘录；提出物

搭配 extract from 从…中提取

同义 remove *v.* 移开，挪走
cull *v.* 挑选，精选
abstract *n.* 摘要，梗概

habitable /'hæbɪtəbl/ *adj.* 可居住的

搭配 habitable space 居住空间

humidity /hju:'mɪdəti/ *n.* 湿度；潮湿

搭配 relative humidity 相对湿度

inhospitable /ˌɪnhɒ'spɪtəbl/ *adj.* 不适合居住的

搭配 inhospitable climate 不适合居住的气候

inorganic /ˌɪnɔ:'gænɪk/ *adj.* 无机的

lander /'lændə(r)/ *n.* 登陆者

manned space flight 载人航天飞机

microbial /maɪkrəʊbiəl/ *adj.* 微生物的

搭配 microbial degradation 微生物降解

orbiter /'ɔ:brɪtə(r)/ *n.* 轨道飞行器

organic /ɔ:'gænɪk/ *adj.* 器官的；有机的；有机体的

搭配 organic being 有机体

organic food 有机食品

planetary /'plænətri/ *adj.* 行星的

搭配 planetary system 行星系

primitive microbe 原始微生物

reside in 居住

solar /'səʊlə(r)/ *adj.* 太阳的；太阳能的

记忆 词根记忆：sol（太阳）+ar→太阳的

space probe 太空探测器

spacecraft /'speɪskrɑ:ft/ *n.* 航天器，宇宙飞船

记忆 合成词：space（太空）+craft（技术）→太空技术→航天器

ultraviolet radiation 紫外线

ultraviolet /ˌʌltrə'vaɪələt/ *adj.* 紫外线的

记忆 词根记忆：ultra（超出，…以外）+violet（紫罗兰色）→紫外线的

underground water 地下水

表示"探索"的词：

explore /ɪk'splɔ:(r)/ *v.* 探险，探索；仔细查阅，探究

ferret /'ferɪt/ *vi.* 搜索，翻找

grope /grəʊp/ *v.* （暗中）摸索

risk /rɪsk/ *v.* 冒…的危险；*n.* 冒险；风险

搭配 run（take）the risk of... 冒…的风险

at the risk of... 冒着…的危险

seek /si:k/ *v.* 寻找；探索；追求

venture /'ventʃə(r)/ *n.* 风险投资；（商业等的）风险项目；*v.* 冒险；敢于

搭配 venture into the unknown 闯入未知的领域

The two world wars, which interrupted the supply of raw material from Japan, also stifled the European silk industry.

两次世界大战中断了来自日本的原材料供应，同时也抑制了欧洲的丝绸工业。

（剑桥雅思 11）

语法笔记

本句的主干是 The two world wars stifled the European silk industry，which 引导的非限制性定语从句修饰主语 The two world wars。

核心词表

world war 世界大战

interrupt /ˌɪntəˈrʌpt/ *v.* 中断，阻碍；打断（话），打扰

记忆 词根记忆：inter（在…之间）+rupt（破，断裂）→在中间断裂→中断，中止

搭配 interrupt the work 打扰工作

同根 interruption *n.* 打扰，打断

raw /rɔː/ *adj.* 未加工过的；生的；未经训练的；（伤口等）未愈的

搭配 raw material 原材料

同义 natural *adj.* 自然的；天生的

stifle /ˈstaɪfl/ *v.* 抑制；使窒息；扼杀

搭配 stifle in the cradle 防患于未然

silk /sɪlk/ *n.* 丝绸

搭配 silk ribbon 丝带

industry /ˈɪndəstri/ *n.* 工业，产业

搭配 advertisement industry 广告产业

主题归纳

与"战争行为"有关的词：

aggressiveness /əˈgresɪvnəs/ *n.* 侵略；争斗；攻击

同根 aggressively *adv.* 侵略地；有闯劲地

air war 空战

assault /əˈsɔːlt/ *v./n.* （武力或口头上的）攻击，袭击

搭配 assault carrier 航空母舰

　　 an assault force 突击队

battle field 战场

besiege /bɪˈsiːdʒ/ *v.* 围困，包围；烦扰

搭配 besiege sb. with sth. 使某人应接不暇

blockade /blɒˈkeɪd/ *n.* 阻塞；对（某地的）封锁；*vt.* 封锁

记忆 词根记忆：block（阻塞）+ade（表动作）
→阻塞→封锁

bombing /'bɒmɪŋ/ *n.* 轰炸

campaign /kæm'peɪn/ *n.* 战役；活动；
v. 参加活动

搭配 launch a campaign 发起活动

campaign funds 竞选经费

classified /'klæsɪfaɪd/ *adj.*（文件等）机
密的

cold war 冷战

collision /kə'lɪʒn/ *n.* 碰撞；冲突，抵触

参考 collide *v.* 冲撞

combat /'kɒmbæt/ *v./n.* 战斗

同根 combative *adj.* 好斗的

confidential /ˌkɒnfɪ'denʃl/ *adj.* 机密的

搭配 confidential employee 机要人员

confidential information 机密消息

conquer /'kɒŋkə(r)/ *v.* 征服，占领

同根 conqueror *n.* 征服者

defeat /dɪ'fiːt/ *v.* 击败，战胜

defense /dɪ'fens/ *n.* 防御；答辩；[pl.] 防务
工事

记忆 来自 defend（*v.* 防护，辩护）

diplomacy /dɪ'pləʊməsi/ *n.* 外交

同根 diplomatic *adj.* 外交的

disarm /dɪs'ɑːm/ *v.* 解除武装

记忆 词根记忆：dis（除去）+arm（武装）→
解除武装

disarmament /dɪs'ɑːməmənt/ *n.* 解除武装；
裁军

搭配 disarmament conference 裁军会议

encircle /ɪn'sɜːkl/ *vt.* 环绕，包围

记忆 词根记忆：en（加以）+circl（圆）+e →
用圆加以环绕→包围

encroach /ɪn'krəʊtʃ/ *v.* 侵入，侵占，侵害

记忆 词根记忆：en（进入）+croach（钩）→
钩进去→侵占

enlist /ɪn'lɪst/ *v.* 参军；谋取（帮助、支持等）

记忆 词根记忆：en（进入…之中）+list（名单）
→进入（军队）名单→参军

envelop /ɪn'veləp/ *vt.* 包围

exterminate /ɪk'stɜːmɪneɪt/ *vt.* 消灭

记忆 词根记忆：ex（出）+termin（界限）+
ate（使…）→使出界限→消灭

insurrection /ˌɪnsə'rekʃn/ *n.* 起义

搭配 insurrection against... 针对…的起义

intrude /ɪn'truːd/ *vi.* 侵扰，侵入

记忆 词根记忆：in（进入）+trud（推）+e →
推进去→侵入

invade /ɪn'veɪd/ *vt.* 侵略

同根 invasion *n.* 入侵，侵略

invader *n.* 入侵者

martial /'mɑːʃl/ *adj.* 军事的；战争的

搭配 martial skill 军事技能

onslaught /'ɒnslɔːt/ *n.* 猛攻，猛袭

outbreak /'aʊtbreɪk/ *n.*（战争）爆发；
（疾病）发作

记忆 合成词：out（出）+break（断裂）→
断裂喷出→爆发

rebellion /rɪ'beljən/ *n.* 谋反；反抗

同根 rebel *v.* 造反

rebellious *adj.* 反抗的；造反的

repulse /rɪˈpʌls/ *vt.* 击退；排斥

同义 repel *v.* 击退；排斥

revolt /rɪˈvəʊlt/ *v.* 反叛；厌恶；*n.* 反抗；叛乱

搭配 quell a revolt 镇压叛乱

　　in revolt 反抗

riot /ˈraɪət/ *n.* 暴乱，骚动；*v.* 骚乱

tactic /ˈtæktɪk/ *n.* 战略，策略

记忆 词根记忆：tact（接触）+ic →和（别人）接触的学问→策略

trespass /ˈtrespəs/ *v.* 侵入；非法进入

记忆 词根记忆：tres (=trans 横过)+pass（通过）→横穿而过→侵入

truce /truːs/ *n.* 休战（协定）

记忆 词根记忆：tru（相信）+ce →相信对方而停战→休战

warfare /ˈwɔːfeə(r)/ *n.* 战争

搭配 guerrilla warfare 游击战

wreck /rek/ *vt.* 破坏；拆毁；*n.* 失事

同根 wrecking *n.* 失事；遇难船

与"军事设施、装备"有关的词：

airfield /ˈeəfiːld/ *n.* 军用机场

armament /ˈɑːməmənt/ *n.* 武器，军备

记忆 词根记忆：arma (=arm 武器)+ment（具体物）→武器→兵力

cannon /ˈkænən/ *n.* 加农炮，大炮

fortress /ˈfɔːtrəs/ *n.* 堡垒；要塞

记忆 词根记忆：fort（强壮的）+ress（表物）→堡垒

radar /ˈreɪdɑː(r)/ *n.* 雷达

搭配 navigation radar 导航雷达

weapon /ˈwepən/ *n.* 武器，兵器

与"战争中的军队"有关的词：

armada /ɑːˈmɑːdə/ *n.* 舰队

记忆 词根记忆：arm（武器）+ada →舰队

bellicose /ˈbelɪkəʊs/ *adj.* 好战的，好斗的

记忆 词根记忆：bell（打斗）+ic+ose（多…的）→好战的

fleet /fliːt/ *n.* 舰队

记忆 联想记忆：舰队（fleet）遇到问题赶紧逃跑（flee）

flotilla /fləˈtɪlə/ *n.* 小舰队，小船队

militant /ˈmɪlɪtənt/ *adj.* 好战的；*n.* 激进分子

记忆 词根记忆：milit（战斗）+ant →好战的

military /ˈmɪlətri/ *adj.* 军事的；*n.* [the ~] 军队

记忆 词根记忆：milit（战斗）+ary（…的）→军事的

morale /məˈrɑːl/ *n.* 士气

搭配 lift morale 提升士气

mutiny /ˈmjuːtəni/ *n.* 兵变；*v.* 兵变；反叛

navy /ˈneɪvi/ *n.* 海军

troop /truːp/ *n.* 军队

Sentence 03

Migration is a complex issue, and biologists define it differently, depending in part on what sorts of animals they study.

迁徙是一个复杂的问题，生物学家对它有不同的定义，部分取决于他们研究的动物种类。

（剑桥雅思 11）

语法笔记

本句是一个由 and 连接的并列句。前一个分句的主干是 Migration is a... issue，后一个分句的主干是 biologists define it。现在分词短语 depending in part on what sorts of animals they study 作伴随状语，其中 what 引导宾语从句，作 depending on 的宾语；they study 是省略 that 的定语从句，修饰 animals。

核心词表

migration /maɪˈɡreɪʃn/ *n.* 迁徙，移居；迁徙

搭配 migration patterns 迁徙方式

language migration 语言迁徙

同根 migrate *vi.* 迁移

issue /ˈɪʃuː/ *v.* 流出；发行；*n.* 发行（物）；问题

搭配 issue a statement 发表声明

issue shares 发行股票

at issue 讨论或争议中的

environmental issues 环境问题

biologist /baɪˈɒlədʒɪst/ *n.* 生物学家

记忆 词根记忆：bio（生命）+logist（…学家）→生物学家

同根 biology *n.* 生物学

biological *adj.* 生物的，生物学的

microbiology *n.* 微生物学

define /dɪˈfaɪn/ *v.* 下定义；限定；解释

搭配 define sth. as 把某物解释 / 定义为

同根 definition *n.* 定义

in part 部分地

sort /sɔːt/ *n.* 种，类；类型

搭配 all sorts of 各种各类的

主题归纳

与"常考的动物"相关的词：

bat /bæt/ *n.* 蝙蝠

beast /biːst/ *n.* 兽，牲畜

搭配 beast of prey 猛兽

beaver /ˈbiːvə(r)/ *n.* 海狸

buffalo /ˈbʌfələʊ/ *n.* 水牛

搭配 buffalo horn 水牛角

camel /ˈkæml/ *n.* 骆驼

chimpanzee /ˌtʃɪmpænˈziː/ *n.* 黑猩猩

donkey /ˈdɒŋki/ *n.* 驴

fauna /ˈfɔːnə/ *n.* （某地区或某时期的）所有动物

记忆 联想记忆：来自 Faunus（潘纳斯），罗马神话中的动物之神

genus /ˈdʒiːnəs/ *n.* 种，类

gibbon /ˈgɪbən/ *n.* 长臂猿

giraffe /dʒəˈræf/ *n.* 长颈鹿

gorilla /gəˈrɪlə/ *n.* 猩猩

herd /hɜːd/ *n.* 兽群，人群

同根 herdsman *n.* 牧人

hippo /ˈhɪpəʊ/ *n.* 河马

horde /hɔːd/ *n.* 游牧部落；一大群

搭配 a horde of 一群

horn /hɔːn/ *n.* （牛、羊、鹿等的）角

koala /kəʊˈɑːlə/ *n.* 树袋熊，考拉

搭配 koala bear 树袋熊

marmot /ˈmɑːmət/ *n.* 土拨鼠

niche /niːʃ/ *n.* 生态龛；壁龛

ox /ɒks/ *n.* 牛

pony /ˈpəʊni/ *n.* 矮马

reindeer /ˈreɪndɪə(r)/ *n.* 驯鹿

rhinoceros /raɪˈnɒsərəs/ *n.* 犀牛

seal /siːl/ *n.* 海豹

搭配 a colony of seals 一群海豹

sloth /sləʊθ/ *n.* 树懒

whale /weɪl/ *n.* 鲸

搭配 sperm whale 抹香鲸

woodpecker /ˈwʊdpekə(r)/ *n.* 啄木鸟

yak /jæk/ *n.* 牦牛

zebra /ˈzebrə/ *n.* 斑马

zoology /zuˈɒlədʒi/ *n.* 动物学

形容"动物类别"的词：

aquatic /əˈkwætɪk/ *adj.* 水生的，水中的

搭配 aquatic animal 水生动物

aquatic plant 水生植物

carnivore /ˈkɑːnɪvɔː(r)/ *n.* 食肉动物

同根 carnivorous *adj.* 食肉的，（植物）食虫的

class /klɑːs/ *n.* 纲

coelenterate /sɪˈlentəˌreɪt/ *n.* 腔肠动物；
adj. 腔肠动物的

domestic /dəˈmestɪk/ *adj.* 本国的；家庭的；
驯养的

记忆 词根记忆：dom（房屋）+estic（…的）
→在房子里的→家庭的

domesticate /dəˈmestɪkeɪt/ *v.* 驯养；教化

记忆 词根记忆：dom（驯服）+estic（…的）+
ate（使…）→使驯服→驯养（动物）

family /ˈfæməli/ *n.* 科

habitat /ˈhæbɪtæt/ *n.* 栖息地，住处

记忆 词根记忆：habit（住）+at →住的地方→
住处

herbivorous /hɜːˈbɪvərəs/ *adj.* 食草的

记忆 词根记忆：herbi（=herb 草）+vor（吃）+
ous（…的）→食草的

homotherm /ˌhəʊməʊˈθɜːm/ *n.* 恒温动物

invertebrate /ɪnˈvɜːtɪbrət/ *n.* 无脊椎动物；*adj.* 无脊柱的

反义 vertebrate *n.* 脊椎动物 *adj.* 有脊柱的

omnivorous /ɒmˈnɪvərəs/ *adj.* 杂食的，涉猎广泛的

记忆 词根记忆：omni（全部）+vor（吃）+ous（…的）→什么都吃的→杂食性的

order /ˈɔːdə(r)/ *n.* 目

poikilotherm /ˌpɔɪkɪləʊˈθɜːm/ *n.* 变温动物，冷血动物

predator /ˈpredətə(r)/ *n.* 捕食其他动物的动物；食肉动物

同根 predatory *adj.* 捕食生物的

prey /preɪ/ *n.* 被捕食的动物 *v.* 捕食

记忆 联想记忆：心中暗自祈祷（pray）不要成为猎物（prey）

primate /ˈpraɪmeɪt/ *n.* 灵长目动物

quarry /ˈkwɒri/ *n.* 猎物

rodent /ˈrəʊdnt/ *n.* 啮齿动物

记忆 词根记忆：rod（咬）+ent →咬东西的动物→啮齿动物

scavenger /ˈskævɪndʒə(r)/ *n.* 食腐动物

suborder /ˈsʌbɔːdə(r)/ *n.* 亚目

与"动物行为"有关的词：

chirp /tʃɜːp/ *n.* 虫鸣，鸟叫 *v.* 吱喳而鸣

dormancy /ˈdɔːmənsi/ *n.* 休眠；冬眠

记忆 词根记忆：dorm（睡眠）+ancy →在睡眠状态→冬眠

estivation /ˌiːstɪˈveɪʃn/ *n.* 夏眠

反义 hibernation *n.* 冬眠

graze /greɪz/ *vi.* 放牧，吃草

同根 overgraze *v.* 过度放牧

gregarious /grɪˈɡeəriəs/ *adj.* 群居的；爱社交的

记忆 词根记忆：greg（群体）+arious →群体的→群居的

hatch /hætʃ/ *vt.* 孵出；策划 *vi.* 孵化

记忆 联想记忆：赢得比赛（match）要有准备和策划（hatch）

leap /liːp/ *v./n.* 跳，跳跃

搭配 leap into 跳进

leap a stream 跃过小溪

migrate /maɪˈgreɪt/ *vi.*（候鸟等）迁徙；移居

同义 emigrate *v.*（使）移居外国

immigrate *v.*（使）移居入境

migratory /ˈmaɪgrətri/ *adj.* 迁徙的，流浪的

记忆 词根记忆：migr（移动）+atory（有…性质的）→迁徙的

nest /nest/ *n.* 巢 *v.* 筑巢

搭配 bird nest 鸟窝

peck /pek/ *v.* 啄，啄食 *n.* 啄痕，啄食

pregnant /ˈpregnənt/ *adj.* 怀孕的

搭配 get pregnant 怀孕

reproduce /ˌriːprəˈdjuːs/ *v.* 繁殖；复制

记忆 词根记忆：re（一再）+produce（生产）→不断生产→繁殖

reproduction /ˌriːprəˈdʌkʃn/ *n.* 繁殖；复制品

同根 reproductive *adj.* 生殖的

spawn /spɔːn/ *n.* 卵；*v.*（鱼或蛙）产卵

squeak /skwiːk/ *n.* 吱吱声；*v.*（发出）吱吱叫；侥幸通过

Sentence 04

One way is by organising backstage tours, so people can be shown round the building and learn how a theatre operates.

一种方式是组织后台参观，这样人们就可以参观建筑，了解剧院是如何运作的。

（剑桥雅思 11）

语法笔记

本句是一个由 so 连接的并列句，其中 so 表示结果。前一个分句的主干是 One way is by organising backstage tours，后一个分句的主干是 people can be shown round the building and learn...，how 引导的宾语从句作 learn 的宾语。

核心词表

way /weɪ/ *n.* 方法

搭配 way of doing sth./way to do sth. 做某事的方法

backstage /ˌbæk'steɪdʒ/ *adj.* 后台的

记忆 合成词：back（后）+stage（舞台）→后台的

tour /tʊə(r)/ *n.* 游览，观光；参观

搭配 tour group 旅游团

take a tour 旅行

show round 带（某人）参观

theatre /'θɪətə(r)/ *n.* 剧院

搭配 movie theatre 电影院

art theatre 艺术影院；艺术剧院

operate /'ɒpəreɪt/ *vi.* 运转；动手术；*vt.* 操作；经营

搭配 operate a tutorial system 开设一个辅导系统

operating cost 运转费用

同根 operation *n.* 运行；手术

operational *adj.* 运转的；操作上的

主题归纳

与"戏剧创作"有关的词：

a tragic ending 悲剧的结尾

dialogue /'daɪəlɒg/ *n.* 对话

drama /'drɑːmə/ *n.* 戏剧

main plot 主要情节

monologue /'mɒnəlɒg/ *n.* 独白

搭配 inner monologue 内心独白

offstage /ˌɒf'steɪdʒ/ *adj.* 幕后的

搭配 offstage manoeuvring 幕后活动

playwright /'pleɪraɪt/ *n.* 剧作家

搭配 animation playwright 动画编剧

puppet /'pʌpɪt/ *n.* 木偶

搭配 puppet play 木偶戏

script /skrɪpt/ *n.* 剧本

搭配 script error 脚本错误

thespian /'θespiən/ *adj.* 戏剧的；悲剧性的

搭配 thespian trilogy 悲剧三部曲

表示"戏剧种类"的词：

black comedy 黑色喜剧，忧郁喜剧

dance drama 舞剧

farce /fɑːs/ *n.* 闹剧；滑稽剧

搭配 political farce 政治闹剧

　　　 tragic farce 悲闹剧

modern drama 话剧

music drama 音乐剧

musical comedy 音乐喜剧

opera /'ɒprə/ *n.* 歌剧

搭配 Peking Opera 京剧

pantomime /'pæntəmaɪm/ *n.* 哑剧

同根 pantomimic *adj.* 哑剧的

puppet show 木偶剧

satirical comedy 讽刺喜剧

sentimental comedy 伤感喜剧

situation comedy (sitcom) 情景喜剧

tragedy /'trædʒədi/ *n.* 悲剧

搭配 love tragedy 爱情悲剧

tragic /'trædʒɪk/ *adj.* 悲惨的；悲剧（性）的

记忆 联想记忆：t+rag（破旧衣服）+ic →穿破旧衣服的→悲惨的

与"戏剧表演"有关的词：

act /ækt/ *n.*（戏剧，歌剧的）一幕

搭配 the first act 第一幕

comedian /kə'miːdiən/ *n.* 喜剧演员

记忆 词根记忆：comed(y)（喜剧）+ian（某种职业的人）→喜剧演员

curtain call 谢幕

funnyman /'fʌniˌmæn/ *n.* 滑稽演员

记忆 合成词：funny（滑稽的）+man（人）→滑稽演员

hero /'hɪərəʊ/ *n.* 男主人公；英雄

同根 heroic *adj.* 英勇的

heroine /'herəʊɪn/ *n.* 女主角

搭配 national heroine 民族女英雄

impersonate /ɪm'pɜːsəneɪt/ *v.* 扮演

记忆 词根记忆：im（加以）+person（人）+ate →饰演别人→扮演

interval /'ɪntəvl/ *n.* 间隔；幕间休息

搭配 interval timer 间隔计时器

mime /maɪm/ *v.* 模仿；*n.* 哑剧表演；哑剧（演员）

记忆 词根记忆：mim（假正经的）+e →假正经，装模作样→模仿

repertoire /'repətwɑː(r)/ *n.* （剧团等）常备剧目；（剧团、演员等的）全部节目

stagehand /'steɪdʒhænd/ *n.* 舞台管理

表达"方式，方法"的词：

approach /ə'prəʊtʃ/ *vt.* 靠近；*n.* 方法，途径
搭配 approach to 接近；做某事的方法
同义 solution *n.* 解决方案

avenue /'ævənjuː/ *n.* 林荫道；途径，手段
搭配 a tree-lined avenue 树木成行的街道

direct /də'rekt/ *adj.* 直接的
反义 indirect *adj.* 间接的

fashion /'fæʃn/ *n.* 方式；流行款式
同根 fashionable *adj.* 时髦的

forthright /'fɔːθraɪt/ *adj.* 直率的，直截了当的
记忆 合成词：forth（向前）+right（正）→ 直率的

means /miːnz/ *n.* 方法，手段，工具
同义 tool *n.* 工具，手段

method /'meθəd/ *n.* 方法，办法
搭配 teaching method 教学法
　　　payment method 付款方式

mode /məʊd/ *n.* 模式；方式；风格
搭配 mode of transportation 交通方式

pathway /'pɑːθweɪ/ *n.* 途径，路，径

procedure /prə'siːdʒə(r)/ *n.* 手续，步骤
搭配 regular procedure 正规手续
　　　the registration procedure 登记手续

recipe /'resəpi/ *n.* 食谱；方法，秘诀
同义 knack *n.* 技巧，诀窍

shortcut /'ʃɔːtkʌt/ *n.* 捷径

tip /tɪp/ *n.* 窍门

via /'vaɪə/ *prep.* 通过，借助于

Review

Sentence
05
What I'm afraid will happen is that books and magazines will all disappear, and there'll just be rows and rows of computers.

我担心会发生的是，书和杂志都将消失，剩下的只有一排排电脑。

（剑桥雅思12）

语法笔记

本句的主干是 What I'm afraid will happen is that...。其中 what 引导一个主语从句，I'm afraid 作插入语，表明说话者的态度；that 引导表语从句 books and magazines ... rows of computers。

核心词表

afraid /ə'freɪd/ *adj.* 恐怕，担心的

搭配 be afraid of 害怕

happen /'hæpən/ *v.* 发生

记忆 词根记忆：happ（=hap，机会）+en（使…）→使成为机会→发生

magazine /'mægəziːn/ *n.* 杂志

搭配 magazine cover 杂志封面

disappear /ˌdɪsə'pɪə(r)/ *v.* 消失

记忆 词根记忆：dis（不）+appear（出现）→不出现→消失

row /rəʊ/ *n.* 行，排

主题归纳

形容"担心，忧虑"的词：

alarm /ə'lɑːm/ *n.* 警报；闹钟；*vt.*（使）惊恐；（使）担心

记忆 联想记忆：al+arm（武器）→受了惊吓，拿起武器→惊恐

anxious /'æŋkʃəs/ *adj.* 渴望的；忧虑的

uneasy /ʌn'iːzi/ *adj.* 心神不安的；担心的

记忆 词根记忆：un（不）+easy（安心的）→不安心的→心神不安的

形容"消失，灭绝"的词：

evaporate /ɪ'væpəreɪt/ *v.*（使）蒸发；消失

记忆 词根记忆：e（出）+vapor（水气）+ate（使…）→使水气出去→蒸发

evaporation /ɪˌvæpə'reɪʃn/ *n.* 蒸发；消失

同根 vaporize *v.*（使）蒸发

extinct /ɪk'stɪŋkt/ *adj.* 灭绝的；废弃的

同根 extinction *n.* 灭绝；废止

fade /feɪd/ *vi.* 褪色；凋谢；逐渐消失

记忆 联想记忆：褪色（fade）的记忆何堪以对（face）

参考 fade-in *n.* 淡入

fade-out *n.* 淡出

linger /'lɪŋgə(r)/ *v.* 继续逗留；缓慢消失

vanish /'vænɪʃ/ *v.* 突然消失；不复存在

记忆 词根记忆：van（空）+ish（使…）→空无一物→不复存在

vanished /ˈvænɪʃt/ *adj.* 消失的，不见的

记忆 词根记忆：vanish（突然消失）+ed（…的）→消失的

与"杂志，报纸"有关的词：

advertising /ˈædvətaɪzɪŋ/ *n.* 广告

搭配 advertising revenue 广告收入

anthology /ænˈθɒlədʒi/ *n.*（故事、诗、歌曲等的）选集

记忆 词根记忆：anth（花）+ology（…学）→像采花一样收集精品→选集

article /ˈɑːtɪkl/ *n.* 文章

搭配 informative article 报道性文章

big news 头条新闻

bimonthly /ˌbaɪˈmʌnθli/ *n.* 双月刊；*adj.* 每两个月一次的

biweekly /baɪˈwiːkli/ *n.* 双周刊；*adj.* 两周一次的

business magazine 商业杂志

circulation /ˌsɜːkjəˈleɪʃn/ *n.* 发行量

column /ˈkɒləm/ *n.* 专栏

搭配 write a column 写专栏

columnist /ˈkɒləmnɪst/ *n.* 专栏作家

consumer magazine 消费者杂志

contributor /kənˈtrɪbjətə(r)/ *n.* 投稿者

搭配 free contributor 自由撰稿人

distribution /ˌdɪstrɪˈbjuːʃn/ *n.* 发行

editor /ˈedɪtə(r)/ *n.* 编辑

搭配 copy editor 文字编辑

editor-in-chief /ˌedɪtə ɪn ˈtʃiːf/ *n.* 总编辑

encyclopedia /ɪnˌsaɪkləˈpiːdiə/ *n.* 百科全书

记忆 词根记忆：en（使…）+cyclo（=cycl 圆，环）+ped（教育）+ia→囊括了所有的知识→百科全书

evening edition 晚报

fortnightly /ˈfɔːtnaɪtli/ *adj.* 每两星期一次的，隔周发行的；*adv.* 隔周，每两星期一次地

参考 fortnight *adj.* 两星期

full-page /ˌfʊlˈpeɪdʒ/ *adj.* 全页的

government organ 政府机关报

headline /ˈhedlaɪn/ *n.* 标题

搭配 headline news 标题新闻

journal /ˈdʒɜːnl/ *n.* 日报；期刊

搭配 journal article 期刊论文

literary magazine 文学杂志

low-cost /ˌləʊˈkɒst/ *adj.* 廉价的

搭配 low-cost paper 低成本的纸张

magazine cover 杂志封面

monthly /ˈmʌnθli/ *n.* 月刊；*adj.* 每月一次的

搭配 monthly salary 月薪

morning edition 晨报

news magazine 新闻杂志

newsboy /ˈnjuːzˌbɔɪ/ *n.* 报童

newspaper /ˈnjuːzpeɪpə(r)/ *n.* 报纸

搭配 newspaper office 报社

newspaper stand 报摊

newsprint /ˈnjuːzprɪnt/ *n.* 新闻用纸

newssheet /ˈnjuːzʃiːt/ *n.* 单张报纸

paperback /ˈpeɪpəbæk/ *n.* 平装书

记忆 合成词：paper（纸）+back（后面）→
纸质封面的书→平装书

popular paper 大众报纸

publication /ˌpʌblɪˈkeɪʃn/ *n.* 出版，发行；
出版物

publisher /ˈpʌblɪʃə(r)/ *n.* 发行人

quality paper 高级报纸

quarterly /ˈkwɔːtəli/ *n.* 季刊；*adj.* 季度的

搭配 quarterly account 季度账

science magazine 科学杂志

trade paper 商界报纸

weekly /ˈwiːkli/ *adj.* 每周的

搭配 weekly magazine 周刊

Review

The psychological laboratory has a strong claim to legitimacy and evokes trust and confidence in those who perform there.

这个心理学实验室坚决声明拥有合法性并唤起了在那里参与实验的人们的信任和信心。

（剑桥雅思5）

语法笔记

本句主干是 The psychological laboratory has a strong claim to legitimacy and evokes trust and confidence。who 引导定语从句修饰 those；第一个 and 连接了两个谓语动词 has 和 evokes，构成并列谓语。

核心词表

psychological /ˌsaɪkəˈlɒdʒɪkl/ *adj.* 心理的；心理学的

记忆 来自 psychology（ *n.* 心理学）

同根 psychologically *adv.* 心理上地，心理学地

claim /kleɪm/ *vt.* 声称；主张；要求；索取；*n.* 要求；认领；索赔；声称，断言

记忆 本身为词根，意为"大叫"→声称；要求

搭配 lay claim to 声称对…有权利

claim for 要求

legitimacy /lɪˈdʒɪtɪməsi/ *n.* 合法性；正统性

记忆 词根记忆：legitim（=legis 法律）+acy（性质）→合法性

evoke /ɪˈvəʊk/ *vt.* 唤起

记忆 词根记忆：e（出）+vok（喊）+e →喊出（思想等）→唤起

trust /trʌst/ *n.* 信任；*vt.* 信赖；*vi.*（~to）信赖；（~in）相信

主题归纳

形容"合法性"的词：

counselor /ˈkaʊnsələ(r)/ *n.* 顾问；辅导员；参赞；法律顾问

illegal /ɪˈliːgl/ *adj.* 不合法的，违法的

记忆 词根记忆：il（不，非）+legal（合法的）→不合法的

同根 illegality *n.* 非法

illegally *adv.* 违法地

lawful /ˈlɔːfl/ *adj.* 合法的，法定的

记忆 词根记忆：law（法律）+ful（…的）→合法的

legal /ˈliːgl/ *adj.* 法律的；合法的

记忆 词根记忆：leg（法律）+al（…的）→法律的

legislation /ˌledʒɪsˈleɪʃn/ *n.* 法律；立法

记忆 来自 legislate（*v.* 制定法律）

legislative /ˈledʒɪslətɪv/ *adj.* 立法的，有关立法的；*n.* 立法机关

搭配 legislative assembly 立法议会

legitimate /lɪˈdʒɪtɪmət/ *adj.* 合法的；正当的；*v.*（使）合法

记忆 词根记忆：leg（法律）+itim+ate（使…）→（使）合法

同根 legitimately *adv.* 合情合理地

legitimise /lɪˈdʒɪtɪmaɪz/ *v.*（使）合法；正式批准

记忆 词根记忆：leg（法律）+itim+ize（使…）→使被法律认可→（使）合法

outlaw /ˈaʊtlɔː/ *n.* 歹徒，亡命之徒；*v.* 宣布…为非法

记忆 合成词：out（出）+law（法律）→超出法律范围→宣布…为非法

vested /ˈvestɪd/ *adj.* 法律规定的；既定的

记忆 联想记忆：法律规定（vested）的年龄，就被授予（vest）选举的权利

与"心理学分支"有关的词：

abnormal psychology 变态心理学

criminal psychology 犯罪心理学

educational psychology 教育心理学

group psychology 从众心理、群体心理学

individual psychology 个体心理学

personality psychology 个性心理学、人格心理学

social psychology 社会心理学

与"心理学研究内容"有关的词：

acrophobia /ˌækrəˈfəʊbɪə/ *n.* 恐高症

记忆 词根记忆：acro（高点）+phob（恐惧）+ia（某种病）→恐高症

affective /əˈfektɪv/ *adj.* 情感的

同根 affection *n.* 感情

allergy /ˈælədʒi/ *n.* 过敏症

apathy /ˈæpəθi/ *n.* 无感情，无兴趣，冷漠

记忆 词根记忆：a（无）+pathy（感情）→无感情

assertive /əˈsɜːtɪv/ *adj.* 武断的

记忆 词根记忆：assert（断言）+ive（…的）→武断的

attributable /əˈtrɪbjətəbl/ *adj.* 可归因于

记忆 词根记忆：attribut(e)（把…归于）+able（可…的）→可归因于

claustrophobia /ˌklɔːstrəˈfəʊbiə/ *n.* 幽闭恐惧症

记忆 词根记忆：claustro（密闭空间）+phob（恐惧）+ia（某种病）→幽闭恐惧症

congenital /kənˈdʒenɪtl/ *adj.* 先天的

记忆 词根记忆：con（共同）+genit（出生）+al（…的）→与生俱来的，出生就带来的→先天的

delusion /dɪˈluːʒn/ *n.* 迷惑，欺瞒

记忆 词根记忆：de+lus（玩）+ion→玩阴的（手段）→欺骗

deviance /ˈdiːvɪəns/ *n.* 偏常；异常行为（或特征）

记忆 词根记忆：de（偏离）+vi（路）+ance→偏离正规，不太正常→偏常

同根 deviant *adj.* 不正常的，偏离常规的

disorder /dɪsˈɔːdə(r)/ *n.* 混乱；失调；*vt.* 扰乱，使失调

记忆 词根记忆：dis（不）+order（顺序）→无序→混乱

同根 disorderly *adj.* 混乱的，无秩序的

emotional /ɪˈməʊʃənl/ *adj.* 感情（上）的，情绪（上）的；引起情感的；易动感情的

记忆 联想记忆：e（好似电子）+motion（运动）+al →电子的运动带来情感→感情上的

illusion /ɪˈluːʒn/ *n.* 幻想中的事物，错误的观念；错觉，幻觉

记忆 词根记忆：il（进入）+lus（玩）+ion（表名词）→有被玩弄的幻觉→幻觉

同义 mirage *n.* 幻景，幻想

innate /ɪˈneɪt/ *adj.* 天赋的

记忆 词根记忆：in（进入）+nat（出生）+e →生来就带有→天赋的

insane /ɪnˈseɪn/ *adj.* 蠢极的，荒唐的；（患）精神病的，疯狂的

记忆 词根记忆：in（不）+sane（健全的）→精神不健全的→精神病的

反义 sane *adj.* 神智健全的

instinct /ˈɪnstɪŋkt/ *n.* 本能，直觉；天性

记忆 词根记忆：in（内）+stinct（刺激）→内在的刺激→本能

mental /ˈmentl/ *adj.* 心理的，精神的；智力的

记忆 词根记忆：ment（想，心智）+al（…的）→心理的，精神的

multiple personality 多重人格

pathology /pəˈθɒlədʒi/ *n.* 病理学

记忆 词根记忆：path（病）+ology（…学）→病理学

phobia /ˈfəʊbiə/ *n.* 恐惧（症）

记忆 词根记忆：phob（恐惧）+ia（某种病）→恐惧（症）

psychiatry /saɪˈkaɪətri/ *n.* 精神病学

记忆 词根记忆：psych（精神）+iatry →精神病学

psychic /ˈsaɪkɪk/ *adj.* 精神的

记忆 词根记忆：psych（精神）+ic（…的）→精神的

rational /ˈræʃnəl/ *adj.* 理性的；合理的

记忆 词根记忆：rat（计算）+ion+al（…的）→通过计算来定量→理性的

retrospection /ˌretrəˈspekʃn/ *n.* 回顾，反省

记忆 词根记忆：retro（向后）+spect（看）+ion →回顾

spiritual /ˈspɪrɪtʃuəl/ *adj.* 精神的；心灵的；宗教（上）的

记忆 词根记忆：spirit（精神）+ual（…的）→精神的

搭配 spiritual damage 精神伤害

sympathy /ˈsɪmpəθi/ *n.* 同情；（思想感情上的）赞同

记忆 词根记忆：sym（相同）+path（感情）+y →怀有相同的感情→同情

symptom /ˈsɪmptəm/ *n.* 症状

搭配 clinical symptom 临床表现

trauma /ˈtrɔːmə/ *n.* 创伤

与"法律"有关的词：

abolish /ə'bɒlɪʃ/ v. 废止，废除

记忆 词根记忆：abol（消除）+ish（使…）→ 废止

accomplice /ə'kʌmplɪs/ n. 同谋者，帮凶

记忆 词根记忆：ac（加强）+com（共同）+ plic（重叠）+e →共同聚集在一起（做 事）→同谋者

acquittal /ə'kwɪtl/ n. 宣判无罪

记忆 词根记忆：ac（加强）+quit（使自由）+ tal →（疑犯）获得自由→宣判无罪

annul /ə'nʌl/ v. 废除，取消

记忆 词根记忆：an（加强）+nul（=null 没有） →变没有→取消

同根 annulment n. 解除（婚约），废止（契约）

arbitration /ˌɑːbɪ'treɪʃn/ n.（由争执双方挑 选的人所做的）公断，仲裁

记忆 词根记忆：arbitr（判断）+ation（表名 词）→仲裁

bill /bɪl/ n. 法案

cancellation /ˌkænsə'leɪʃn/ n. 取消

记忆 来自 cancel（v. 取消，把…作废）

captivity /kæp'tɪvəti/ n. 囚禁，拘留

记忆 词根记忆：capt（抓）+ivity（情况）→ 抓住→拘留

codification /ˌkəʊdɪfɪ'keɪʃn/ n. 法典编纂

记忆 词根记忆：cod(e)（编码）+ification （形成…）→法典编纂

condone /kən'dəʊn/ vt. 宽恕

记忆 词根记忆：con（加强）+don（给予）+ e→给出（大度）→宽恕

confirmation /ˌkɒnfə'meɪʃn/ n. 证实，确认； 批准

搭配 confirmation message 确认信息

constitution /ˌkɒnstɪ'tjuːʃn/ n. 宪法，章程； 组成，设立

记忆 词根记忆：con（共同）+stitut（建立）+ ion（表物）→宪法

court /kɔːt/ n. 法院

culprit /'kʌlprɪt/ n. 犯人

记忆 词根记忆：culp（罪）+rit →犯人

decree /dɪ'kriː/ n. 法令；判决

搭配 government decree 政府法令

to issue a decree 颁布法令

defendant /dɪ'fendənt/ n. 被告

搭配 nominal defendant 名义被告

denounce /dɪ'naʊns/ vt. 告发

记忆 词根记忆：de（毁）+nounc（说）+e → 说毁人的话→告发

deposition /ˌdepə'zɪʃn/ n. 革职；废黜；证 人陈述

记忆 词根记忆：de（去掉）+position（位置） →革职

detain /dɪ'teɪn/ vt. 耽搁；拘留

记忆 词根记忆：de（加强）+tain（拿住）→ 反复被捉住→拘留

domineering /ˌdɒmɪ'nɪərɪŋ/ adj. 专横的， 霸道的

enforcement /ɪn'fɔːsmənt/ n. 执行，强制

搭配 strict enforcement of a new law 新法令的强 制执行

exempt /ɪg'zempt/ vt. 免除，豁免； adj. 被免除的

记忆 词根记忆：ex（出）+empt（获得）→ 获得出去（的权利）→豁免

extradition /ˌekstrə'dɪʃn/ n. 引渡

eyewitness /'aɪwɪtnəs/ n. 目击者，见证人

搭配 eyewitness account 目击人的叙述

hearing /ˈhɪərɪŋ/ *n.* 听证会

impeach /ɪmˈpiːtʃ/ *vt.* 弹劾

记忆 词根记忆：im（加以…）+peach（告发）→加以告发→弹劾

imprison /ɪmˈprɪzn/ *v.* 监禁

搭配 imprison sb. in sth. 将某人禁锢于某处

imprisonment /ɪmˈprɪznmənt/ *n.* 监禁

搭配 sentenced to life imprisonment 被判终身监禁

incriminate /ɪnˈkrɪmɪneɪt/ *vt.* 显示…有罪

记忆 词根记忆：in（使…）+crimin（罪）+ate →显示…有罪

indemnity /ɪnˈdemnəti/ *n.* 赔款，补偿；（保证赔偿的）保障

记忆 词根记忆：in（不）+demn（伤害）+ity（表性质）→使不受损害→保障

同根 indemnification *n.* 保障；补偿，补偿物

interrogatory /ˌɪntəˈrɒgətri/ *adj.* 质问的，疑问的

jurisprudence /ˌdʒʊərɪsˈpruːdns/ *n.* 法学

记忆 词根记忆：juris（法律）+prud（小心）+ence（表行为）→认真学法→法学

legality /liːˈgæləti/ *n.* 合法性

记忆 词根记忆：legal（合法的）+ity（表性质）→合法性

legislation /ˌledʒɪsˈleɪʃn/ *n.* 法律，法规；立法

liability /ˌlaɪəˈbɪləti/ *n.* （法律上对还款、赔偿的）责任，义务；倾向；债务

搭配 limited liability 有限责任

non-observance /ˌnɒn əbˈzɜːvəns/ *n.* （对法律、习俗等的）不遵守，违反

记忆 词根记忆：non（不）+observance（遵守）→不遵守

notary /ˈnəʊtəri/ *n.* 公证人

observance /əbˈzɜːvəns/ *n.* 遵守

patent /ˈpætnt/ *n.* 专利（权）；*v.* 申请专利

搭配 patent device 专利设备

apply for a patent 申请专利

penalty /ˈpenəlti/ *n.* 惩罚，罚金

搭配 death penalty 死刑

query /ˈkwɪəri/ *n.* 质问，疑问；*v.* 质疑

记忆 词根记忆：quer（寻求）+y（表行为）→寻求答案→疑问

ratification /ˌrætɪfɪˈkeɪʃn/ *n.* 批准

记忆 词根记忆：rat（计算）+ification（表抽象名词）→通过计算证实→批准

recidivist /rɪˈsɪdɪvɪst/ *n.* 惯犯

remit /rɪˈmɪt/ *vt.* 免除（债务或处罚）

revocation /ˌrevəˈkeɪʃn/ *n.* 撤回

记忆 词根记忆：re（回）+voc（声音）+ation →（原来的）话收回→撤回

substantiate /səbˈstænʃieɪt/ *vt.* 证实

记忆 词根记忆：sub（下）+stant（站）+iate →（让理论）能站得住脚→证实

summons /ˈsʌmənz/ *n.* 传票

testify /ˈtestɪfaɪ/ *v.* （尤指在法庭上）作证

记忆 词根记忆：testi（证据）+fy（使…）→用证据证明→作证

表示"诉讼"的词：

accusation /ˌækjuˈzeɪʃn/ *n.* 控告，起诉，告发，谴责

搭配 bring an accusation against 对…起诉

indictment /ɪnˈdaɪtmənt/ *n.* 控告

lawsuit /ˈlɔːsuːt/ *n.* 诉讼

nonsuit /nɒn'suːt/ *n.* 诉讼驳回

plaintiff /'pleɪntɪf/ *n.* 起诉人，原告

记忆 词根记忆：plaint（抱怨）+iff（表名词）
→原告

plea /pliː/ *n.* 恳求；（法庭中被告一方的）
抗辩，答辩，辩护

搭配 plea bargain 认罪求情

proceeding /prə'siːdɪŋ/ *n.* 诉讼

prosecute /'prɒsɪkjuːt/ *v.* 起诉，控告，检举

记忆 词根记忆：pro（在前）+secut（跟随）+
e→跟随（法官）在他面前（告状）→
控告

sue /suː/ *v.* 控告，提起诉讼

Review

The displays of art museums serve as a warning of what critical practices can emerge when spontaneous criticism is suppressed.
艺术博物馆的陈列警示我们当自发的（艺术）批评被压制时会出现何种（艺术）批评。

(剑桥雅思10)

语法笔记

本句的主干是 The displays of art museums serve as a warning。句中 what 引导的宾语从句作介词 of 的宾语，"of+ 宾语从句"一起修饰 a warning。when 在此处引导时间状语从句。

核心词表

display /dɪˈspleɪ/ *vt./n.* 陈列，展览；显示，表现

记忆 词根记忆：dis（分开）+play（播放，表演）→分列展示→陈列

搭配 on display 展示，陈列

同义 exhibition *n.* 展览

show *n.* 展出

warning /ˈwɔːnɪŋ/ *n.* 警告

搭配 warning sign 警告标志

critical /ˈkrɪtɪkl/ *adj.* 批评的；评论的；危急的；紧要的；临界的；挑剔的

记忆 词根记忆：crit（判断）+ical（…的）→做出判断的→评论的

搭配 critical of 爱挑毛病的，批评的

critical thoughts 挑剔的思想

be of critical importance 至关重要

critical point 临界点

a critical period 危险期

同根 uncritical *adj.* 不加批判的

critically *adv.* 危急地；用钻研目光地

emerge /iˈmɜːdʒ/ *v.* 现出；显露，（事实等）暴露

记忆 词根记忆：e（出）+merg（沉，没）+e→水落石出→显露

spontaneous /spɒnˈteɪniəs/ *adj.* 自发的，自然而然的

记忆 词根记忆：spont（=spond 承诺）+aneous（有…特征的）→发自（内心）的承诺→自发的

criticism /ˈkrɪtɪsɪzəm/ *n.* 批评

搭配 take criticism 接受批评

literary criticism 文学批评

suppress /səˈpres/ *v.* 压制，镇压；禁止发表；抑制（感情等）；阻止…的生长（或发展）

记忆 词根记忆：sup（下）+press（压）→压下去→镇压

同义 squash *vt.* 镇压，压制

restrain *vt.* 抑制，压制

同根 suppressant *n.* 抑制物

suppression *n.* 镇压，抑制

与"艺术展览"有关的词：

aesthetic /es'θetɪk/ *adj.* 审美的

搭配 aesthetic fatigue 审美疲劳

aesthetic feeling 美感

ancient calligraphy and painting 古书画

art /ɑːt/ *n.* 艺术

搭配 art exhibition 艺术展览

fine art 美术

art director 艺术总监；艺术指导

modern art 现代艺术

artistic /ɑː'tɪstɪk/ *adj.* 艺术（家）的；有美感的

搭配 artistic value 艺术价值

artistic quality 艺术品质

artistic standards 艺术水准

artistic work 艺术作品

artware /'ɑːtweə(r)/ *n.* 工艺品

bronze ware 铜器

cradle /'kreɪdl/ *n.* 摇篮；发源地

搭配 in the cradle 在婴儿时期

creative art 创造性艺术

decorative art 装饰艺术

display cabinet 展示柜

edify /'edɪfaɪ/ *v.* 熏陶；启发

搭配 edify sentiment 陶冶情操

同根 edification *n.* 启迪；教诲

exhibit /ɪg'zɪbɪt/ *n.* 陈列品；展品

exhibition /ˌeksɪ'bɪʃn/ *n.* 展览；展览会

搭配 exhibition hall 展厅

exhibition centre 展览中心

fine art 艺术，美术

glassware /'glɑːsweə(r)/ *n.* 玻璃制品

jadeware /'dʒeɪdweə(r)/ *n.* 玉器

language art 语言艺术

medium /'miːdiəm/ *n.* 媒介

performing art 表演艺术

photography work 摄影作品

plastic art 造型艺术

porcelain /'pɔːsəlɪn/ *n.* 瓷器

搭配 porcelain ware 瓷器

hard porcelain 硬质瓷器

porcelain bottle 瓷瓶

primitive art 原始艺术

reproducibility /riːprəduːsə'bɪlɪti/ *n.* 再现性

show /ʃəʊ/ *n.* 展览

space art 空间艺术

startling /'stɑːtlɪŋ/ *adj.* 惊人的

搭配 startling news 爆炸性新闻

time and spatial art 时空艺术

time art 时间艺术

与"博物馆"有关的词：

art museum 艺术博物馆

audio tour 语音导览

British Museum 大英博物馆

caption /'kæpʃn/ n. 说明文字

dinosaur /'daɪnəsɔː(r)/ n. 恐龙

dinosaur model 恐龙模型

educational /ˌedʒu'keɪʃənl/ adj. 教育性的

搭配 educational psychology 教育心理学

exhibition opening time 开馆时间

explain /ɪk'spleɪn/ v. 解说

搭配 explain to... 向…解释

fossil /'fɒsl/ n. 化石

搭配 fossil fuel 化石燃料

ground map 楼层平面图

historic /hɪ'stɒrɪk/ adj. 有历史意义的

搭配 historic site 古迹

　　　historic house 古宅

　　　history museum 历史博物馆

incomparable /ɪn'kɒmprəbl/ adj. 无与伦比的

Jurassic Period 侏罗纪

Louvre /'luːvə(r)/ n. 卢浮宫

main entrance 主通道

military equipment 军事装备

military museum 军事博物馆

museum plan 博物馆楼层简介

museum staff 博物馆工作人员

National Museum of China 中国国家博物馆

American Museum of Natural History 美国自然历史博物馆

natural history museum 自然历史博物馆

no flash 不准用闪光灯拍摄

on display 展出

painting /'peɪntɪŋ/ n. 油画

The Palace Museum 故宫博物院

precious /'preʃəs/ adj. 珍贵的，贵重的

搭配 precious metal 贵金属

pterosaur /'terəˌsɔː(r)/ n. 翼龙

security camera 监视摄影机

security system 防盗系统

science museum 科技博物馆

sculpture /'skʌlptʃə(r)/ n. 雕塑

showpiece /'ʃəupiːs/ n. 展出品

ticket counter 购票处

tyrannosaurus /tɪˌrænə'sɔːrəs/ n. 暴龙；霸王龙

unearthly /ʌn'ɜːθli/ adj. 奇异的，神秘的

搭配 unearthly beauty 非凡的美

with access all day 全天开放

Vertical farming is an attempt to address the undoubted problems that we face in producing enough food for a growing population.

垂直农业试图解决我们在为不断增长的人口生产足够粮食时所面临的不容置疑的问题。

（剑桥雅思 11）

语法笔记

本句的主干是 Vertical farming is an attempt。不定式 to address the undoubted problems 作后置定语修饰 an attempt，由 that 引导的定语从句修饰 problems。

核心词表

vertical /'vɜːtɪkl/ *adj.* 垂直的；竖式的；*n.* 垂线

搭配 a vertical line 垂直线

attempt /ə'tempt/ *n./vt.* 尝试；试图；努力

记忆 词根记忆：at（加强）+tempt（尝试）→尝试

搭配 make attempt 尝试

attempt at (doing) sth. 尝试做某事

attempt to do sth. 尝试/努力做某事

同义 try *v.* 尝试

address /ə'dres/ *v.*（着手）解决，处理（问题）

undoubted /ʌn'daʊtɪd/ *adj.* 毋庸置疑的

同根 undoubtedly *adv.* 毋庸置疑地，确凿地

face /feɪs/ *vt.* 面对，面临

搭配 face the challenge 面对挑战

produce /prə'djuːs/ *v.* 生产；繁殖

同义 generate *v.* 产生，发生

manufacture *v.* 加工 *n.*（大量）制造

主题归纳

与"粮食作物"有关的词：

barley /'bɑːli/ *n.* 大麦

beet /biːt/ *n.* 甜菜

bland /blænd/ *adj.* 无刺激性的（食物等）

broccoli /'brɒkəli/ *n.* 西兰花

butter /'bʌtə(r)/ *n.* 黄油

cabbage /'kæbɪdʒ/ *n.* 卷心菜

carrot /'kærət/ *n.* 胡萝卜

celery /'seləri/ *n.* 芹菜

搭配 Chinese celery 香芹

cereal /'sɪəriəl/ *n.* 谷类食物；谷物

记忆 词根记忆：cere（谷）+al（表物）→谷物

chop /tʃɒp/ *n.* 排骨

coarse cereal 杂粮

corn /kɔːn/ n. [美] 玉米；[英] 谷物

crop /krɒp/ n. 作物，庄稼

cucumber /ˈkjuːkʌmbə(r)/ n. 黄瓜

搭配 pickled cucumber 酸黄瓜

cuisine /kwɪˈziːn/ n. 烹饪；烹调法

记忆 发音记忆："口味新"→烹饪出新口味

dry farmland 旱田

edible /ˈedəbl/ adj. 可食用的

记忆 词根记忆：ed（吃）+ible（可…的）→
可食用的

farm /fɑːm/ n. 农场

foodstuff /ˈfuːdstʌf/ n. 粮食

搭配 subsidiary foodstuff 副食品

grain /greɪn/ n. 谷物；颗粒

搭配 grain depot 粮库

grain crop 谷类作物，粮食作物

highland barley 青稞

inedible /ɪnˈedəbl/ adj. 不可食用的

记忆 词根记忆：in（不）+edible（可食用的）
→不可食用的

irrigated land 水田

leek /liːk/ n. 韭菜

lettuce /ˈletɪs/ n. 生菜；莴苣

millet /ˈmɪlɪt/ n. 粟；小米

mustard /ˈmʌstəd/ n. 芥菜；芥末酱

oat /əʊt/ n. 燕麦

onion /ˈʌnjən/ n. 洋葱

搭配 onion ring 洋葱圈

pea /piː/ n. 豌豆

搭配 pea soup 豌豆汤

peanut /ˈpiːnʌt/ n. 花生

pepper /ˈpepə(r)/ n. 胡椒；辣椒；vt. 在…上
撒（胡椒粉等）

planting industry 种植业

potato /pəˈteɪtəʊ/ n. 马铃薯

搭配 couch potato 电视迷

small potato 小人物

pumpkin /ˈpʌmpkɪn/ n. 南瓜

搭配 some pumpkins 了不起的人物

radish /ˈrædɪʃ/ n. 小萝卜

rice /raɪs/ n. 稻米；大米

rotation /rəʊˈteɪʃn/ n. 轮换

搭配 crop rotation 庄稼的轮作

rye /raɪ/ n. 裸麦，黑麦

sesame /ˈsesəmi/ n. 芝麻

soybean /ˈsɔɪbiːn/ n. 大豆

spinach /ˈspɪnɪtʃ/ n. 菠菜

sugarcane /ˈʃʊɡəˌkeɪn/ n. 甘蔗

tea /tiː/ n. 茶叶

tomato /təˈmɑːtəʊ/ n. 西红柿

wheat /wiːt/ n. 小麦

搭配 wheat flour 小麦粉

与"方位"有关的词：

disorient /dɪsˈɔːrient/ v. 使失去方向感，使
迷惑

记忆 词根记忆：dis（没有）+orient（东方）
→找不到东方→使失去方向感

entry /ˈentri/ n. 进入，入口

同义 entrance n. 入口

access n. 进入

exit /ˈeksɪt/ n. 出口；v. 退出

搭配 an exit visa 出境签证

emergency exits 紧急出口

forth /fɔːθ/ *adv.* 向前；向外

搭配 call forth 使产生，引起

　　and so forth 等等

　　back and forth 来回地，往返

　　bring forth 提出

　　set forth 阐明，陈述

frontal /ˈfrʌntl/ *adj.* 正面的

记忆 词根记忆：front（前面）+al（…的）
　　→正面的

horizon /həˈraɪzn/ *n.* 地平线；眼界

记忆 联想记忆：ho+riz（音似：rise 升起）+
　　on→太阳从地平线上升起

lateral /ˈlætərəl/ *adj.* 侧面的，旁边的

同根 lateralize *v.* 把…移到一侧

　　bilateral *adj.* 双边的

oriental /ˌɔːriˈentl/ *adj.* 东方的；东方人的；
　　n. 东方人

记忆 词根记忆：ori（升起）+ent+al（…的）
　　→（太阳）升起的地方→东方的

orientation /ˌɔːriənˈteɪʃn/ *n.* 定位；方向；
　　情况介绍

搭配 orientation meeting 介绍会

outlet /ˈaʊtlet/ *n.* （液体或气体的）出口；
　　发泄途径

记忆 合成词：out（出）+let（使）→出口

overhead /ˈəʊvəhed/ *adj.* 在头顶上的；
　　adv. 在空中；在头顶上；在高处

记忆 合成词：over（在…之上）+head（头）
　　→在头顶上

verge /vɜːdʒ/ *v.* 濒临，接近；处在边缘；
　　n. 边缘

搭配 on the verge of 接近于

zenith /ˈzenɪθ/ *n.* 顶点，顶峰

搭配 reach the zenith of 达到峰值

Sentence 09	It was not until 1500 BC, however, that the first hollow glass container was made by covering a sand core with a layer of molten glass.
	然而，直到公元前 1500 年，第一个中空玻璃容器才通过用一层熔融玻璃覆盖砂芯制成。

（剑桥雅思 12）

语法笔记

本句使用的是 not until 的强调句型，其结构是 It was not until+ 时间 +that...，译为"直到…时候才…"。

核心词表

hollow /'hɒləʊ/ *adj.* 空的；（声音）沉闷的；虚伪的；*vt.* 挖空，凿空

container /kən'teɪnə(r)/ *n.* 容器

记忆 词根记忆：contain（容纳）+er（表物）→容器

contain /kən'teɪn/ *v.* 包含，容纳；等于；遏制

记忆 词根记忆：con（加强）+tain（拿住）→全部拿住→包含

搭配 contain oneself 克制自己

同根 container *n.* 容器

cover /'kʌvə(r)/ *v.* 覆盖；包含；走完（一段路程）；报道；足以支付；掩护；*n.* 盖子；封面；掩护（物）

core /kɔː(r)/ *n.* 果心，核心；*v.* 去掉某物的中心部

layer /'leɪə(r)/ *n.* 层，层次

molten /'məʊltən/ *v.* 熔化；*adj.* 熔化的

搭配 molten lava 熔岩

主题归纳

与"工艺加工工序"有关的词：

bubble /'bʌbl/ *n.* 气泡；*v.* 沸腾；冒泡

搭配 gas bubble 气泡

air bubble 气泡

configuration /kənˌfɪgə'reɪʃn/ *n.* 结构；外形

detach /dɪ'tætʃ/ *vt.* 分开，分离；派遣

搭配 detach from 拆卸，从…分离

ditch /dɪtʃ/ *vt.* 掘沟；*n.* 沟渠

搭配 ditch excavator 挖沟机

embed /ɪm'bed/ *vt.* 把…嵌入

搭配 embed in... 嵌在…

emboss /ɪm'bɒs/ *vt.* 使…凸出；在…上作浮雕花纹

gel /dʒel/ *n.* 胶体；凝胶

harden /'hɑːdn/ *v.* （使）变硬

lapping /'læpɪŋ/ *n.* 研磨

lubricant /'luːbrɪkənt/ *n.* 润滑剂

lubricate /'luːbrɪkeɪt/ *v.* 使…润滑

meld /meld/ *v.* （使）混合；融合；*n.* 融合；合并

mosaic /məʊˈzeɪɪk/ *n.* 马赛克；镶嵌细工

搭配 mosaic tile 镶嵌地砖

mould /məʊld/ *n.* 模子；*vt.* 塑造；用模子制作

搭配 plastic mould 塑料模具

nugget /'nʌgɪt/ *n.* 金属块

perforate /'pɜːfəreɪt/ *v.* 打洞，穿孔

quarry /'kwɒri/ *n.* 采石场；石矿场

搭配 limestone quarry 石灰石采矿场

refine /rɪˈfaɪn/ *vt.* 净化，提纯

搭配 refine on 精于，改进

seam /siːm/ *n.* 接缝；*v.* 缝合；产生裂缝

搭配 seam line 缝线

smelt /smelt/ *v.* 熔炼

搭配 copper smelt 铜冶炼

spark /spɑːk/ *n.* 火花

搭配 electric spark 电火花

tinker /'tɪŋkə(r)/ *v.* 修补；焊补

搭配 tinker with 胡乱地修补

weld /weld/ *v.* 焊接

搭配 weld joint 焊缝

　　weld seam 焊缝

　　weld metal 焊缝金属

与“制造，生产”有关的词：

assemble /əˈsembl/ *vt.* 集合；装配

同根 assembly *n.* 集会；组装

behave /bɪˈheɪv/ *vi.* 表现，举止；（机器等）运转；（事物）作出反应；检点（自己）的行为

记忆 词根记忆：be（使…）+hav（有）+e →（一个人的）动作→表现，举止

conserve /kənˈsɜːv/ *vt.* 保护；保存，储存

同根 conservative *adj.* 保守的

fabricate /'fæbrɪˌkeɪt/ *v.* 捏造；制作

记忆 词根记忆：fabric（制造）+ate →捏造

generative /'dʒenərətɪv/ *adj.* 生殖的；有生产能力的

manufacture /ˌmænjuˈfæktʃə(r)/ *vt.* （大量）制造，生产；*n.* 制造（业）

同根 manufactured *adj.* 人造的

manufacturer /ˌmænjuˈfæktʃərə(r)/ *n.* 制造商，制造厂

mechanical /məˈkænɪkl/ *adj.* 机械的，机械制造的；机械似的；体力的

搭配 mechanical labour 体力劳动

preserve /prɪˈzɜːv/ *v.* 保护；保存；腌渍

同义 keep *v.* 保持

　　store *v.* 储藏

productive /prə'dʌktɪv/ *adj.* 生产性的；多产的；富饶的

与"常考物体"有关的词：

article /'ɑːtɪkl/ *n.* 物品

同义 item *n.* 物品

board /bɔːd/ *n.* 板；全体委员，部门；伙食；船舱；*v.* 上船（车，飞机）

搭配 take on board 考虑，接受

boarding school 住宿学校

canvas /'kænvəs/ *n.* 画布

搭配 cotton canvas 棉帆布；棉质油画布

craft /krɑːft/ *n.* 工艺，手艺，船；航空器

entity /'entəti/ *n.* 实体

记忆 词根记忆：ent（存在）+ity→实体

girdle /'ɡɜːdl/ *n.* 腰带

记忆 词根记忆：gird（束缚）+le（表名词）→腰带

leash /liːʃ/ *n.* （系狗的）绳子；皮带

搭配 dog leash 狗皮带

souvenir /ˌsuːvə'nɪə(r)/ *n.* 纪念品，纪念物

搭配 souvenir shop 纪念品商店

spur /spɜː(r)/ *n.* 鼓舞；马刺；山坡；*v.* 骑马疾驰；激励；给…装踢马刺

stick /stɪk/ *n.* 棍；棍状物

strip /strɪp/ *n.* 条，带；*v.* 拆开；剥夺

tugboat /'tʌɡbəʊt/ *n.* 拖船

varnish /'vɑːnɪʃ/ *n.* 清漆

vessel /'vesl/ *n.* 容器；血管

表示"空"的词：

cavern /'kævən/ *n.* 大洞穴

记忆 词根记忆：cav（洞）+ern（场所）→大洞穴

cavity /'kævəti/ *n.* 洞，穴；凹处

记忆 词根记忆：cav（洞）+ity→洞，穴

empty /'empti/ *adj.* 空的；空虚的

搭配 feel empty inside 感到空虚

evacuate /ɪ'vækjueɪt/ *v.* 疏散；撤离

记忆 词根记忆：e（出）+vacu（空）+ate（使…）→空出去→撤离

同根 evacuation *n.* 撤退，撤离

vacant /'veɪkənt/ *adj.* 未占用的，空的

搭配 a vacant expression 茫然的表情

vacant seat 空位

vacuous /'vækjuəs/ *adj.* 空洞的，没有意义的

记忆 词根记忆 vacu（空）+ous（…的）→空洞的

vacuum /'vækjuəm/ *n.* 真空；真空吸尘器；*v.* 用吸尘器清扫

搭配 vacuum desiccator 真空干燥器

in a vacuum 与外界隔绝

void /vɔɪd/ *n.* 空白；空处；*adj.* 无效的；*v.* 使无效

搭配 void contract 无效合同

be void of 没有的，缺乏的

Sentence 10

Many theorists believe the ideal boss should lead from behind, taking pride in collective accomplishment and giving credit where it is due.

许多理论家认为理想的老板应该在后方指挥，以集体成就为荣，并给予员工应得的荣誉。

（剑桥雅思 10）

语法笔记

本句的主干是 Many theorists believe...，believe 后面跟了一个省略 that 的宾语从句。句末的"逗号＋现在分词短语"形式作伴随状语，表示和主句的动作 lead from behind 同时进行。where 引导地点状语从句，修饰 giving。

核心词表

theorist /ˈθɪərɪst/ *n.* 理论家

ideal /aɪˈdiːəl/ *adj.* 理想的；空想的；理想主义的；唯心的；*n.* 理想；理想的东西（或人）

记忆 联想记忆：i+deal（看作 dear，亲爱的）→我亲爱的人是最理想且最完美的

搭配 an ideal companion 理想伙伴

同根 idealistic *adj.* 唯心论的，空想主义的

ideally *adv.* 理想地，完美地

pride /praɪd/ *n.* 骄傲

collective /kəˈlektɪv/ *adj.* 集体的

accomplishment /əˈkʌmplɪʃmənt/ *n.* 成就；完成；技艺

credit /ˈkredɪt/ *v.* 信用，信任；记入贷方；把…归于；*n.* 赊欠；贷款；称赞，认可；学分

记忆 词根记忆：cred（相信）+it→信任

搭配 payment by credit 信用卡支付

give...credit for... 因…而称赞…

credit facility 信用透支

credit limit 信贷限额

on credit 赊账

同根 discredit *v.* 不信任，怀疑

主题归纳

表达"相信，信任"的词：

accredit /əˈkredɪt/ *v.* 信任；授权；归于

记忆 词根记忆：ac（加强）+cred（信任）+it→信任

accreditation /əˌkredɪˈteɪʃn/ *n.* 信任；委派；鉴定合格

记忆 来自 accredit（*vt.* 信任；授权）

belief /bɪˈliːf/ *n.* 信仰；相信

credibility /ˌkredəˈbɪləti/ *n.* 可信性，可靠性

记忆 词根记忆：cred（相信）+ibility（可…性）→可信性，可靠性

credible /'kredəbl/ *adj.* 可信的，可靠的

反义 incredible *adj.* 难以置信的

faith /feɪθ/ *n.* 信任；信仰

搭配 have faith in... 信任，相信…

　　lose faith in... 不信任…，不相信…

　　religious faith 宗教信条

persuade /pə'sweɪd/ *v.* 说服；使相信

搭配 persuade sb. to do sth. 劝说某人做某事

　　persuade sb. into/out of sth. 劝说某人做/不做某事

与"专家"有关的词：

aesthetician /ˌiːsθɪ'tɪʃn/ *n.* 美学家

同根 aesthetics *n.* 美学

astrologist /ə'strɒlədʒɪst/ *n.* 占星家

同根 astrology *n.* 占星学

botanist /'bɒtənɪst/ *n.* 植物学家

demographer /dɪ'mɒɡrəfə(r)/ *n.* 人口统计学家

同根 demography *n.* 人口统计学

ecologist /i'kɒlədʒɪst/ *n.* 生态学者

entomologist /ˌentə'mɒlədʒɪst/ *n.* 昆虫学家

同根 entomology *n.* 昆虫学

ethnologist /eθ'nɒlədʒɪst/ *n.* 人种学家

同根 ethnology *n.* 人种学

geographer /dʒi'ɒɡrəfə(r)/ *n.* 地理学者

geologist /dʒi'ɒlədʒɪst/ *n.* 地质学家

同根 geology *n.* 地质学

linguistician /ˌlɪŋɡwɪs'tɪʃn/ *n.* 语言学家

同根 linguistics *n.* 语言学

mathematician /ˌmæθəmə'tɪʃn/ *n.* 数学家

meteorologist /ˌmiːtiə'rɒlədʒɪst/ *n.* 气象学家

同根 meteorology *n.* 气象学

neurologist /njʊə'rɒlədʒɪst/ *n.* 神经学家

同根 neurology *n.* 神经学

oceanographer /ˌəʊʃə'nɒɡrəfə(r)/ *n.* 海洋学家

同根 oceanography *n.* 海洋学

ornithologist /ˌɔːnɪ'θɒlədʒɪst/ *n.* 鸟类学家

同根 ornithology *n.* 鸟类学

paleontologist /ˌpeɪliən'tɒlədʒɪst/ *n.* 古生物学家

同根 paleontology *n.* 古生物学

pathologist /pə'θɒlədʒɪst/ *n.* 病理学家

同根 pathology *n.* 病理学

philosopher /fə'lɒsəfə(r)/ *n.* 哲学家

同根 philosophy *n.* 哲学

physiologist /ˌfɪzi'ɒlədʒɪst/ *n.* 生理学家

同根 physiology *n.* 生理学

seismologist /ˌsaɪz'mɒlədʒɪst/ *n.* 地震学家

同根 seismology *n.* 地震学

表"隐藏"含义的词：

conceal /kən'siːl/ *v.* 隐藏；隐瞒

记忆 词根记忆：con（加强）+ceal（藏）→
隐藏

cryptic /'krɪptɪk/ *adj.* 含意隐晦的

记忆 词根记忆：crypt（隐藏的）+ic（…的）
→含意隐晦的

dissemble /dɪ'sembl/ *v.* 掩饰，掩藏

记忆 词根记忆：dis（不）+sembl（相像）+e
→和本性不一样→掩饰

feign /feɪn/ *vt.* 假装（有某种感情）；装
（病、睡）

hide /haɪd/ *v.* 隐藏，掩藏

lurk /lɜːk/ *vi.* 潜伏，埋伏；暗藏

pretend /prɪ'tend/ *v.* 装作，假装

seclusion /sɪ'kluːʒn/ *n.* 隐居

记忆 词根记忆：se（分开）+clus（关闭）+ion
→离开并关闭起来→隐居

sneak /sniːk/ *v.* 偷偷地做，偷带，偷拿

Review

Sentence 11

Though we might think of film as an essentially visual experience, we really cannot afford to underestimate the importance of film sound.

虽然我们可能认为电影本质上是一种视觉体验，但我们真的不能低估电影声音的重要性。

（剑桥雅思 11）

语法笔记

本句中 though 引导让步状语从句，从句的主干是 we might think of film as an experience，主句的主干是 we cannot afford to underestimate the importance。

核心词表

think of sb./sth. as sth. 认为是，觉得是

essentially /ɪ'senʃəli/ *adv.* 本质上，基本上

同根 essential *adj.* 本质的，基本的

visual /'vɪʒuəl/ *adj.* 视觉的，用于视觉的

记忆 词根记忆：vis（看）+ual（…的）→ 视觉的

搭配 visual acuity 视觉灵敏度

visual aid 直观教具

visual arts 视觉艺术

visual cell 视觉细胞

visual fatigue 视觉疲劳

experience /ɪk'spɪərɪəns/ *n.* 经验；经历；体验

搭配 experience in... 有…的经验

gain experience 获得经验

afford /ə'fɔːd/ *vt.* 担负得起

记忆 联想记忆：af+ford（看作 Ford，美国福特家族）→财大气粗→担负得起

搭配 afford to do sth. 负担得起做某事

afford to 买得起

同根 affordable *adj.* 能负担的，承担得起的

underestimate /ˌʌndər'estɪmeɪt/ *v./n.* 低估

记忆 合成词：under（不足）+estimate（估计）→估计不足→低估

importance /ɪm'pɔːtns/ *n.* 重要性

搭配 utmost importance 极其重要

主题归纳

与"电影制作"有关的词：

action /'ækʃn/ *n.* 拍摄

adaptation /ˌædæp'teɪʃn/ *n.* 适应，改编

同根 adaptable *adj.* 能适应的；可修改的

adapter *n.* 改编者

board of censors 审查委员会

cast /kɑːst/ *v.* 投射（光、视线等）；*n.* 演员表，全体演员

同根 casting *n.* 选角

censor /'sensə(r)/ *v.* 审查 *n.* 检查员

同根 censorship *n.* 审查制度

cinematographer /ˌsɪnəmə'tɒɡrəfə(r)/ *n.* 电影摄影技师，放映技师

记忆 词根记忆：cinemato（电影）+graph（画）+er（人）→电影摄影技师

cinematography /ˌsɪnəmə'tɒɡrəfi/ *n.* 电影摄影术

记忆 词根记忆：cinemato（电影）+graph（画）+y→电影摄影术

close-up /'kləʊs ʌp/ *n.* 特写

记忆 合成词：close（近）+up（向）→近而看得清→特写

costume /'kɒstjuːm/ *n.* 戏装；（特定场合穿的）成套服装

记忆 联想记忆：cost（花费）+u（你）+me（我）→你我都免不了花钱买服装→成套服装

crew /kruː/ *n.* 全体船员；一队工作人员

搭配 film crew 影片摄制组

cutting /'kʌtɪŋ/ *n.* 剪辑

director /də'rektə(r)/ *n.* 导演

搭配 assistant director 副导演

dissolve /dɪ'zɒlv/ *v.* 溶解；渐隐

搭配 dissolve in/into 溶解入

dub /dʌb/ *v.* 为（电影等）配音

edit /'edɪt/ *vt.* 编辑

exterior /ɪk'stɪəriə(r)/ *adj.* 外部的；*n.* 外部；外景

记忆 联想记忆：金玉其外（exterior），败絮其中（interior）

film industry 电影工业

filmmaking /'fɪlmˌmeɪkɪŋ/ *n.* 电影制作

记忆 合成词：film（电影）+making（制作）→电影制作

full shot 全景

in the spotlight 在聚光灯下

leading actor and actress 男女主角

lighting /'laɪtɪŋ/ *n.* 灯光

搭配 lighting equipment 照明设备

long shot 远景

play a role 扮演一个角色

plot /plɒt/ *n.* 故事情节；小块土地

记忆 联想记忆：p+lot（很多的）→故事情节很丰富→故事情节

poster /'pəʊstə(r)/ *n.* 海报

scenario /sə'nɑːriəʊ/ *n.* 方案；情节；剧本

同根 scenarist *n.* 电影剧本作者

screen /skriːn/ *n.* 屏幕；*v.* 筛选；放映（电影）

同根 screening *n.* 上映，放映

screenplay /'skriːnpleɪ/ *n.* 电影剧本

搭配 screenplay adaptation 剧本改编

screenwriter /'skriːnraɪtə(r)/ *n.* 编剧

记忆 合成词：screen（银幕，引申为电影）+writer（作者）→编剧

scriptwriter /'skrɪptraɪtə(r)/ *n.* 编剧

记忆 合成词：script（剧本）+writer（作家）→编剧

setting /'setɪŋ/ *n.* （舞台等的）布景

搭配 a perfect setting 一个完美的设定

shooting /'ʃuːtɪŋ/ *n.* 拍摄

搭配 filming shooting 电影摄制

　　　shooting angle 拍摄角度

slow motion 慢镜头

sound effect 音效

sound recording 录音

soundtrack /'saʊndtræk/ *n.* 电影配乐

搭配 the soundtrack to... …电影的配乐

special effect 特技

stand-in /'stænd ɪn/ *n.* 替身演员

storyline /'stɔ:rɪlaɪn/ *n.* 故事情节

记忆 合成词：story（故事）+line（线）→故事情节

supporting actor and actress 男女配角

video camera 摄像机

visual effect 视觉效果

walk-on /'wɔ:k ɒn/ *n.* 临时演员，跑龙套角色

与"看电影"有关的词：

3D glasses 3D 眼镜

animation /ˌænɪ'meɪʃn/ *n.* 动画片

搭配 3D animations 3D 动画片

anime /'ænəˌmeɪ/ *n.* 日本动漫

banned film 禁映影片

box office 票房；售票处

catch a flick 看电影

clip /klɪp/ *n.* 别针；剪报；电影（或电视）片段；*v.* 修剪；扣住

搭配 clip on 用夹子夹上去的

　　paper clip 纸夹，曲别针

drive-in theater 汽车影院

film festival 电影节

IMAX (Image Maximum) /'aɪmæks/ *abbr.* 巨幕电影

late movie 晚场电影

movie star 电影明星

must-see movie 必看电影

popcorn /'pɒpkɔ:n/ *n.* 爆米花

记忆 合成词：pop（爆开）+corn（玉米）→爆米花

preview /'pri:vju:/ *n./v.* 预映，预演

记忆 词根记忆：pre（预先）+view（看）→预映

release time 上映时间

stereo glasses 立体眼镜

tearjerker /'tɪədʒɜ:kə(r)/ *n.* 催泪弹

ticket /'tɪkɪt/ *n.* （电影）票

touching /'tʌtʃɪŋ/ *adj.* 感人的

同义 moving *adj.* 感人的

zombie /'zɒmbi/ *n.* 僵尸

与"电影类别"有关的词：

action film 动作片

affectional film 爱情片

comedy /'kɒmədi/ *n.* 喜剧片

detective film 侦探片

documentary /ˌdɒkju'mentri/ *adj.* 文件的；*n.* 纪录片

搭配 documentary evidence 书面证据

　　documentary films 纪录片

martial arts movie 武术电影

newsreel /'njuːzriːl/ *n.* 新闻片，纪录片

romantic comedy 浪漫喜剧

thriller /'θrɪlə(r)/ *n.* 惊悚片

搭配 psychological thriller 心理惊悚片

Review

Sentence 12

As far as goods transport is concerned, growth is due to a large extent to changes in the European economy and its system of production. 就货物运输而言，其增长在很大程度上是由欧洲经济及其生产体系的变化造成的。

（剑桥雅思 10）

语法笔记

本句的主干是 growth is due to changes；"As far as... is concerned..."意为"对…来说；就…而言"，引出个人的观点与看法，也可以说"So far as... is concerned..."；"to a large extent"意为"在很大程度上"，作程度状语。

核心词表

transport /træn'spɔːt/ *v.* 运输；/'trænspɔːt/ *n.* 运输；运输系统，运载工具

记忆 词根记忆：trans（转移）+port（运）→从一个地方运到另一个地方→运输

搭配 public transport 公共交通工具

transport costs 运费

free transportation 免费交通

同根 transportation *n.* 运输；客运

concern /kən'sɜːn/ *n.* 关心；关注；*vt.* 涉及；使关心

记忆 词根记忆：con（加强）+cern（搞清）→搞清楚事实→关心

搭配 as/so far as...be concerned 就…来说

be concerned with 与…有关，涉及

due /djuː/ *adj.* 预期的；应得的；正当的；到期的

记忆 发音记忆："丢"→应有的东西丢了

搭配 due to 由于

in due course 及时地

extent /ɪk'stent/ *n.* 范围，面积；广度；程度；区域

记忆 词根记忆：ex（出）+tent（伸展）→伸展出的距离→范围，广度

搭配 to some extent 在某种程度上

主题归纳

形容"货物重量、数量"的词：

a set of 一套

circa /'sɜːkə/ *prep.* 大约

cubic /'kjuːbɪk/ *adj.* 立方体的，立方的

搭配 cubic meter 立方米

dozen /'dʌzn/ *n.* （一）打，十二个

搭配 a dozen of 一打

gallon /'gælən/ *n.* 加仑

gram /græm/ *n.* 克

gross /grəʊs/ *adj.* 总的；*n.* 总额

搭配 gross weight 毛重

in length 长度

liter /'liːtə(r)/ *n.* 公升

搭配 per liter 每公升

metric /'metrɪk/ *adj.* 米制的；公制的

搭配 metric size 米制尺寸

net weight 净重

ounce /aʊns/ *n.* 盎司

pound /paʊnd/ *n.* 磅（重量单位）；英镑

specification /ˌspesɪfɪ'keɪʃn/ *n.* 规格

tare /teə(r)/ *n.* 皮重

搭配 tare weight 皮重，包装重量

the number of …的数目

tolerance /'tɒlərəns/ *n.* 容许偏差

搭配 tolerance range 公差范围

ton /tʌn/ *n.* 吨

搭配 metric ton 公吨

与 "程度" 有关的词：

absolute /'æbsəluːt/ *adj.* 绝对的

barely /'beəli/ *adv.* 仅仅；赤裸裸地，无遮蔽地

同义 merely *adv.* 仅仅，只不过

categorical /ˌkætə'gɒrɪkl/ *adj.* 绝对的，无条件的；明确的

同义 definite *adj.* 明确的，肯定的

　　 positive *adj.* 明确的；积极的

　　 unconditional *adj.* 无条件的，绝对的

clean /kliːn/ *adv.* 完全地；*adj.* 强烈的

同义 totally *adv.* 完全地

　　 completely *adv.* 完全地

complete /kəm'pliːt/ *adj.* 完全的；*vt.* 完成

dead /ded/ *adv.* 完全地

drastic /'dræstɪk/ *adj.* 激烈的

同义 violent *adj.* 暴力引起的

entirely /ɪn'taɪəli/ *adv.* 完全地，全然地

同义 solely *adv.* 完全；仅仅

exorbitant /ɪg'zɔːbɪtənt/ *adj.* 过分的，过度的

同义 excessive *adj.* 过多的，极度的

　　 unreasonable *adj.* 不合理的

fairly /'feəli/ *adv.* 相当地

同义 relatively *adv.* 相当地

grossly /'grəʊsli/ *adv.* 非常

同义 greatly *adv.* 非常

hardly /'hɑːdli/ *adv.* 几乎不

同义 scarcely *adv.* 几乎不

imperative /ɪm'perətɪv/ *adj.* 急需的，极重要的；祈使的；*n.* 必要性；祈使语气

同义 necessary *adj.* 必要的，必需的

　　 urgent *adj.* 紧急的

impetuous /ɪm'petʃuəs/ *adj.* 猛烈的

inordinate /ɪn'ɔːdɪnət/ *adj.* 无节制的，过度的

同义 immoderate *adj.* 无节制的，过度的

intense /ɪn'tens/ *adj.* 非常的；强烈的

同义 severe *adj.* 极度的，非常困难的

intensive /ɪn'tensɪv/ *adj.* 集中的

同义 concentrated *adj.* 全神贯注的

nearly /'nɪəli/ *adv.* 几乎

同义 almost *adv.* 几乎

profoundly /prə'faʊndli/ *adv.* 深刻地，深度地

同义 deeply *adv.* 深深地

rough /rʌf/ *adj.* 大致的

同义 approximate *adj.* 近似的

roughly /'rʌfli/ *adv.* 概略地；粗糙地

同义 approximately *adv.* 大概地

nearly *adv.* 几乎，差不多

more or less 或多或少；大约

sharp /ʃɑːp/ *adj.* 急剧的

同义 sudden *adj.* 突然的

somewhat /'sʌmwɒt/ *adv.* 有点

to some degree 在某种程度上

utterly /'ʌtəli/ *adv.* 完全地，彻底地

同义 absolutely *adv.* 完全地，绝对地

vehemence /'viːəməns/ *n.* 热切；激烈

vehement /'viːəmənt/ *adj.* 猛烈的，激烈的

表达"变化"的词：

deform /dɪ'fɔːm/ *v.* （使）变形；毁坏形状或外观

同根 deformation *n.* 变形

deformed *adj.* 不成形的

fickle /'fɪkl/ *adj.* 易变的；浮躁的

Review

In order to track temporal hours during the day, inventors created sundials, which indicate time by the length or direction of the sun's shadow.

为了在白天记录日光时，发明家创造了靠阳光影子的长度或方向来指示时间的日晷。

（剑桥雅思 8）

语法笔记

本句的主干是 inventors created sundials。句首 In order to 引导目的状语，句中 which 引导非限制性定语从句，修饰先行词 sundials。

核心词表

track /træk/ *n.* 小路；跑道；*v.* 跟踪，追踪

temporal /'tempərəl/ *adj.* 一时的，暂时的；世俗的（非宗教的）；时间的；太阳穴的

记忆 词根记忆：tempor（时间）+al（…的）→时间的

inventor /ɪn'ventə(r)/ *n.* 发明家

记忆 词根记忆：invent（发明）+or（表人）→发明家

sundial /'sʌndaɪəl/ *n.* 日晷

length /leŋθ/ *n.* 长度

direction /də'rekʃn/ *n.* 方向；[pl.] 用法说明；指导

记忆 词根记忆：direct（正，直）+ion →直着走下去→方向

主题归纳

与"历史发明"有关的词：

decimalism /'desɪməlɪzəm/ *n.* 十进制

同根 decimal *adj.* 十进位的

gunpowder /'gʌnpaʊdə(r)/ *n.* 火药

搭配 black gunpowder 黑火药

hieroglyphic /ˌhaɪərə'glɪfɪk/ *n.* 象形文字

paper-making /'peɪpə(r)ˌmeɪkɪŋ/ *n.* 造纸术

printing /'prɪntɪŋ/ *n.* 印刷术

搭配 printing plate 印刷板

seismograph /'saɪzməˌgrɑːf/ *n.* 地震仪

记忆 词根记忆：seismo（地震）+graph（写；图）→能描绘地震情况的仪器→地震仪

waterwheel /'wɔːtəwiːl/ *n.* 水车

与"历史考古"有关的词：

antiquarian /ˌæntɪˈkweriən/ *adj.* 古物的

Bronze Age 青铜器时代

Iron Age 铁器时代

material culture 物质文化

与"时间"有关的词：

abiding /əˈbaɪdɪŋ/ *adj.* 永久的，永恒的

abrupt /əˈbrʌpt/ *adj.* 突然的

chronic /ˈkrɒnɪk/ *adj.* 长期的；（疾病）慢性的

记忆 词根记忆：chron（时间）+ic（…的）→时间的→长期的，慢性的

concur /kənˈkɜː(r)/ *vi.* 同时发生；意见相同，一致

记忆 词根记忆：con（共同）+cur（跑）→一起跑→同意，一致

concurrent /kənˈkʌrənt/ *adj.* 同时发生的

contemporary /kənˈtempr(ə)ri/ *adj.* 当代的，同时代的

记忆 词根记忆：con（共同）+tempor（时间）+ary（…的）→同时间的→同时代的

cursory /ˈkɜːsəri/ *adj.* 仓促的

记忆 词根记忆：curs（跑）+ory（…的）→随便跑过去的→草率的

dated /ˈdeɪtɪd/ *adj.* 有年头的，陈旧的

duration /djuˈreɪʃn/ *n.* 持续时间；期间

记忆 词根记忆：dur（持久）+ation→持久时间

elapse /ɪˈlæps/ *vi.*（时间）消逝

记忆 词根记忆：e（加强）+laps（滑，滑走）+e→滑走→（时间）消逝

eternal /ɪˈtɜːnl/ *adj.* 永恒的

everlasting /ˌevəˈlɑːstɪŋ/ *adj.* 永恒的，持久的

extant /ekˈstænt/ *adj.* 现存的

extemporaneous /ɪkˌstempəˈreɪniəs/ *adj.* 即席的

记忆 词根记忆：ex（前面的）+tempor（时间）+aneous（有…特征的）→（没有）前面的时间（准备）→即席的

former /ˈfɔːmə(r)/ *adj.* 以前的

formerly /ˈfɔːməli/ *adv.* 从前，原来

hasty /ˈheɪsti/ *adj.* 匆忙的

immediate /ɪˈmiːdiət/ *adj.* 立即的

记忆 词根记忆：im（无）+medi（中间）+ate（有…性质的）→无中间过程的→立即的

同根 immediately *adv.* 立即；直接地

impromptu /ɪmˈprɒmptjuː/ *adj.* 临时的；即兴的

improvise /ˈɪmprəvaɪz/ *vt.* 即席而作

instantaneous /ˌɪnstənˈteɪniəs/ *adj.* 瞬间的，即刻的

记忆 词根记忆：instant（立即）+aneous（有…特征的）→马上发生的→即刻的

interlude /ˈɪntəluːd/ *n.* 间歇，插曲；幕间休息；幕间音乐

记忆 词根记忆：inter（在…之间）+lud（玩，戏剧）+e→戏剧中间的暂停→幕间休息

juncture /ˈdʒʌŋktʃə(r)/ *n.* 特定时刻，重要关头

lasting /ˈlɑːstɪŋ/ *adj.* 持久的

lately /ˈleɪtli/ *adv.* 最近

nocturnal /nɒkˈtɜːnl/ *adj.* 夜间的

记忆 词根记忆：noct（夜晚）+urnal（…的）→夜间的

obsolete /ˈɒbsəliːt/ *adj.* 过时的

记忆 词根记忆：obsol（死）+ete →腐烂的→过时的

overdue /ˌəʊvəˈdjuː/ *adj.* 逾期的

perennial /pəˈreniəl/ *adj.* 长久的，永远的

记忆 词根记忆：per（贯穿，自始至终）+enn（年）+ial（…的）→贯穿一年的→长久的

permanent /ˈpɜːmənənt/ *adj.* 永久的

记忆 词根记忆：per（贯穿，自始至终）+man（逗留）+ent（…的）→始终逗留的→持久的

pressing /ˈpresɪŋ/ *adj.* 紧迫的

记忆 词根记忆：press（挤压，逼迫）+ing（正…的）→紧迫的

previous /ˈpriːviəs/ *adj.* 以前的

previously /ˈpriːviəsli/ *adv.* 先前，以前

schedule /ˈʃedjuːl/ *n.* 时间表，计划表

session /ˈseʃn/ *n.* 一段时间；一次

simultaneously /ˌsɪmlˈteɪniəsli/ *adv.* 同时发生地

记忆 词根记忆：simult（相类似）+aneous（有…特征的）+ly（…地）→（时间）相同地→同时发生地

synchronise /ˈsɪŋkrənaɪz/ *vt.* 同时发生

记忆 词根记忆：syn（共同）+chron（时间）+ize（使…）→同时发生

temporary /ˈtemprəri/ *adj.* 临时的

记忆 词根记忆：tempor（时间）+ary（…的）→有时间性的→临时的

transient /ˈtrænziənt/ *adj.* 短暂的；过路的

transitory /ˈtrænsətri/ *adj.* 短暂的

记忆 词根记忆：trans（变换）+it（走）+ory（…的）→走过就变的→短暂的

urgent /ˈɜːdʒənt/ *adj.* 紧急的，迫切的

Lee Hall's analysis of figures comparing the times of the fires and the proportion of seed that germinated was done in a lot of detail—very impressive.

李·霍尔对火灾发生的次数和种子发芽的比例进行了对比和数字分析，他的分析非常详尽——令人印象深刻。

（剑桥雅思 13）

语法笔记

本句的主干是 Lee Hall's analysis of figures was done in a lot of detail。现在分词短语 comparing the times of the fires and the proportion of seed that germinated 作 analysis of figures 的后置定语，其中定语从句 that germinated 修饰 seed；破折号后面的 very impressive 起补充说明作用。

核心词表

analysis /ə'næləsɪs/ *n.* 分析，分解

记忆 词根记忆：ana（类似）+lys（分解）+is（表情况）→类似分解→分析

搭配 self analysis 自我分析

intelligence analysis 情报分析

同根 analyst *n.* 分析家；化验员

analyse *vt.* 分析；分解

figure /'fɪɡə(r)/ *n.* 数字；人物；*v.* 认为；想，估计

搭配 leading figures 主要人物，领导人物

proportion /prə'pɔːʃn/ *n.* 比例；部分；相称

记忆 词根记忆：pro（在前）+port（分开）+ion→按之前的量分开→比例

搭配 in proportion (to)（与…）成比例的

out of proportion to sth. 与某物不成比例

proportion of... …的比例

take a small proportion 占少量比例

seed /siːd/ *n.* 种子，[pl.] 萌芽；*v.* 播种；结籽

搭配 seed germination 种子萌发

germinate /'dʒɜːmɪneɪt/ *v.* 发芽；发展

记忆 词根记忆：germin（=germ 种子）+ate→让种子生长→发芽

detail /'diːteɪl/ *n.* 细节，详情

搭配 in detail 详细地

with details of 关于…的细节

impressive /ɪm'presɪv/ *adj.* 给人深刻印象的，感人的

记忆 来自 impress（*v.* 给…以深刻印象）

搭配 most impressive place 令人印象最深的地方

同义 affecting *adj.* 动人的，感人的

同根 impressively *adv.* 令人难忘地

与"植物繁殖和生长过程"有关的词：

blossom /ˈblɒsəm/ v. 开花；n. 开花期

搭配 in bloom 盛开，开着花

bud /bʌd/ n. 花蕾，叶芽；v. 发芽，萌芽

记忆 联想记忆：泥土（mud）中发出的芽（bud）

cross-breed /ˈkrɒs briːd/ n. 杂种；v. 培育杂种

记忆 合成词：cross（跨）+breed（品种）→杂种

fructification /ˌfrʌktɪfɪˈkeɪʃn/ n. 结果实

fruit /fruːt/ n. 果实；成果

同根 fruition n. 结果实

germ /dʒɜːm/ n. 胚芽

immature /ˌɪməˈtʃʊə(r)/ adj. 未成熟的，发育未全的

记忆 词根记忆：im（不）+mature（成熟的）→未成熟的

kernel /ˈkɜːnl/ n. 核仁

life cycle 生命周期

luxuriant /lʌɡˈʒʊəriənt/ adj. 繁茂的，茂盛的；肥沃的；丰富的

记忆 词根记忆：luxur（大量）+iant→大量的→丰富的

photosynthesis /ˌfəʊtəʊˈsɪnθəsɪs/ n. 光合作用

同根 photosynthetic adj. 光合的，光合作用的

pistil /ˈpɪstɪl/ n. 雌蕊

pollen /ˈpɒlən/ n. 花粉

pollinate /ˈpɒləˌneɪt/ vt. 给…授粉

记忆 联想记忆：pollin（看作 pollen，花粉）+ate→给…授粉

respiration /ˌrespəˈreɪʃn/ n. 呼吸作用

记忆 来自 respire（v. 呼吸）

同根 respiratory adj. 呼吸的

ripe /raɪp/ adj. 熟的，成熟的

搭配 ripe fruit 熟水果

shell /ʃel/ n. 壳；v. 剥…的壳

shoot /ʃuːt/ vi. 发芽

sow /səʊ/ v. 播，播种

sprout /spraʊt/ v. （使）发芽，长芽；使萌芽；n. 芽，苗芽；萌芽

stamen /ˈsteɪmən/ n. 雄蕊

starch /stɑːtʃ/ n. 淀粉

tassel /ˈtæsl/ vi. 抽穗

transplantation /ˌtrænsplænˈteɪʃn/ n. 移植

同根 transplant v. 移栽，移种（植物等）

wither /ˈwɪðə(r)/ 使枯萎；使凋零

搭配 wither away 枯萎

与"树干，叶子"有关的词：

arboreal /ɑːˈbɔːriəl/ *adj.* 树木的；栖于树木的

记忆 词根记忆：arbor（树）+eal（…的）→树木的

deciduous /dɪˈsɪdʒuəs/ *adj.* 脱落的，落叶的

搭配 deciduous forest 落叶林

foliage /ˈfəʊliɪdʒ/ *n.* 树叶

记忆 词根记忆：foli（树叶）+age（表总称）→树叶

hawthorn /ˈhɔːθɔːn/ *n.* 山楂树

leaf /liːf/ *n.* 叶

搭配 be in leaf 长叶子

in full leaf 长满叶子

leaflet /ˈliːflət/ *n.* 小叶

记忆 词根记忆：leaf（树叶）+let（小）→小叶

leafstalk /ˈliːfˌstɔːk/ *n.* 叶柄

记忆 合成词：leaf（叶）+stalk（柄）→叶柄

stalk /stɔːk/ *n.* 茎

stem /stem/ *n.* 茎；（树）干；*v.* 起源

搭配 stem from 源于

timber /ˈtɪmbə(r)/ *n.* 木材

记忆 联想记忆：timb（看作 time，时间）+er →树苗长成栋梁需要时间→木材

tissue /ˈtɪʃuː/ *n.* 组织

vein /veɪn/ *n.* 叶脉

常考 "花卉" 相关词：

bunch /bʌntʃ/ *n.* 群，伙；束，串，捆；*v.* 集中，挤在一起；使成一束

搭配 a bunch of 一些

daffodil /ˈdæfədɪl/ *n.* 水仙

flora /ˈflɔːrə/ *n.*（某地区或时代的）一切植物；植物群

同根 floral *adj.* 花的；植物的

horticulture /ˈhɔːtɪkʌltʃə(r)/ *n.* 园艺；园艺学

记忆 词根记忆：horti（花园）+cult（培养）+ure →园艺

jasmine /ˈdʒæzmɪn/ *n.* 茉莉花

orchid /ˈɔːkɪd/ *n.* 兰花

ovary /ˈəʊvəri/ *n.*（植物的）子房

petal /ˈpetl/ *n.* 花瓣

搭配 petal shaped 花瓣状的

sunflower /ˈsʌnflaʊə(r)/ *n.* 向日葵

tulip /ˈtjuːlɪp/ *n.* 郁金香

常考 "低矮植物" 相关词：

fern /fɜːn/ *n.* 蕨，蕨类植物

mushroom /ˈmʌʃrʊm/ *n.* 蘑菇

搭配 mushroom cloud 蘑菇云

shrub /ʃrʌb/ *n.* 灌木

同义 bush *n.* 矮树丛

scrub *n.* 灌木

与 "植物学" 相关的词：

botany /ˈbɒtəni/ *n.* 植物学

同根 botanical *adj.* 植物学的 *n.* 植物性药材

botanist *n.* 植物学家

vegetable /ˈvedʒtəbl/ *n.* 绿色蔬菜；植物

同根 vegetative *adj.* 植物的

　　vegetal *adj.* 植物的

　　vegetarian *n.* 素食者

　　vegetarianism *n.* 素食主义

vegetation /ˌvedʒəˈteɪʃn/ *n.* 植被

搭配 grassland vegetation 草本植被

Review

Sentence 15

While the Inuit may not actually starve if hunting and trapping are curtailed by climate change, there has certainly been an impact on people's health.

如果狩猎和诱捕受到气候变化的限制，因纽特人可能实际上也不会挨饿，但这肯定会对他们的健康产生影响。

（剑桥雅思6）

语法笔记

本句的主干是 there has been an impact on people's health。While 引导让步状语从句，从句中又包含了 if 引导的条件状语从句。

核心词表

Inuit /ˈɪnjuɪt/ *n.* 因纽特人

actually /ˈæktʃuəli/ *adv.* 实际上

记忆 词根记忆：actual（实际的）+ly（表副词）→实际上

starve /staːv/ *v.* 挨饿；饿死

记忆 联想记忆：star（明星）+ve →和明星的生活正相反→挨饿

curtail /kɜːˈteɪl/ *v.* 限制；减缩

记忆 词根记忆：cur（=curt 短）+tail（剪）→剪短→减缩

climate /ˈklaɪmət/ *n.* 气候

搭配 climate change 气候变化

certainly /ˈsɜːtnli/ *adv.* 无疑；肯定

记忆 词根记忆：certain（确定的；确信的）+ly（表副词）→肯定

impact /ˈɪmpækt/ *n.* 撞击（力）；影响；作用；/ɪmˈpækt/ *v.* 碰撞；产生不良影响

搭配 impact on 对…的影响

great impact 巨大的影响

主题归纳

与"气候变化"有关的词：

anthropogenic /ˌænθrəpəʊˈdʒenɪk/ *adj.* 人为的

搭配 anthropogenic pollution 人为污染

biomass energy 生物能源

climate change 气候变化

greenhouse /ˈgriːnhaʊs/ *n.* 温室

搭配 greenhouse effect 温室效应

greenhouse gas 温室气体

heat /hiːt/ *n.* 热；高温

搭配 heat release 释放热量

heat wave 热浪

off-gas /ɔf gæs/ *n.* 尾气；废气

搭配 off-gas line 废气管

precipitation change 降水变化

species extinction 物种灭绝

与"常见气候类型"有关的词：

littoral climate 海滨气候

monsoon climate 季风气候

plateau climate 高原气候

polar climate 极地气候

sub-tropical climate 亚热带气候

temperate climate 温带气候

tropical climate 热带气候

tropical marine climate 热带海洋气候

与"健康行为"有关的词：

activity /æk'tɪvəti/ *n.* 活动

搭配 physical activity 体育运动

austere /ɒ'stɪə(r)/ *adj.* 苦行的，禁欲的

biological clock 生物钟

chaotic lifestyle 混乱的生活方式

deep breath 深呼吸

detoxify /ˌdiː'tɒksɪfaɪ/ *v.* 解毒

diet /'daɪət/ *n.* 饮食

dietary /'daɪətəri/ *adj.* 饮食的

搭配 dietary fibre 膳食纤维

digest /daɪ'dʒest/ *v.* 消化；/'daɪdʒest/ *n.* 摘要，文摘

搭配 digest easily 易于消化

do exercise 做运动

exercise /'eksəsaɪz/ *n.* 运动

fitness /'fɪtnəs/ *n.* 健身

health /helθ/ *n.* 健康

healthful /'helθfl/ *adj.* 有益于健康的

搭配 healthful exercise 健身运动

healthy lifestyle 健康的生活方式

hibernation /ˌhaɪbə'neɪʃn/ *n.* 避寒

keep fit 保持健康

keep in good health 养生

keep warm 保暖

lifestyle /'laɪfstaɪl/ *n.* 生活方式

搭配 healthy lifestyle 健康的生活方式

living habit 生活习惯

massage /'mæsɑːʒ/ *n./v.* 按摩

搭配 foot massage 足部按摩

meditation /ˌmedɪ'teɪʃn/ *n.* 沉思，冥想；默念

搭配 meditation training 冥想训练

nourishing /'nʌrɪʃɪŋ/ *adj.* 有营养的

搭配 nourishing substance 营养物

peace /piːs/ *n.* 安静，平静

搭配 peace of mind 心态平静

perspire /pə'spaɪə(r)/ *v.* 排汗

reasonable rest 合理作息

sit still 静坐

sleep /sliːp/ *n.* 睡眠

tonic /'tɒnɪk/ *adj.* 滋补的

搭配 tonic wine 滋补酒

tranquil /'træŋkwɪl/ *adj.* 宁静的

搭配 lead a tranquil life 过着宁静的生活

unhurried /ʌn'hʌrid/ *adj.* 从容不迫的，不慌忙的

wellbeing /'wel'biːɪŋ/ *n.* 健康，安乐

搭配 physical wellbeing 身体健康

与"气象"有关的词：

barometer /bə'rɒmɪtə(r)/ *n.* 气压计

记忆 词根记忆：baro（=bar 重）+meter（计量仪）→气压计

blizzard /'blɪzəd/ *n.* 暴风雪

搭配 blizzard fatality 雪暴灾害

convection zone 对流层

droplet /'drɒplət/ *n.* 小滴

drought /draʊt/ *n.* 干旱，旱灾

funnel /'fʌnl/ *n.* 漏斗云

记忆 词根记忆：funn（=fus 流）+el→让东西流过→漏斗→漏斗云

gale /geɪl/ *n.* 大风

hurricane /'hʌrɪkən/ *n.* 飓风

meteorology /ˌmiːtiə'rɒlədʒi/ *n.* 气象学

搭配 dynamic meteorology 动力气象学

ozone layer 臭氧层

tempest /'tempɪst/ *n.* 暴风雨，暴风雪

记忆 词根记忆：temp（=temper 时间）+est→时间引起天气骤变→暴风雨

tornado /tɔː'neɪdəʊ/ *n.* 龙卷风

记忆 词根记忆：torn（转）+ado→转着的风→龙卷风

troposphere /'trɒpəsfɪə(r)/ *n.* 对流层

typhoon /taɪ'fuːn/ *n.* 台风

搭配 typhoon eye 台风眼

whirlwind /'wɜːlwɪnd/ *n.* 旋风

记忆 合成词：whirl（旋转）+wind（风）→旋风

Sentence 16

It would seem that the brain sees these images as puzzles, and the harder it is to decipher the meaning, the more rewarding is the moment of recognition.

似乎大脑把这些图像看成是拼图，越难解读其中的含义，识别出来时就越令人满意。

（剑桥雅思 11）

语法笔记

本句的主干是 It would seem that，其中 It 没有实际意义，指某种情况或现象，that 引导表语从句。表语从句中由 and 连接了两个分句，第二个分句使用了"the+ 比较级…，the+ 比较级…"的句型。

核心词表

image /ˈɪmɪdʒ/ *n.* 形象；印象；图像；想象

puzzle /ˈpʌzl/ *n.* 拼图游戏；*vt.* 使迷惑，使为难

搭配 puzzle over 为…烦恼

decipher /dɪˈsaɪfə(r)/ *v.* 破译，解释；*n.* 密电（或密信）的译文

记忆 词根记忆：de（去掉）+cipher（密码）→解开密码→破译

rewarding /rɪˈwɔːdɪŋ/ *adj.* 令人满意的；有意义的

同根 reward *n.* 奖赏；*vt.* 奖励

recognition /ˌrekəgˈnɪʃn/ *n.* 认出，识别；承认；赏识

记忆 来自 recognize（*vt.* 认出；承认）

主题归纳

表示"满意"的词：

complacent /kəmˈpleɪsnt/ *adj.* 自满的，沾沾自喜的

搭配 a complacent smile 自满的微笑

content /ˈkɒntent/ *n.* 内容；/kənˈtent/ *adj.* 满足的，愿意的

搭配 be content with 对…感到满足，满足的

contented /kənˈtentɪd/ *adj.* 满意的，感到满足的

搭配 be contented with 对…满意

fulfilled /fʊlˈfɪld/ *adj.* 满意的

同根 fulfil *v.* 履行；满足

fulfilment *n.* 满意

gratify /ˈɡrætɪfaɪ/ *vt.* 使满意，纵容

记忆 词根记忆：grat（令人高兴的）+ify（使…）→使满意

同根 gratification *n.* 满意；喜悦

relieved /rɪˈliːvd/ *adj.* 宽慰的，不再忧虑的

同根 relieve *vt.* 救济；缓解

relief *n.* 救济；缓解

satiate /'seɪʃieɪt/ *vt.* 使充分满足，使过饱；*adj.* 吃饱的，满足的

记忆 词根记忆：sati（足够）+ate（使…）→使充分满足

satisfaction /ˌsætɪs'fækʃn/ *n.* 满意，满足

搭配 satisfaction about 对…感到满意

with satisfaction 满意地

satisfactory /ˌsætɪs'fæktəri/ *adj.* 满意的

反义 unsatisfactory *adj.* 令人不满意的

satisfy /'sætɪsfaɪ/ *v.* 满足，（使）满意

同根 dissatisfied *adj.* 不满意的，不满足的

suffice /sə'faɪs/ *v.* （使）满足，使满意；足够

搭配 suffice (it) to say 只要说…就够了

与"困难"有关的词：

adversity /əd'vɜːsəti/ *n.* 逆境；不幸；灾难

同根 adverse *adj.* 不利的；有害的

arduous /'ɑːdjuəs/ *adj.* 费力的

搭配 arduous effort 艰辛的努力

arduous trip 艰难的旅行

complicated /'kɒmplɪkeɪtɪd/ *adj.* 复杂的，难懂的

记忆 词根记忆：com（共同）+plic（重叠）+ated →重叠在一起的→复杂的

confront /kən'frʌnt/ *vt.* 遭遇；面对，正视

记忆 词根记忆：con+front（面，前面）→面对面→面对

搭配 confront with 遭遇；面对

be confronted with... 面临…

deadlock /'dedlɒk/ *n.* 僵局

搭配 break the deadlock 打破僵局

despairing /dɪ'speərɪŋ/ *adj.* 绝望的

搭配 despairing look 绝望的神情

dilemma /dɪ'lemə/ *n.* 困境；进退两难

记忆 词根记忆：di（两个）+lemma（争论）→两种争论→进退两难

elusive /i'luːsɪv/ *adj.* 难懂的，难捉摸的；易忘的

记忆 词根记忆：e（出）+lus（玩）+ive（…的）→把人玩出局的→难懂的

同根 elude *vt.* 逃避

embarrass /ɪm'bærəs/ *vt.* 使困窘，（使）尴尬；使陷入困境

同根 embarrassed *adj.* 尴尬的

embarrassing *adj.* 使人尴尬的

embarrassingly *adv.* 使人尴尬地

embarrassment *n.* 尴尬，难堪

flounder /'flaʊndə(r)/ *vi.* 艰难挣扎

handicap /'hændikæp/ *n.* 障碍；残障；*v.* 妨碍，使不利

同根 handicapped *adj.* 残废的

harsh /hɑːʃ/ *adj.* 严厉的；刻薄的，恶劣的

搭配 harsh measures 严厉的措施

hassle /'hæsl/ *n.* 激烈的辩论；困难

记忆 联想记忆：可能是 haste（急忙）+tussle（争论；扭打）的缩合词→激烈的辩论

hiccup /ˈhɪkʌp/ *n.* 嗝；暂时（或小的）困难（或挫折）；*v.* 打嗝

intricate /ˈɪntrɪkət/ *adj.* 复杂的；错综复杂的

involved /ɪnˈvɒlvd/ *adj.* 棘手的

knotty /ˈnɒti/ *adj.* 棘手的，困难多的

laborious /ləˈbɔːriəs/ *adj.* 费力的，艰苦的

记忆 词根记忆：labor（劳动）+ious（有…性质的）→付出大量劳动的→费力的

opaque /əʊˈpeɪk/ *adj.* 难懂的，晦涩的；不透明的

同根 opaquely *adv.* 不透明地，无光泽地

opaqueness *n.* 含糊

painstaking /ˈpeɪnzteɪkɪŋ/ *adj.* 辛苦的，辛勤的，煞费苦心的

记忆 合成词：pains（痛苦）+taking（花…的）→煞费苦心的

plight /plaɪt/ *n.* 困境，苦境

precipitous /prɪˈsɪpɪtəs/ *adj.* 陡峭的

搭配 precipitous sea 怒涛

predicament /prɪˈdɪkəmənt/ *n.* 困境，窘境

搭配 in a predicament 处于困境

quandary /ˈkwɒndəri/ *n.* 困惑，窘境，进退两难

rigorous /ˈrɪɡərəs/ *adj.* 谨慎的；严格的；严酷的

同根 rigorously *adv.* 严厉地；残酷地

stranded /ˈstrændɪd/ *adj.* 搁浅的；进退两难的

同根 strand *n.* 股，缕

strenuous /ˈstrenjuəs/ *adj.* 费力的；奋发的

搭配 strenuous workers 干劲十足的工作人员

stringent /ˈstrɪndʒənt/ *adj.* （规定）严格的，苛刻的；（指财务状况）因缺钱而困难的

记忆 词根记忆：string（拉紧）+ent→拉紧钱袋→缺钱的

troublesome /ˈtrʌblsəm/ *adj.* 麻烦的

记忆 词根记忆：trouble（麻烦）+some（充满…的）→麻烦的

Review

Sentence 17

Such material, even where it appears comparatively trivial, can have a serious effect on the company, supplier or customer if it falls into the wrong hands.

如果这类材料落到坏人手中，即使在看来相对微不足道的地方，也会对公司、供应商或客户产生严重影响。

（剑桥雅思 8）

语法笔记

本句的主干是 Such material can have a serious effect on the company, supplier or customer。even where it appears comparatively trivial 作地点状语从句，if 在此处引导条件状语从句。

核心词表

material /mə'tɪəriəl/ *n.* 材料；素材；*adj.* 物质的；重要的

appear /ə'pɪə(r)/ *v.* 出现，显露；出场，问世；来到；好像是，仿佛

搭配 appear to 似乎没有（做）

appear on 出现

comparatively /kəm'pærətɪvli/ *adv.* 相当地，比较地

trivial /'trɪviəl/ *adj.* 琐屑的；平庸的；不重要的

同义 trifling *adj.* 不重要的

petty *adj.* 小的，不重要的

反义 important *adj.* 重要的，重大的

main *adj.* 主要的，重要的

supplier /sə'plaɪə(r)/ *n.* 供应商，供应者

搭配 supplier of... …的供应商

同根 supply *vt.* 提供

customer /'kʌstəmə(r)/ *n.* 顾客

搭配 customer loyalty 客户忠诚度

customer demand 客户需求

主题归纳

与"商业"有关的词：

bid /bɪd/ *v./n.* 出价；投标

同根 bidding *n.* 投标；出价

commercial /kə'mɜːʃl/ *adj.* 商用的；营利的

同根 commerce *n.* 商业；贸易

consolidate /kən'sɒlɪdeɪt/ *v.* 结合；合并；强化；巩固

同根 consolidation *n.* 结合；巩固

contractor /'kən,træktə(r)/ *n.* 承包人；承包商

corporate /'kɔːpərət/ *adj.* 全体的；公司的；法人的

同根 corporation *n.* 公司

earnings /ˈɜːnɪŋz/ *n.* 薪水；工资；收益

同义 salary *n.* 薪水

haggle /ˈhægl/ *n.* 讨价还价；*v.* 争论；砍价

搭配 haggle with sb. over sth. 讲价

payment /ˈpeɪmənt/ *n.* 支付；付款

记忆 来自 pay（*v./n.* 付款）

与"办公用具和仪器"有关的词：

adhesive /ədˈhiːsɪv/ *n.* 胶布；*adj.* 粘性的，胶粘的

搭配 adhesive label 不干胶标签

adhesive note 便利贴

adhesive tape 胶布

attendance machine 考勤机

blotter /ˈblɒtə(r)/ *n.* 吸墨纸

bookend /ˈbʊkend/ *n.* 书挡，书夹

book stand 书立

briefcase /ˈbriːfkeɪs/ *n.* 公文包

cabinet /ˈkæbɪnət/ *n.* 文件柜

cellophane tape 透明胶

clasp envelope 搭扣信封

copier /ˈkɒpiə(r)/ *n.* 复印机

correction fluid 涂改液

correction pen 修正笔

correction tap 涂改带

cutter /ˈkʌtə(r)/ *n.* 美工刀

desk calendar 台历

expanding file 文件袋

fastener /ˈfɑːsnə(r)/ *n.* 紧固件；扣件

fax /fæks/ *n.* 传真（机）；传真件

搭配 fax machine 传真机

floppy disk 磁盘

holder /ˈhəʊldə(r)/ *n.* 支托物，夹具

inkpad /ˈɪŋkˌpæd/ *n.* 印泥

intercom /ˈɪntəkɒm/ *n.* 内部通话系统

locker /ˈlɒkə(r)/ *n.* 寄存柜

mouse pad 鼠标垫

office equipment 办公设备

office supply 办公用品

office table 办公桌

pad /pæd/ *n.* 便笺本

搭配 writing pad 书写纸

pin /pɪn/ *n.* 大头针；钉子；*v.* 别住

搭配 drawing pin 图钉

printer /ˈprɪntə(r)/ *n.* 打印机

搭配 printer driver 打印机驱动程序

printing ink 油墨

projector /prəˈdʒektə(r)/ *n.* 投影仪

搭配 projector lamp 投影灯

scanner /ˈskænə(r)/ *n.* 扫描仪

搭配 laser scanner 激光扫描仪

stapler /ˈsteɪplə(r)/ *n.* 小订书机

stationery /ˈsteɪʃənri/ *n.* 文具

搭配 stationery case 文具盒

voice recorder 录音笔

与"贸易业务"有关的词：

access to 接近

adequate preparation 充分准备

be acquainted with 与…熟悉

business cycle 商业周期

business letter 商务信函

enclose /ɪnˈkləʊz/ vt. 把…装入信封

搭配 enclose with 附上

essential factor 必要因素

financial gain 财政收益

win-win situation 双赢局面

Review

Sentence 18

If the glass were kept hot enough, it would flow over the molten tin until the top surface was also flat, horizontal and perfectly parallel to the bottom surface.

如果玻璃保持足够的热度，它会流满熔化的锡表面，直到顶部表面也变得平坦、水平，且完全与其底部表面平行。

（剑桥雅思 8）

语法笔记

本句的主干是 it would flow over the molten tin。句中 if 引导条件状语从句，until 引导时间状语从句。

核心词表

tin /tɪn/ *n.* 锡

surface /'sɜːfɪs/ *n.* 表面，面；外表，外观；*v.* 浮出水面；浮现，显露

记忆 联想记忆：sur（超，过）+face（脸）→超过脸部→表面

flat /flæt/ *adj.* 平的；（价格）固定的；*n.* 单元住宅，[英]公寓

记忆 联想记忆：无盐（salt）味道平平（flat）

horizontal /ˌhɒrɪ'zɒntl/ *adj.* 地平线的，水平的

记忆 来自 horizon（*n.* 地平线）

同根 horizontally *adv.* 水平地

parallel /'pærəlel/ *n.* 极其相似的人；相似特点；纬线；*adj.* 平行的；极相似的，相应的；*vt.* 与…相似，比得上

记忆 词根记忆：para（类似）+llel→极相似的

搭配 parallel to 与…平行

parallel lines 平行线

parallel bars 双杠

主题归纳

与"工业生产加工"有关的词：

blowdown /'bləʊˌdaʊn/ *n.* 排污

搭配 blowdown valve 排污阀

brim /brɪm/ *n.*（杯）边，缘；*v.*（使）满溢

搭配 brim over 溢出

brim with 洋溢着；充满着

composite /kɒmpəzɪt/ *n.* 混合物；复合材料；*adj.* 复合的

搭配 composite material 合成材料

convolute /'kɒnvəˌluːt/ *v.* 回旋，盘旋

demanding /dɪ'mændɪŋ/ *adj.* 苛求的；吃力的

搭配 a demanding task 一项费力的工作

distend /dɪ'stend/ v. （使）膨胀；扩大

flow model 数据流程模型

flow sheet 流程表；流程图

foam /fəʊm/ n. 泡沫

搭配 foamed rubber 泡沫橡胶，海绵乳胶

intertwine /ˌɪntə'twaɪn/ v. 纠缠，缠；纠结

invert /ɪn'vɜːt/ vt. 使…颠倒

malleable /'mælɪəbl/ adj. 可塑的；有延展性的

搭配 malleable steel 展性钢

meshed /meʃt/ adj. 网状的，有网孔的

mold /məʊld/ n. 模子

on stream 操作中（在运转中）

on-stream inspection 运转中检查

procedural model 程序模型

rotate /rəʊ'teɪt/ v. （使）旋转；（使）轮流

搭配 rotate tool 旋转工具

rust /rʌst/ n. 铁锈；v. （使）生锈

搭配 rust removal 除锈

scrap /skræp/ n. 废料，碎片，[pl.] 少量；vt. 废弃；报废

搭配 scrap iron 铁屑

sectional /'sekʃənl/ adj. 可组合的，组装的；部分的

记忆 词根记忆：sect（切，割）+ion+al（…的）→可切割的→组装的

搭配 sectional view 截面图

trek /trek/ v. 搬，运

wastage /'weɪstɪdʒ/ n. 消耗量

记忆 词根记忆：wast(e)（浪费，消耗）+age（表集合名词，总称）→消耗量

wrought /rɔːt/ adj. 做成的；锻造的

搭配 wrought iron 熟铁

表示"保持，保留"的词：

maintain /meɪn'teɪn/ vt. 维持，保持；维修，保养；坚持，主张；赡养，负担

记忆 词根记忆：main（主要）+tain（保持）→保持主体完好→保持，维修

搭配 maintain world peace 维护世界和平

maintain one's health 保持健康

reserve /rɪ'zɜːv/ vt. 保留；预订；n. 储备（物）；自然保护区

记忆 词根记忆：re（一再）+serv（保持）+e→一再保持→保留

同根 reservation n. 预定；保留

retain /rɪ'teɪn/ vt. 保留；保持

记忆 词根记忆：re（重新）+tain（拿住）→重新拿回→保留

与"热"有关的词：

radiate /'reɪdɪeɪt/ v. 发光；发热；辐射

记忆 词根记忆：radi（光线）+ate（使…）→发光

同根 radiation n. 发光；辐射

scorching /'skɔːtʃɪŋ/ adj. 酷热的；激烈的

记忆 词根记忆：scorch（烧焦）+ing（…的）→能烧焦的→酷热的

sticky /'stɪki/ adj. 黏性的；（天气）湿热的

记忆 词根记忆：stick（粘住）+y（…的）→黏性的

thermal /'θɜːml/ adj. 热的，热量的；n. 热气流

记忆 词根记忆：therm（热）+al（…的）→热的

搭配 thermal energy 热能

同义 warm adj. 暖和的，温暖的

hot adj. 热的

tropical /ˈtrɒpɪkl/ *adj.* 热带的；炎热的

记忆 词根记忆：trop（转）+ical（…的）→
热得人晕头转向→热带的；炎热的

搭配 tropical condition 热带环境

tropical disease 热带病

tropical rain forest 热带雨林

tropical marine climate 热带海洋气候

Review

Sentence 19	It was once assumed that improvements in telecommunications would lead to more dispersal in the population as people were no longer forced into cities.

人们曾经认为，电信的进步使人们不再被迫流向城市，这将导致人口更加分散。

（剑桥雅思6）

语法笔记

本句的主干是 It was once assumed that...。It 充当形式主语，that 引导主语从句，improvements...into cities 是实际主语，其中又包含 as 引导的时间状语从句。

核心词表

assume /əˈsjuːm/ *vt.* 假定，设想

记忆 词根记忆：as（表加强）+sum（拿，取）+e →预先拿取→假定，设想

搭配 assume office 就职

assume an obligation 承担义务

assume responsibility 承担责任

improvement /ɪmˈpruːvmənt/ *n.* 改进，进步；改进措施

搭配 improvement in 有改进，好转

telecommunication /ˌtelikəˌmjuːnɪˈkeɪʃn/ *n.* 电信

记忆 词根记忆：tele（电）+communication（通讯）→电信

lead to 导致，通向

dispersal /dɪˈspɜːsl/ *n.* 散布，分散；消散，疏散

记忆 词根记忆：dis（加强）+pers（分散）+al（表行为）→分散

no longer 不再

force /fɔːs/ *v.* 强迫；*n.* 军队；力气；效力

主题归纳

与"网络通信"有关的词：

addressee /ˌædreˈsiː/ *n.* 收件人

click rate 点击率

cursor /ˈkɜːsə(r)/ *n.* 光标

搭配 cursor key 光标键

cyberspace /ˈsaɪbəspeɪs/ *n.* 网络空间

搭配 cyberspace superstars 网络红人

email /ˈiːmeɪl/ *n.* 电子邮件

Facebook /ˈfeɪsbʊk/ *n.* 脸谱网

friend circle 朋友圈

internet media 网络媒体

live broadcast 直播

mass communication 大众传播工具

mass media 大众传媒

net friend 网友

network communication 网络通信

network /ˈnetwɜːk/ *n.* 网络

搭配 network station 网站

one-to-many /wʌn tə ˈmeni/ *adj.* 一对多的

搭配 one-to-many model 一对多的模式

social media site 社交媒体网站

twitter /ˈtwɪtə(r)/ *n.* 推特

visit /ˈvɪzɪt/ *v.* 访问

搭配 visit to 访问

　　　 visit with 聊天

website /ˈwebsaɪt/ *n.* 网站

搭配 website design 网站设计

WeChat /witʃæt/ *n.* 微信

wide /waɪd/ *adj.* 范围大的

搭配 a wide range of 范围广的

与"电话、广播通信"有关的词：

aerial /ˈeəriəl/ *n.* 天线

搭配 aerial photography 空中摄影

answering /ˈɑːnsərɪŋ/ *adj.* 应答的，答复的

搭配 answering device 应答装置

area code 区号

broadcast media 广播媒体

broadcast /ˈbrɔːdkɑːst/ *n.* 广播节目；*v.* 广播

broadcasting /ˈbrɔːdkɑːstɪŋ/ *n.* 广播

burgeoning /ˈbɜːdʒənɪŋ/ *adj.* 新兴的

cellphone /ˈselfəʊn/ *n.* 手机

搭配 cellphone chain 手机链

cellphone lanyard 手机挂带

deliver information 传递信息

dial /ˈdaɪəl/ *v.* 拨，打电话给

搭配 dial up 拨号

digital media 数字传媒

direct dailing 直拨

earphone /ˈɪəfəʊn/ *n.* 耳机

extension /ɪkˈstenʃn/ *n.* 电话分机，分机号码

搭配 extension number 分机号码

fixed-line /ˈfɪkst laɪn/ *n.* 固网电话

frequency adjustment 调频

function /ˈfʌŋkʃn/ *n.* 功能

搭配 main function 主要功能

handset /ˈhændset/ *n.* 手机，电话听筒

搭配 handset number 手机号码

icon /ˈaɪkɒn/ *n.* 图标

搭配 icon overlay 图标覆盖

　　　 computer icon 图标；电脑图像

inbox /ɪnbɒks/ *n.* 收件箱

indoor aerial 室内天线

infectivity /ˌɪnfekˈtɪvɪti/ *n.* 感染力

International Direct Dialing 国际直拨

leave a message 留信

long distance call 长途电话

long wave 长波

loudspeaker /ˌlaʊd'spiːkə(r)/ *n.* 喇叭，扬声器

搭配 digital loudspeaker 数字式音箱

make a call 打电话

medium wave 中波

megahertz /'megəhɜːts/ *n.* 兆赫

microblog /'maɪkrəʊˌblɒg/ *n.* 微博

mobile phone 手机

operator /'ɒpəreɪtə(r)/ *n.* 接线员

搭配 operator on duty 值班人员

passcode /'pɑːsˌkəʊd/ *n.* 密码

phone book 电话簿

public radio 公共广播电台

put through 接通

radio wave 无线电波

radio /'reɪdiəʊ/ *n.* 收音机

搭配 portable radio 便携式收音机

　　　 radio signal 无线电信号

reach /riːtʃ/ *vt.* （用电话）联系

rebroadcast /rɪ'brɔːdkæst/ *n./v.* 重播

搭配 video rebroadcast 视频转播

receiver /rɪ'siːvə(r)/ *n.* 听筒；接收器

搭配 hang up the receiver 挂断电话听筒

refresh /rɪ'freʃ/ *v.* 刷新

搭配 refresh data 更新数据

short wave 短波

supervision /ˌsuːpə'vɪʒn/ *n.* 监督

搭配 supervision and control 监控

tape recorder 磁带录音机

telecom /'telɪˌkɒm/ *n.* 电信

telephone /'telɪfəʊn/ *n.* 电话

搭配 telephone receiver 听筒

transmitter /træns'mɪtə(r)/ *n.* 传送器

搭配 temperature transmitter 温度传感器

　　　 automatic transmitter 自动发射机

unavailable /ˌʌnə'veɪləbl/ *adj.* 不在的

voicemail /'vɔɪsˌmeɪl/ *n.* 语音信箱

wave length 波长

working mode 工作方式

Compared to language, all other inventions pale in significance, since everything we have ever achieved depends on language and originates from it.

与语言相比，所有其他的发明都相形见绌，因为我们所取得的一切都依赖于语言，并源于语言。

（剑桥雅思 11）

语法笔记

本句含有一个 since 引导的原因状语从句。主句的主干是 all other inventions pale in significance，句首的过去分词短语 Compared to language 作比较状语。从句的主干是 everything depends on language and originates from it，其中定语从句 we have ever achieved 修饰 everything。

核心词表

compare /kəm'peə(r)/ *vt.* 比较；对比

记忆 联想记忆：com（共同）+pare（看作 pair，对）→放在一起对比→对比

搭配 compare to 比喻成…

compare with 与…比较

invention /ɪn'venʃn/ *n.* 发明，创造

同根 inventive *adj.* 有发明才能的

pale /peɪl/ *vi.* 变苍白；显得逊色；*adj.* 苍白的

搭配 pale into significance 相形见绌

significance /sɪg'nɪfɪkəns/ *n.* 重要性，意义

同根 significant *adj.* 重要的；有意义的

significantly *adv.* 重大地；明显地

since /sɪns/ *conj.* 因为

achieve /ə'tʃiːv/ *v.* 实现，取得，达到

同根 achievement *n.* 成就

depend on 依赖；取决于

originate /ə'rɪdʒɪneɪt/ *v.* 起源；首创

记忆 词根记忆：origin（起源）+ate（使…）→起源

搭配 originate in/from 起源于，由…引起，产生

同根 origination *n.* 发源

originator *n.* 发起者

originative *adj.* 有创作力的

主题归纳

表示"重要"的词：

cardinal /'kɑːdɪnl/ *adj.* 最重要的，主要的

记忆 词根记忆：card（心）+inal →像心一样的→首要的

chief /tʃiːf/ *adj.* 主要的；*n.* 主任

同根 chiefly *adv.* 重要地

crucial /'kruːʃl/ *adj.* 至关重要的；决定性的

搭配 crucial to/for sth. 对某事至关重要的

at a crucial time 在关键时刻

a crucial question 关键问题

dominant /'dɒmɪnənt/ *adj.* 占优势的；统治的

搭配 a dominant power in the world 世界头号强国

a dominant position 统治地位

elementary /ˌelɪ'mentri/ *adj.* 基本的；初级的

搭配 elementary school 小学

elementary particle 基本粒子

elite /eɪ'liːt/ *n.* 精英；*adj.* 卓越的

搭配 social elite 社会精英

essential /ɪ'senʃl/ *adj.* 必要的；本质的；*n.* 本质，要点

搭配 be essential to/for... 对…是必不可少的；本质的

fateful /'feɪtfl/ *adj.* 对未来发展有重大（负面）影响的

搭配 fateful decision 重大决定

foremost /'fɔːməʊst/ *adj.* 最好的；最重要的

记忆 合成词：fore（前面）+most（最）→放在最前面的→最重要的

fundamental /ˌfʌndə'mentl/ *adj.* 基础的，基本的

记忆 词根记忆：funda（=fund，基础）+ment+al（…的）→基础的

gist /dʒɪst/ *n.* 主旨

搭配 the gist of 主旨

key /kiː/ *adj.* 至关重要的，关键的

搭配 key to …的关键

largely /'lɑːdʒli/ *adv.* 在很大程度上，主要地

记忆 词根记忆：large（大）+ly（表副词）→在很大程度上

leading /'liːdɪŋ/ *adj.* 主要的；排在前列的

搭配 leading role 主导地位

momentous /mə'mentəs/ *adj.* （变化或决定等）重大的，重要的

搭配 a momentous decision 重大决定

optimum /'ɒptɪməm/ *adj.* 最好的；最有利的

记忆 词根记忆：optim（最好）+um →最好的

outweigh /ˌaʊt'weɪ/ *v.* （在重要性上，影响上）比…重要；胜过

记忆 词根记忆：out（超过）+weigh（称重）→比…重要

paramount /'pærəmaʊnt/ *adj.* 最重要的，决定性的；*n.* 最高统治者

记忆 联想记忆：par+amount（数量）→在量上超过别的→最重要的

pivotal /'pɪvətl/ *adj.* 关键的；中枢的

predominantly /prɪ'dɒmɪnəntli/ *adv.* 重要地，显著地

记忆 词根记忆：pre（前）+dominant（统治的）+ly（…地）→在前面统治地→重要地

predominate /prɪ'dɒmɪneɪt/ *v.* 统治；（数量、力量上）占优势

记忆 词根记忆：pre（前）+dominate（统治）→处于统治地位→占优势

primary /'praɪməri/ *adj.* 初级的；首要的

同根 primarily *adv.* 首先；主要地

principal /'prɪnsəpl/ *adj.* 主要的

vital /'vaɪtl/ *adj.* 极其重要的，必不可少的

搭配 vital to/for sth. 对…极重要的，对…必不可少的

at the vital moment 在关键时刻

a vital error 致命的错误

a vital decision 重要决定

表示"比较"的词：

comparative /kəm'pærətɪv/ *adj.* 比较的，相当的

同根 comparatively *adv.* 相当地；比较地

contrast /'kɒntrɑːst/ *n.* 对比；对照；

/kən'trɑːst/ *v.* 对比

搭配 by contrast 对比之下；（与…）相对照

in contrast with/to 与…成反比

contrast A with B 把 A 与 B 做对比

counterpart /'kaʊntəpɑːt/ *n.* 与对方地位相当的人；配对物

记忆 合成词：counter（相反地）+part（部分）→配对物

equal /'iːkwəl/ *adj.* 相等的；*vt.* 比得上

同根 equality *n.* 同等，平等

equally *adv.* 平等地，相等地

equate /i'kweɪt/ *v.* 使等同，同等看待

记忆 词根记忆：equ（相等）+ate（使…）→使等同

equivalent /ɪ'kwɪvələnt/ *adj.* 相等的，等量的；*n.* 相等物，等价物

搭配 equivalent to 和…相等

inferior /ɪn'fɪəriə(r)/ *adj.* 次的；下级的；*n.* 下级

同根 inferiority *n.* 下级；自卑感

peerless /'pɪələs/ *adj.* 无可匹敌的，出类拔萃的

记忆 词根记忆：peer（同等地位的人）+less（无…的）→无可匹敌的

preferable /'prefrəbl/ *adj.* 更可取的，更合意的

记忆 词根记忆：prefer（更喜欢）+able（…的）→更喜欢就觉得更好→更好的

relative /'relətɪv/ *adj.* 相对的；比较的；相关的；*n.* 亲属

搭配 close/distant relative 近 / 远亲

relatively /'relətɪvli/ *adv.* 相当地；相对地，比较地

resemble /rɪ'zembl/ *v.* 类似，像

记忆 词根记忆：re（一再）+sembl（类似）+e→类似

superior /suː'pɪəriə(r)/ *adj.* 上级的；优于…的；优秀的；*n.* 上级

搭配 superior to 比…好，超过…的

versus /'vɜːsəs/ *prep.* 与…相对

记忆 词根记忆：vers（转向）+us →转向我们→与…相对

It's true there are new regulations for mercury emissions from power plants, but these will need billions of dollars to implement and increase costs for everyone.

的确，对发电厂的汞排放有了新的规定，但贯彻这些规定需要数十亿美元，而且还增加了每个人的成本。

（剑桥雅思 12）

语法笔记

本句是由 but 连接的并列句，前一分句的主干是 It's true。It 作形式主语，代替后面真正的主语从句 there are... power plants，后一个分句的主干是 these will need billions of dollars and increase costs.

核心词表

regulation /ˌregju'leɪʃn/ *n.* 管理；规则；*adj.* 规定的；平常的

搭配 company regulation 公司条例

mercury /'mɜːkjəri/ *n.* 水银

搭配 mercury thermometer 水银温度计

emission /i'mɪʃn/ *n.* （光、热等的）散发；散发物

记忆 词根记忆：e（出）+miss（放出）+ion →放出→（光、热等）的散发

搭配 green house gas emission 温室气体排放

zero-emission cars 零排放车辆

pollutant emission 污染物排放

toxic emission 废气排放

implement /'ɪmplɪment/ *vt.* 使生效；实施，贯彻；/'ɪmplɪmənt/ *n.* 工具

记忆 词根记忆：im（使…）+ple（满）+ment →使圆满→实现→实施

同根 implementation *n.* 实施，执行

同义 perform *vt.* 做，履行

execute *vt.* 执行

utensil *n.* 用具

instrument *n.* 仪器，工具

主题归纳

表示"规定，制度"的词：

given /'gɪvn/ *adj.* 规定的，特定的；假设的

stipulate /'stɪpjuleɪt/ *v.* 规定（某要求）

记忆 词根记忆：stipul（要求承诺）+ate →要求→规定（某要求）

66

与"有机，无机化学"有关的词：

acetate /'æsɪteɪt/ *n.* 醋酸盐

aluminium /ˌæljə'mɪniəm/ *n.* 铝

搭配 aluminium oxide 氧化铝

amalgam /ə'mælgəm/ *n.* 汞合金

carbon dioxide 二氧化碳

carbonic oxide 一氧化碳

chemical element 化学元素

cohere /kəʊ'hɪə(r)/ *vi.* 凝聚

同根 coherent *adj.* 粘附的

coke /kəʊk/ *n.* 焦炭

搭配 coke oven 炼焦炉

petroleum coke 石油焦（炭）

coke oven gas 焦炉煤气

copper /'kɒpə(r)/ *n.* 铜

搭配 copper sulphate 硫酸铜

corrosive /kə'rəʊsɪv/ *adj.* 腐蚀性的

desalinise /diː'sælɪˌnaɪz/ *v.* 除去盐分

factorable /fæk'təreɪbl/ *adj.* 能分解成因子的

foul /faʊl/ *adj.* 难闻的；有恶味的

gold /gəʊld/ *n.* 金

搭配 gold content 含金量

halogen /'hælədʒən/ *n.* 卤素

搭配 halogen lamp 卤素灯

inert gases 惰性气体

inorganic chemistry 无机化学

inorganic matter 无机物

inorganic polymer 无机高分子

iron /'aɪən/ *n.* 铁

搭配 iron ore 铁矿石

lead /led/ *n.* 铅

lifeless /'laɪfləs/ *adj.* 无生命的

natural polymer 天然高分子

organic chemistry 有机化学

organic polymer 有机高分子

organics /ɔː'gænɪks/ *n.* 有机物

oxidize /'ɒksɪdaɪz/ *vt.* 氧化，使生锈

patina /'pætɪnə/ *n.* 铜绿

periodic table of elements 元素周期表

polymer /'pɒlɪmə(r)/ *n.* 聚合物

搭配 polymer resin 聚合树脂

polymer chemistry 高分子化学

rare metal 稀有金属

scalding /'skɔːldɪŋ/ *adj.* 滚烫的，灼热的

silver /'sɪlvə(r)/ *n.* 银

搭配 silver bromide 溴化银

sodium /'səʊdiəm/ *n.* 钠

搭配 sodium chloride 氯化钠

supra polymer 超高分子

synthetic fibre 合成纤维

synthetic plastics 合成塑料

synthetic rubber 合成橡胶

titanium /tɪ'teɪniəm/ *n.* 钛

搭配 titanium dioxide 二氧化钛

toxic chemical 有毒的化学物质

zinc /zɪŋk/ *n.* 锌

与"投资理财"有关的词：

advisor /əd'vaɪzə(r)/ *n.* 顾问；指导教师

搭配 investment advisor 理财顾问

consultant /kən'sʌltənt/ *n.* 顾问

同根 consult *v.* 请教

dividend /'dɪvɪdend/ *n.* 红利，股息

搭配 dividend payment 股息支付

expected return 预期收益

financial plan 理财计划

financing /'faɪnænsɪŋ/ *n.* 融资

搭配 financing cost 融资成本

fixed income 固定收益

foreign exchange 外汇

forward rate 远期利率

futures /'fjuːtʃəz/ *n.* 期货

搭配 futures market 期货市场

house property 房产

increment /'ɪŋkrəmənt/ *n.* 增值，增额

搭配 increment duty 增值税

investment diversification 分散投资

money management 理财

ratio /'reɪʃiəʊ/ *n.* 比例，比率

搭配 conversion ratio 兑换率

risk assessment 风险评估

store of value 保值

systematic risk 系统性风险

trust product 信托产品

Review

Sentence 22

The teacher's task is to assist the students to apply what they have learned paraconsciously, and in doing so to make it easily accessible to consciousness.

教师的任务是协助学生运用他们在超意识状态下习得的知识，这样做可以使所学的知识更容易被意识接受。

（剑桥雅思7）

语法笔记

本句的主干是 The teacher's task is to assist the students and to make it accessible to consciousness。to apply what they have learned paraconsciously 作宾语补足语，其中 what 引导宾语从句；in doing so 意为"这样做时，在这种情况下"，作状语。

核心词表

task /tɑːsk/ *n.* 任务

apply /əˈplaɪ/ *v.* 应用，使用；申请

记忆 联想记忆：这家服务站免费提供（supply）打气筒使用（apply）

搭配 apply for 申请

apply to 对…适用；对…有效

apply to the customs 报关

apply oneself to 致力于

paraconsciously /ˌpærəˈkɒnʃəsli/ *adv.* 超意识地

记忆 词根记忆：para（超）+conscious（有意识的）+ly（…地）→超意识地

accessible /əkˈsesəbl/ *adj.* 能接近的；可以达到的

记忆 词根记忆：access（接近）+ible（能…的）→能接近的

consciousness /ˈkɒnʃəsnəs/ *n.* 知觉；意识；神志

记忆 词根记忆：conscious（有意识的）+ness（表名词）→意识

同根 self-consciousness *n.* 自觉，自我

conscious *adj.* 意识到的

主题归纳

与"教育过程中的意识"有关的词：

altruistic /ˌæltruˈɪstɪk/ *adj.* 利他的，无私心的

同根 altruism *n.* 利他主义

confusion /kənˈfjuːʒn/ *n.* 困惑；混乱

同根 confuse *vt.* 使困惑

differentiation /ˌdɪfəˌrenʃiˈeɪʃn/ *n.* 区别；鉴别

同根 differentiate *v.* 区别

egoism /ˈegəʊɪzəm/ *n.* 利己主义

记忆 词根记忆：ego（自己）+ism（…主义）→利己主义

emotional state 情绪状态

empathy /ˈempəθi/ *n.* 同感；共鸣

搭配 emotional empathy 情感共鸣

identification /aɪˌdentɪfɪˈkeɪʃn/ *n.* 辨认，鉴定；认同

同根 identify *vt.* 鉴定；识别

interaction /ˌɪntərˈækʃn/ *n.* 相互作用，相互影响

同根 interact *vi.* 相互作用

introspection /ˌɪntrəˈspekʃn/ *n.* 内省，反省

同根 introspective *adj.* 好内省的

inward /ˈɪnwəd/ *adj.* 内心的；向内的

反义 outward *adj.* 向外的

metacognition /ˌmetækɒɡnɪʃn/ *n.* 元认知

psychology /saɪˈkɒlədʒi/ *n.* 心理学

搭配 positive psychology 积极心理学

self /self/ *n.* 惯常心态；个性；自我

搭配 the inner self 内心的思想感情

self-aware /self əˈweə(r)/ *adj.* 自知的

与"学校教育阶段及目标"有关的词：

all-round /ˌɔːl ˈraʊnd/ *adj.* 全面发展的

搭配 all-round talent 综合性人才

basic education 基础教育

basic quality 基本素质

compulsory education 义务教育

enlightening /ɪnˈlaɪtnɪŋ/ *adj.* 予以人启迪的

搭配 enlightening significance 启发意义

exam-oriented education 应试教育

higher education 高等教育

labor skill 劳动技能

lower secondary education 初中教育

moral value 道德观

pedagogy /ˈpedəɡɒdʒi/ *n.* 教育学

同根 pedagogic *adj.* 教育的

pre-primary education 学前教育

primary education 初等教育，小学教育

quality-oriented education 素质教育

registered school 注册学校

与"正向积极的教育理念"有关的词：

amenable /əˈmiːnəbl/ *adj.* 顺从的；有责任的

搭配 be amenable to... 服从…

appropriate /əˈprəʊpriət/ *adj.* 适当的／əˈprəʊprieɪt/ *v.* 私占；拨出（款项）

记忆 词根记忆：ap（加强）+propri（拥有）+ate（使…）→把公款变为自己拥有→私占

反义 inappropriate *adj.* 不适合的

consequently /ˈkɒnsɪkwentli/ *adv.* 因此；结果

同根 consequent *adj.* 随之发生的 *n.* 结果

earnest /'ɜːnɪst/ *adj.* 认真的，诚挚的；*n.* 认真

搭配 in earnest 认真地；诚挚地

even-tempered /'iːvn'tempəd/ *adj.* 性情平和的

同根 temper *n.* 性情；脾气

inherited /ɪn'herɪtɪd/ *adj.* 继承的；遗传的

同根 inherit *v.* 继承

lead by example 以身作则

maturation /ˌmætʃu'reɪʃn/ *n.* 成熟

同根 mature *adj.* 成熟的

modest /'mɒdɪst/ *adj.* 谦虚的

同根 modesty *n.* 谦逊

naughty /'nɔːti/ *adj.* 淘气的

同根 naughtiness *n.* 淘气

obedient /ə'biːdiənt/ *adj.* 顺从的，听从的

同根 obedience *n.* 顺从

outcome /'aʊtkʌm/ *n.* 结果；成果

记忆 来自词组 come out（结果）

participate /pɑː'tɪsɪpeɪt/ *vi.* 参与

同根 participant *n.* 参与者

praise /preɪz/ *vt.* 表扬

搭配 praise for 因…而表扬

promise /'prɒmɪs/ *v.* 许诺

同根 promising *adj.* 有希望的

puberty /'pjuːbəti/ *n.* 青春期

搭配 puberty stage 青春期

　　　 puberty rite 成年礼

rebellion period 叛逆期

rebellious /rɪ'beljəs/ *adj.* 反抗的

同根 rebellion *n.* 背叛

self-esteem /ˌself ɪ'stiːm/ *n.* 自尊，自负

同义 self-sufficiency *n.* 自负

Review

However, if one of the parties in a conflict sees human resources as simply a mouthpiece for the chief executive, then an external mediator might be able to help.

然而，如果冲突中的一方认为人力资源部只是首席执行官的代言人，那么一个外部调解人或许能够提供帮助。

（剑桥雅思12）

语法笔记

本句的主干是 an external mediator might be able to help，if 在此处引导条件状语从句。

核心词表

conflict /ˈkɒnflɪkt/ *n.* 冲突；/kənˈflɪkt/ *vi.* 冲突

记忆 词根记忆：con（共同）+flict（打）→ 互相打→冲突

搭配 come into conflict with sb. 与…有冲突

mouthpiece /ˈmaʊθpiːs/ *n.* 发言人，代言人

executive /ɪɡˈzekjətɪv/ *adj.* 行政的；经营的；执行的；*n.* 经理；执行者

execute /ˈeksɪkjuːt/ *vt.* 将…处死；实施

记忆 联想记忆：exe（电脑中的可执行文件）+ cute →实施

external /ɪkˈstɜːnl/ *adj.* 外部的，外面的

搭配 external pressure 外界压力

external affairs 外交事务

反义 internal *adj.* 内部的，内在的

mediator /ˈmiːdieɪtə(r)/ *n.* 调解人，调停人，斡旋者；仲裁组织

主题归纳

与"公司部门"有关的词：

Advertising Department 广告部

Business Office 营业部

department /dɪˈpɑːtmənt/ *n.* 部，部门（大的机构的一个分支部门）

搭配 department manager 部门经理

division /dɪˈvɪʒn/ *n.* 部门（一个完整机构的一部分，是划分出来的一个单位）

搭配 division chief 处长

Export Department 出口部

General Accounting Department 财务部

General Affairs Department 总务部

Human Resources Department 人力资源部

Import Department 进口部

International Department 国际部

Personnel Department 人事部

Planning Department 企划部

Product Development Department 产品开发部

Public Relations Department 公关部

Research and Development Department 研发部

Sales Department 业务部

Technology Department 技术部

表示"帮助"的词：

assist /ə'sɪst/ *v.* 帮助，协助

同根 assistant *n.* 助手，助教；*adj.* 助理的，辅助的

assistance /ə'sɪstəns/ *n.* 协助，援助

搭配 financial assistance 财政援助

shop assistance 店员

service /'sɜːvɪs/ *n.* 服务；公共服务（系统）；保养，检修；*v.* 维修，保养

搭配 airline coach service 航空公司汽车服务处

Student Service 学生服务中心

door-to-door service 上门服务

service charge 服务费用

interlibrary service 图书馆际服务

与"冲突，竞争"有关的词：

admonish /əd'mɒnɪʃ/ *v.* 告诫，警告

搭配 admonish for 因…而警告

adverse /əd'vɜːs/ *adj.* 不利的，有害的

同义 unfavorable *adj.* 不利的

harmful *adj.* 有害的

assail /ə'seɪl/ *vt.* 猛击；决然面对

baste /beɪst/ *vt.* 殴打；公开责骂

belligerent /bə'lɪdʒərənt/ *adj.* 好战的；交战的

compete /kəm'piːt/ *vi.* 竞争

contend /kən'tend/ *v.* 争斗

emulate /'emjuleɪt/ *vt.* 与…竞争；仿效

feud /fjuːd/ *n.* 世仇；*vi.* 不合

fulminate /'fʊlmɪneɪt/ *vt.* 猛烈爆发

hostile /'hɒstaɪl/ *adj.* 敌对的，不友好的

offensive /ə'fensɪv/ *adj.* 冒犯的；攻击性的

反义 inoffensive *adj.* 不会冒犯人的

punch /pʌntʃ/ *vt.* 重击

repel /rɪ'pel/ *vt.* 排斥；击退

repulsive /rɪ'pʌlsɪv/ *adj.* 排斥的

rival /'raɪvl/ *vt.* 竞争，匹敌

strife /straɪf/ *n.* 冲突，竞争

struggle /'strʌgl/ *n./vi.* 争斗；奋斗

tantalize /'tæntəlaɪz/ *vt.* 逗惹，使…着急

thump /θʌmp/ *vt.* 重击

Sentence 24

Summer leaves are green because they are full of chlorophyll, the molecule that captures sunlight and converts that energy into new building materials for the tree.

夏天的叶子是绿色的，因为它们充满了叶绿素，这种分子能吸收阳光，然后将能量转化为树的新构造材料。

（剑桥雅思10）

语法笔记

本句主干是 Summer leaves are green。because 引导原因状语从句；the molecule ... for the tree 作 chlorophyll 的同位语，起解释说明作用；molecule 后的 that 引导定语从句，修饰 molecule。

核心词表

chlorophyll /ˈklɔːrəfɪl/ *n.* 叶绿素

molecule /ˈmɒlɪkjuːl/ *n.* 分子

记忆 词根记忆：mole（=mol 堆）+cule（小）→很小的东西堆在一起→分子

capture /ˈkæptʃə(r)/ *v.* 俘获；夺取或赢得；捕获；*n.* 战利品

记忆 词根记忆：capt（抓）+ure（表行为）→抓住→捕获，俘获

convert /kənˈvɜːt/ *v.* （使）改变信仰；（使）转变，（使）转化；改装

记忆 词根记忆：con（加强）+vert（转）→转变，转化

搭配 convert...to/into... 把…转化为…

主题归纳

与"树"有关的词：

acorn /ˈeɪkɔːn/ *n.* 橡实，橡子

bamboo /ˌbæmˈbuː/ *n.* 竹

搭配 bamboo grove 竹林
bamboo shoot 竹笋，笋
bamboo raft 竹筏

birch /bɜːtʃ/ *n.* 白桦

bough /baʊ/ *n.* 大或者粗的树枝

box /bɒks/ *n.* 黄杨

branch /bræntʃ/ *n.* 树枝

搭配 main branch 主枝

camphor tree 樟树

coconut palm 椰树

cypress /ˈsaɪprəs/ *n.* 柏树

deciduous tree 落叶树

elm /elm/ *n.* 榆树

evergreen broad-leaf forest 常绿阔叶林

evergreen tree 常绿树

fir /fɜː(r)/ *n.* 冷杉

ginkgo /'gɪŋkəʊ/ *n.* 银杏树

hardy /'hɑːdi/ *adj.* 耐寒的

同根 hardiness *n.* 耐寒性

hickory /'hɪkəri/ *n.* 山核桃树

ivy /'aɪvi/ *n.* 常春藤

laurel /'lɒrəl/ *n.* 月桂树

maple tree 枫树

oak /əʊk/ *n.* 橡树

palm /pɑːm/ *n.* 棕榈树

搭配 palm tree 棕榈树

phoenix tree 梧桐树

pine /paɪn/ *n.* 松树

poplar /'pɒplə(r)/ *n.* 白杨

sandalwood /'sændlwʊd/ *n.* 檀香木

satinwood /'sætɪnwʊd/ *n.* 缎木

sequoia /sɪ'kwɔɪə/ *n.* 红杉

sycamore /'sɪkəmɔː(r)/ *n.* 美国梧桐

trunk /trʌŋk/ *n.* 树干；（人的）躯干

搭配 tree trunk 树干

twig /twɪg/ *n.* 嫩枝，小枝

verdant /'vɜːdnt/ *adj.* 郁郁葱葱的

同根 verdure *n.* 郁郁葱葱的植物

vine /vaɪn/ *n.* 蔓生植物；葡萄藤

搭配 grape vine 葡萄藤

virgin /'vɜːdʒɪn/ *adj.* 处于原始状态的

搭配 virgin forest 原始森林

willow /'wɪləʊ/ *n.* 柳树

windbreak /'wɪndbreɪk/ *n.* 防风林

形容"充满，充塞"的词：

abound /ə'baʊnd/ *vi.* 富于；充满

记忆 词根记忆：ab（加强）+ound（=und 溢出）→溢出→充满

overfill /ˌəʊvə'fɪl/ *v.* 装得太多，装到满溢，充满

permeate /'pɜːmieɪt/ *v.* 扩散，弥漫；渗透

同根 permeation *n.* 渗入，透过

permeant *adj.* 浸透的

同义 penetrate *vt.* 穿透，渗透

teem /tiːm/ *v.* 充满，到处都是

记忆 联想记忆：和 team（*n.* 群，队）一起记

表示"吸收，吸入"的词：

absorb /əb'zɔːb/ *v.* 吸收；吸引…的注意，使全神贯注；把…并入，同化

记忆 词根记忆：ab（离去）+sorb（吸收）→吸收掉→吸收

搭配 be absorbed into/in... 全神贯注于…

同根 absorption *n.* 吸收

assimilate /ə'sɪməleɪt/ *vt.* 吸收；使同化

记忆 词根记忆：as（加强）+simil（相类似）+ate（使…）→使成为一样→使同化

同义 digest *vt.* 消化

inhale /ɪn'heɪl/ *v.* 吸（烟），吸气

记忆 词根记忆：in（向内，进入）+hal（呼吸）+e →进气→吸气

搭配 inhale the cigarette 吸烟

同根 inhalation *n.* 吸入，吸入物

intake /'ɪnteɪk/ *n.* 吸入，纳入；进气口，入口

记忆 联想记忆：in（进入）+take（带来）→被带入里面→吸入，纳入

搭配 intake of... …的摄入量

If clothing fails to meet these standards, as determined by the employee's supervisor, the employee will be asked not to wear the inappropriate item to work again.

如果员工着装未能满足上司规定的这些标准，该员工将会被要求不再穿戴不适宜的服饰来工作。

（剑桥雅思9）

语法笔记

本句的主干是 the employee will be asked not to wear the inappropriate item to work again。在这句话中 if 引导条件状语从句；as 引导非限制性定语从句，as 指代前一句的内容，as 后省略了 is。

核心词表

clothing /'kləʊðɪŋ/ *n.* 服装

搭配 lower clothing 下装

standard /'stændəd/ *n.* 标准；*adj.* 标准的

搭配 standard of education 教育标准

better standard of living 更高的生活水平

determine /dɪ'tɜ:mɪn/ *v.* 确定；决定；（使）下决心

记忆 词根记忆：de（加强）+termin（边界）+e→加强界限→确定

同根 determined *adj.* 坚定的

employee /ɪm'plɔɪiː/ *n.* 职员，雇员

同根 employer *n.* 雇主

employment *n.* 雇佣

supervisor /'su:pəvaɪzə(r)/ *n.* 监督人，指导者，主管；镇长；区长；视导员

同义 administrator *n.* 管理人

inappropriate /ˌɪnə'prəʊpriət/ *adj.* 不适当的；不相称的

item /'aɪtəm/ *n.* 一件商品（或物品）；条款，项目；（新闻等）一则

搭配 single item 单件物品

主题归纳

与"服装，衣服"有关的词：

apron /'eɪprən/ *n.* 围裙

attire /ə'taɪə(r)/ *n.* 服装

beret /'bereɪ/ *n.* 贝雷帽

cashmere /'kæʃmɪə(r)/ *n.* 山羊绒

cotton /'kɒtn/ *n.* 棉织物；棉布

fabric /'fæbrɪk/ *n.* 面料

搭配 woven fabric 机织物

garb /gɑ:b/ *n.* 服装

linen /'lɪnɪn/ *n.* 亚麻织品；亚麻布

记忆 联想记忆：line（绳）+n →亚麻编的绳 →亚麻织品

overall /'əʊvərɔːl/ *n.* 外套；罩衣

overcoat /'əʊvəkəʊt/ *n.* 大衣；厚外套

pajamas /pə'dʒɑːməz/ *n.* 睡衣裤

scarf /skɑːf/ *n.* 围巾；披巾；头巾

shawl /ʃɔːl/ *n.* （女用）披巾，披肩

suit /suːt/ *n.* 套装

waistcoat /'weɪskəʊt/ *n.* 背心

wool /wʊl/ *n.* 毛料；毛织物

与"失误，失败"有关的词：

abortive /ə'bɔːtɪv/ *adj.* 不成功的；失败的

blunder /'blʌndə(r)/ *n.* 愚蠢的错误；疏忽；失误；*v.* 犯愚蠢的错误；失误

defective /dɪ'fektɪv/ *adj.* 有缺点的；不完全的

demerit /diː'merɪt/ *n.* 缺点

drawback /'drɔːbæk/ *n.* 缺点；障碍，不利条件；退还的关税

搭配 drawback of sth. 某事物的缺点

同义 disadvantage *n.* 缺点；不利条件

err /ɜː(r)/ *v.* 犯错误，做错事；出差错

erroneous /ɪ'rəʊniəs/ *adj.* 不正确的，错误的

记忆 联想记忆：erro（看作 error，错误）+ neous →错误的，不正确的

erroneously /ɪ'rəʊniəsli/ *adv.* 错误地

failure /'feɪljə(r)/ *n.* 失败，不及格；失败者；故障，失灵；未能

搭配 failure rate 失败率；故障率

power failure 停电

fallible /'fæləbl/ *adj.* 会犯错误的

flaw /flɔː/ *n.* 缺点；瑕疵

flop /flɒp/ *v.* 笨拙地抛下；悬挂；失败；*n.* 失败

搭配 a complete flop 彻底失败

flip flops 人字拖

heedless /'hiːdləs/ *adj.* 不加注意的；掉以轻心的

ignore /ɪg'nɔː(r)/ *v.* 不顾，不理，忽视

搭配 ignore the fact 忽视事实

inaccurate /ɪn'ækjərət/ *adj.* 错误的

incorrectly /ˌɪnkə'rektli/ *adv.* 错误地；不适当地

misjudge /ˌmɪs'dʒʌdʒ/ *v.* 判断错误

neglect /nɪ'glekt/ *vt./n.* 忽视，疏忽

记忆 词根记忆：neg（否定）+lect（选择）→不去选它→忽视；疏忽

搭配 neglect one's duty 玩忽职守

negligence /'neglɪdʒəns/ *n.* 疏忽；失职；失误，过失

negligent /'neglɪdʒənt/ *adj.* 疏忽的；造成过失的

offhand /ˌɒf'hænd/ *adv.* 未经核实地；不加思索地

omission /ə'mɪʃn/ *n.* 遗漏；疏忽

omit /ə'mɪt/ *v.* 忽略；漏掉，遗漏

regardless /rɪ'gɑːdləs/ *adj.* 毫不顾及的；*adv.* 不顾后果地；无论如何

记忆 合成词：regard（关心）+less（少）→很少关心的→不顾后果地，毫不顾及地

搭配 regardless of 不管

slovenly /'slʌvnli/ *adj.* 凌乱的；马虎的

记忆 词根记忆：slov（松开）+en+ly（…的）→松松垮垮的→凌乱的

typo /'taɪpəʊ/ *n.* 打字错误；排印错误

表示"不合适，不适宜"的词：

impropriety /ˌɪmprə'praɪəti/ *n.* 不合适举止；不正当行为

incompetent /ɪn'kɒmpɪtənt/ *adj.* 无能力的；不胜任的；不称职的

记忆 词根记忆：in（无）+competent（有能力的）→无能力的

ineligible /ɪn'elɪdʒəbl/ *adj.* 不合格的；不符合资格的

inept /ɪ'nept/ *adj.* 无能的；不擅长的；不适当的

搭配 be inept at 不擅长

unbecoming /ˌʌnbɪ'kʌmɪŋ/ *adj.* 不合适的，不恰当的；不相称的

unseemly /ʌn'siːmli/ *adj.* 不适宜的，不得体的

搭配 unseemly manner 不当的举止

unseemly effect 不当影响

表示"命令，要求"的词：

bidding /'bɪdɪŋ/ *n.* 请求；吩咐；命令

nominate /'nɒmɪneɪt/ *v.* 任命；指派

记忆 词根记忆：nomin（名称，名字）+ate（使…）→任命

command /kə'mɑːnd/ *v.* 命令，指挥；控制；*n.* 命令；司令部

记忆 词根记忆：com（加强）+mand（命令）→命令

搭配 have a command of... 掌握…

at sb.'s command 听命于…

instruction /ɪn'strʌkʃn/ *n.* 指令，命令

mandatory /'mændətəri/ *adj.* 强制的，命令的；托管的

request /rɪ'kwest/ *v./n.* 要求，请求

requisition /ˌrekwɪ'zɪʃn/ *n.* 要求

记忆 词根记忆：re（一再）+quis（寻求）+ition →要求

The participants weren't told beforehand whether the tunes were composed by humans or computers, but were asked to guess, and then rate how much they liked each one.

参与者事先没有被告知这些曲调是由人还是由电脑创作的，但是要求他们去猜测，然后评估他们对每个曲调的喜爱程度。

（剑桥雅思 13）

语法笔记

本句的主干是 The participants weren't told beforehand, but were asked to guess, and then rate，其中 but 后面因为和前一句的主语相同，所以 but 后面的主语省略。宾语从句 whether the tunes were composed by humans or computers 和 how much they liked each one 分别作 told 和 rate 的宾语。

核心词表

participant /pɑːˈtɪsɪpənt/ *n.* 参加者，参与者

记忆 联想记忆：parti（看作 party，晚会）+cip（抓，拿）+ant→抓去参与派对的人→参与者

搭配 participant in sth. 参与某事

beforehand /bɪˈfɔːhænd/ *adv.* 预先，事先

记忆 合成词：before（在…以前）+hand（手）→抢在…之前下手→预先，事先

搭配 beforehand process 预加工

beforehand system 以前的制度

同义 before *adv.* 在先

tune /tjuːn/ *n.* 调子；和谐；*vt.* 调节，调整

记忆 联想记忆：转动（turn）旋钮调音（tune）

搭配 carry a tune 唱得准

compose /kəmˈpəʊz/ *v.* 组成，构成；写，创作（乐曲等）；使安定，调谐

记忆 词根记忆：com（共同）+pos（放）+e→放到一起→组成，构成

搭配 be composed of 由…组成

同根 composer *n.* 作曲家

computer /kəmˈpjuːtə(r)/ *n.* 电脑

搭配 computer software 计算机软件

guess /ges/ *n./v.* 猜测

搭配 guess at 猜测，估计

同义 speculate *v.* 推测；投机

rate /reɪt/ *n.* 速率，比率；等级；价格，费用；*v.* 估价；评级，评价

搭配 at any rate 无论如何

at the rate of 以…速度

failure rate 失败率

与"音乐演唱者"有关的词：

alto /ˈæltəʊ/ *n.* 女低音

baritone /ˈbærɪtəʊn/ *n.* 男中音

cantata /kænˈtɑːtə/ *n.* 清唱剧，大合唱

choir /ˈkwaɪə(r)/ *n.* 唱诗班；合唱团

chorus /ˈkɔːrəs/ *n.* 合唱队；合唱；副歌，叠句；齐声；*v.* 齐声说

搭配 in chorus 异口同声

　　　chorus master 合唱队指挥

conservatory /kənˈsɜːvətri/ *n.* 音乐学校

soprano /səˈprɑːnəʊ/ *n.* 女高音

tenor /ˈtenə(r)/ *n.* 男高音

表示"乐队，乐器"的词：

accordion /əˈkɔːdiən/ *n.* 手风琴

记忆 词根记忆：ac（加强）+cord（心）+ion（物）→抒发心声的（琴）→手风琴

bagpipe /ˈbæɡpaɪp/ *n.* 风笛

band /bænd/ *n.* 乐队

搭配 rock band 摇滚乐队

banjo /ˈbændʒəʊ/ *n.* 班卓琴

bass /beɪs/ *n.* 低音提琴，低音吉他

bassoon /bəˈsuːn/ *n.* 低音管，大管

cello /ˈtʃeləʊ/ *n.* 大提琴

搭配 solo cello 独奏大提琴

clarinet /ˌklærəˈnet/ *n.* 单簧管

flute /fluːt/ *n.* 长笛

guitar /ɡɪˈtɑː(r)/ *n.* 吉他

harmonica /hɑːˈmɒnɪkə/ *n.* 口琴

harp /hɑːp/ *n.* 竖琴

oboe /ˈəʊbəʊ/ *n.* 双簧管

orchestra /ˈɔːkɪstrə/ *n.* 管弦乐队

organ /ˈɔːɡən/ *n.* 风琴，管风琴

搭配 organ pipe 管风琴

pan pipes *n.* 排箫

percussion /pəˈkʌʃn/ *n.* 打击乐器

piano /piˈænəʊ/ *n.* 钢琴

搭配 play the piano 弹钢琴

saxophone /ˈsæksəfəʊn/ *n.* 萨克斯管

string /strɪŋ/ *n.* 线；弦

搭配 shoe string 鞋带

trombone /trɒmˈbəʊn/ *n.* 长号

trumpet /ˈtrʌmpɪt/ *n.* 喇叭；小号

viola /viˈəʊlə/ *n.* 中提琴

搭配 solo viola 独奏中提琴

violin /ˌvaɪəˈlɪn/ *n.* 小提琴

搭配 violin concerto 小提琴协奏曲

wind /wɪnd/ *n.* 管乐器

搭配 the wind section 管乐部

与"演唱、演奏乐曲类型"有关的词：

concerto /kənˈtʃɜːtəʊ/ *n.* 协奏曲

duet /djuˈet/ *n.* 二重唱

episode /ˈepɪsəʊd/ *n.* 插曲

lullaby /ˈlʌləbaɪ/ n. 催眠曲，摇篮曲

plainsong /ˈpleɪnsɔŋ/ n. 单旋律圣歌

sonata /səˈnɑːtə/ n. 奏鸣曲

搭配 sonata form 奏鸣曲

symphony /ˈsɪmfəni/ n. 交响乐

搭配 symphony orchestra 交响乐团

描述"乐曲"的词：

chord /kɔːd/ n. 弦，和音

euphonious /juːˈfəʊniəs/ adj. 悦耳的

harsh /hɑːʃ/ adj. 刺耳的

movement /ˈmuːvmənt/ n.（尤指交响曲的）乐章

pitch /pɪtʃ/ n. 音高

prelude /ˈpreljuːd/ n. 前奏；序幕

rest /rest/ n. 休止符

rhythm /ˈrɪðəm/ n. 节奏，韵律

搭配 sense of rhythm 节奏感

scale /skeɪl/ n. 音阶

tone /təʊn/ n. 音色

与"音乐创作中的计算机智能"有关的词：

accelerate /əkˈseləreɪt/ v. 加速

记忆 词根记忆：ac（加强）+celer（快，迅速）+ate →加速

advanced science 尖端科学

advanced /ədˈvɑːnst/ adj. 先进的；高级的

同根 advance v. 前进 n. 前进，前移

advent /ˈædvent/ n. 到来，出现

搭配 the advent of... …的到来

artificial reality 虚拟现实

artificial /ˌɑːtɪˈfɪʃl/ adj. 人工的；假的

反义 authentic adj. 真正的，真实的

break boundaries 打破传统界限

computer science 计算机科学

cutting edge 尖端的

enhance/boost efficiency 提高效率

high-end /ˈhaɪ end/ adj. 高端的，高档的

搭配 high-end technology 高端科技

highly productive 高产的

high-tech /ˈhaɪ tek/ n. 高科技

搭配 high-tech world 高科技领域

intellectual /ˌɪntəˈlektʃuəl/ adj. 智力的

搭配 intellectual skill 智力技能

semi-automatic /ˈsemi ˌɔːtəˈmætɪk/ adj. 半自动化的

搭配 semi-automatic control 半自动控制

user friendly 方便使用的

If identical twins are more similar to each other with respect to an ailment than fraternal twins are, then vulnerability to the disease must be rooted at least in part in heredity.

如果就患某种疾病而言，同卵双胞胎比异卵双胞胎有更多的相似之处，那么这种疾病的易感性一定至少有一部分是源于遗传的。

（剑桥雅思 11）

语法笔记

主句的主干是 vulnerability to the disease must be rooted in heredity。If 引导一个条件状语从句。在条件状语从句中使用了比较级形式，其主干是 identical twins are more similar to each other than fraternal twins are。

核心词表

identical /aɪˈdentɪkl/ *adj.* 完全相同的，同一的

搭配 identical twins 同卵双胞胎

identical to/with sb./sth. 与某人 / 某物一模一样

同义 alike *adj.* 同样的

duplicate *adj.* 完全相同的

反义 dissimilar *adj.* 不同的

distinct *adj.* 有区别的，不同的

at least 至少

ailment /ˈeɪlmənt/ *n.* （不严重的）疾病

记忆 联想记忆：a（一个）+il（看作 ill, 病）+ment →一个 ill →疾病

fraternal /frəˈtɜːnl/ *adj.* 兄弟般的；亲如手足的

搭配 fraternal twins 异卵双胞胎

vulnerability /ˌvʌlnərəˈbɪləti/ *n.* 易受攻击，弱点

同根 vulnerable *adj.* 易受攻击的，易受伤的

root /ruːt/ *n.* 根；*v.* 牢牢扎根

搭配 be rooted in sth. 起源于某事物

pull out roots 把根拔出

put down roots 扎根

with respect to 关于，对于

heredity /həˈredəti/ *n.* 遗传

记忆 词根记忆：hered（继承）+ity →遗传

搭配 heredity factor 遗传因子

同根 hereditary *adj.* 遗传的；可继承的

inherited *adj.* 遗传的

主题归纳

表示"原因"的词：

account /əˈkaʊnt/ *n.* 账户；账目；*v.* 说明；（在数量、比例方面）占；导致

搭配 on account of 因为，由于

account for 解释，说明（原因等）

ascribe /əˈskraɪb/ *v.* 归功于；把…归因于

记忆 词根记忆：a（加强）+scrib（写）+e →把账记在…头上→归因于

attribute /ˈætrɪbjuːt/ *n.* 属性；品质；/əˈtrɪbjuːt/ *v.* 把…归于

搭配 attribute to 归结于，归功于

be credited to... 归功于…；…是发生的原因

causality /kɔːˈzæləti/ *n.* 因果关系

cause /kɔːz/ *n.* 原因

搭配 cause of death 死亡原因

derive /dɪˈraɪv/ *v.* 取得；起源

搭配 derive from 源自

for the sake of 为了

gratuitous /grəˈtjuːɪtəs/ *adj.* 无正当理由的

同义 unwarranted *adj.* 无端的

justification /ˌdʒʌstɪfɪˈkeɪʃn/ *n.* 正当的理由

同根 justify *v.* 证明…正当的

reason /ˈriːzn/ *n.* 理由，原因

搭配 for reasons of sth. 出于某种原因

result from 由于

result in 导致；结果是

表示"整体与部分"的词：

constituent /kənˈstɪtjuənt/ *n.* 成分；选民；*adj.* 组成的，构成的

记忆 词根记忆：con+stitu（=stit，站）+ent →站在一起→成分

fragment /ˈfrægmənt/ *n.* 碎片，小部分

记忆 词根记忆：frag（破碎）+ment（结果）→碎片

holistic /həʊˈlɪstɪk/ *adj.* 整体的；整体主义的

搭配 holistic medicine 整体医学

integral /ˈɪntɪgrəl/ *adj.* 构成整体所必需的；完整的

记忆 词根记忆：integr（完整）+al（…的）→完整的

integrate /ˈɪntɪgreɪt/ *v.*（使）成整体，（使）成为一体

同根 integration *n.* 结合，综合

disintegrate *vt.* 使分解

integrity /ɪnˈtegrəti/ *n.* 完整；正直诚实

记忆 词根记忆：integr（完整）+ity（性质）→完整

panoramic /ˌpænəˈræmɪk/ *adj.* 全景的

记忆 词根记忆：pan（全）+oram（景）+ic（…的）→成全景的

partial /ˈpɑːʃl/ *adj.* 部分的；偏爱的

同根 partially *adv.* 部分地

portion /ˈpɔːʃn/ *n.* 一部分

搭配 a portion of 一部分

section /ˈsekʃn/ *n.* 部分；部门；截面

记忆 词根记忆：sect（切）+ion→部分

segment /ˈsegmənt/ *n.* 片段；部分

记忆 词根记忆：seg（切）+ment（具体物）→切开后的东西→片段；部分

与"遗传"有关的词：

blood type 血型

chromosome /ˈkrəʊməsəʊm/ *n.* 染色体

记忆 词根记忆：chromo（颜色）+som（体）+e→染色体

color-blindness /ˈkʌlə blaɪndnəs/ *n.* 色盲

decode /ˌdiːˈkəʊd/ *vt.* 解码

记忆 词根记忆：de（去掉）+code（密码）→去掉密码→解码

deletion /dɪˈliːʃn/ *n.* 缺失

DNA sequence 基因序列

dominant heredity 显性遗传

family tree 家谱

mutation /mjuːˈteɪʃn/ *n.* 突变

搭配 gene mutation 基因突变

recessive inheritance 隐性遗传

substitution /ˌsʌbstɪˈtjuːʃn/ *n.* 代替

同根 substitute *n.* 代替者；*v.* 代替

substituted *adj.* 替代的

transgene /ˈtrænzˌdʒiːn/ *n.* 转基因

搭配 transgene expression 转基因表达

transgenic /trænsˈdʒenɪk/ *adj.* 转基因的，基因改造的

搭配 transgenic plant 转基因植物

gene /dʒiːn/ *n.* 基因

搭配 gene pool 基因库

genetic /dʒəˈnetɪk/ *n.* 遗传学家

genetics /dʒəˈnetɪks/ *n.* 遗传学

genome /ˈdʒiːnəʊm/ *n.* 基因组；染色体组

Review

Finally, perhaps the most graphic expressions of self-awareness in general can be seen in the displays of rage which are most common from 18 months to 3 years of age.

最后，一般的自我认知最形象的表达方式大概是愤怒，这在 18 个月到 3 岁的孩子身上最为常见。

（剑桥雅思 9）

语法笔记

本句的主干是 the most graphic expressions of self-awareness can be seen in the displays of rage。句中 which 引导定语从句，修饰 the displays of rage。

核心词表

perhaps /pə'hæps/ *adv.* 可能，大概，也许

graphic /'græfɪk/ *adj.* 生动的，形象的；绘画的，文字的，图表的

记忆 词根记忆：graph（画）+ic（…的）→图表的

同义 lifelike *adj.* 逼真的

vivid *adj.* 逼真的

pictorial *adj.* 画的，图画的

反义 vague *adj.* 含糊的，模糊的

obscure *adj.* 模糊的，费解的

expression /ɪk'spreʃn/ *n.* 表达

搭配 pleasing expression 令人满意的表达

self-awareness /self ə'weənəs/ *n.* 自我认知

in general 通常，大体上

rage /reɪdʒ/ *n.* 狂怒

搭配 road rage 路怒症

boil with rage 怒火中烧

fly into a rage 勃然大怒

主题归纳

形容"愤怒，生气"的词：

annoyance /ə'nɔɪəns/ *n.* 恼怒

annoyed /ə'nɔɪd/ *adj.* 恼怒的

be angry with 与…生气

be beside oneself with rage 勃然大怒

blow up 大怒，发脾气

enrage /ɪn'reɪdʒ/ *v.* 使异常愤怒；激怒

记忆 词根记忆：en（使…）+rage（疯狂）→使人疯狂→使异常愤怒

exasperate /ɪg'zæspəreɪt/ *v.* 使烦恼；使恼怒

记忆 词根记忆：ex（使…）+asper（粗糙）+ate（做）→使变得更粗糙→使恶化

flip out 气疯了

fret /fret/ *v./n.* 焦急

搭配 fret over 为…着急

fret out 在烦恼中度过

fume /fjuːm/ *v.* 发火；冒烟；熏；*n.* 烟，气

搭配 fume at the delay 因耽搁而发怒

furibund /'fjʊərɪˌbʌnd/ *adj.* 愤怒的，狂怒的

furious /'fjʊərɪəs/ *adj.* 狂怒的；激烈的

同义 irate *adj.* 极愤怒的

fierce *adj.* 强烈的，狂热的

turbulent *adj.* 汹涌的

反义 meek *adj.* 温顺的

calm *adj.* 镇静的

unperturbed *adj.* 泰然自若的

fury /'fjʊəri/ *n.* 狂怒，暴怒

get worked up 生气的

grouchy /'graʊtʃi/ *adj.* 脾气不好并且经常发牢骚的；好抱怨的

in a temper 发着脾气

incense /ɪn'sens/ *v.* （使）发怒；/'ɪnsens/ *n.* 香

记忆 词根记忆：in（使…）+cens（白，发光）+e→使发出白（烟）→焚香时的烟→香

indignant /ɪn'dɪgnənt/ *adj.* 愤怒的，愤慨的

搭配 be indignant with sb. 对某人感到愤慨

indignation /ˌɪndɪg'neɪʃn/ *n.* 愤怒，愤慨

inflame /ɪn'fleɪm/ *vt.* 使某人愤怒或激动

记忆 词根记忆：in（使…）+flame（火焰）→使某人愤怒

infuriate /ɪn'fjʊərieɪt/ *v.* 使极为生气；激怒

irritate /'ɪrɪteɪt/ *vt.* 激怒，使烦躁；使疼痛

记忆 词根记忆：ir（加强）+rit（擦）+ate→摩擦→激怒

lose one's temper 大发脾气

make one's blood boil 怒不可遏

make sb. nuts 让某人很生气

nettlesome /'netlsəm/ *adj.* 恼人的

out of patience 忍无可忍

outrage /'aʊtreɪdʒ/ *n.* 愤怒

provoke /prə'vəʊk/ *v.* 激怒；煽动

同义 irritate *v.* 惹恼

anger *v.* 使发怒，激怒

同根 provoking *adj.* 气人的

wrath /rɒθ/ *n.* 愤怒，大怒

表示"普遍"的词：

average /'ævərɪdʒ/ *n.* 平均数；*adj.* 平均的；平常的

同义 ordinary *adj.* 平常的，普通的

catholic /'kæθlɪk/ *adj.* 广泛的，包罗万象的

记忆 词根记忆：cathol（普通的）+ic（…的）→广泛的

commonplace /'kɒmənpleɪs/ *adj.* 常见的，屡见不鲜的；*n.* 常见事物

diffusive /dɪ'fjuːsɪv/ *adj.* 扩散的

记忆 词根记忆：dif（分开）+fus（流）+ive（…的）→分流→散播扩散的

exhaustive /ɪg'zɔːstɪv/ *adj.* 详尽的；彻底的

同义 thorough *adj.* 彻底的

complete *adj.* 彻底的

hackneyed /'hæknid/ *adj.* （言辞）陈腐的，老生常谈的

mediocre /ˌmiːdi'əʊkə(r)/ *adj.* 平庸的，平凡的

搭配 a mediocre writer 平庸的作家

同根 mediocrity *n.* 平庸

mostly /'məʊstli/ *adv.* 主要地；通常；大部分

pervasive /pə'veɪsɪv/ *adj.* （尤指不好的事物）无处不在的

记忆 词根记忆：per（贯穿）+vas（走）+ive（…的）→全部走遍→无处不在的

prevalent /'prevələnt/ *adj.* 流行的，普遍的

反义 rare *adj.* 稀有的，罕见的

uncommon *adj.* 不凡的，罕有的

同根 prevalence *n.* 普遍

routine /ruː'tiːn/ *n.* 例行公事；惯例；*adj.* 例行的；常规的

搭配 do sth. as a matter of routine 按常规办事

routine tasks 日常工作

同义 regular *adj.* 定期的

ubiquitous /juː'bɪkwɪtəs/ *adj.* 普遍存在的；无所不在的

同根 ubiquity *n.* 普遍存在；普遍性

unanimous /juː'nænɪməs/ *adj.* 全体意见一致的

同义 agreeing *adj.* 一致同意的

同根 unanimously *adv.* 全体一致地，一致同意地

usually /'juːʒuəli/ *adv.* 通常地；惯常地

widespread /'waɪdspred/ *adj.* 广泛的

Review

Sentence 29

If we can understand how geography affects our health no matter where in the world we are located, we can better treat disease, prevent illness, and keep people safe and well.

如果无论身处何处，我们都能理解地理是如何影响我们的健康的，我们就能更好地治疗疾病、预防疾病，保证人们安全无恙。

（剑桥雅思12）

语法笔记

本句的主干是 we can better treat disease, prevent illness, and keep people safe and well。if 在此处引导条件状语从句；how 引导宾语从句 "how geography ... we are located"，作 understand 的宾语；no matter where 在此处引导让步状语从句。

核心词表

geography /dʒiˈɒɡrəfi/ *n.* 地理；地形

affect /əˈfekt/ *v.* 影响；感染

记忆 词根记忆：af（使…）+fect（做）→促使人做→影响

同义 influence *n./vt.* 影响

locate /ləʊˈkeɪt/ *vt.* 找到；位于；（使）坐落于；把…设置在

记忆 词根记忆：loc（地方）+ate（使…）→使在…地方→（使）坐落于

搭配 factory locates far away 坐落在远处的工厂

prevent /prɪˈvent/ *v.* 阻止，妨碍

搭配 prevent from doing sth. 阻止做某事

同根 preventative *adj.* 预防性的；*n.* 预防法

prevention *n.* 预防；阻止，妨碍

preventive *n.* 预防药；预防法；*adj.* 预防的，防止的

主题归纳

表示"影响"的词：

consequence /ˈkɒnsɪkwəns/ *n.* 结果；影响；重要意义

记忆 词根记忆：con 加强 +sequ（跟随）+ ence 表行为→跟随其后→结果

contribute /kənˈtrɪbjuːt/ *v.* 捐赠；起作用，影响；促成…的因素

记忆 词根记忆：con（共同）+tribut（给予）+ e→共同给出→捐赠

contributor /kənˈtrɪbjətə(r)/ *n.* 促成因素；做出贡献的人

同根 contribution *n.* 贡献；捐献

disempower /dɪsɪmˈpaʊə/ *v.* 使失去权力或影响

effective /ɪˈfektɪv/ *adj.* 有效的

搭配 effective measures 有效措施

effective remedy 有效药物

immune /ɪ'mjuːn/ *adj.* 免疫的；不受影响的；豁免的

同义 resistant *adj.* 有抵抗力的

invulnerable *adj.* 无法伤害的

同根 immunity *n.* 免疫力

influential /ˌɪnflu'enʃl/ *adj.* 有很大影响的，有权势的

interact /ˌɪntər'ækt/ *vi.* 相互作用；相互影响

同根 interaction *n.* 相互作用

interplay /'ɪntəpleɪ/ *v./n.* 相互作用，相互影响

记忆 词根记忆：inter（在…之间）+play（起作用）→相互作用

interrelationship /ˌɪntərɪ'leɪʃɪp/ *n.* 相互关系，相互影响

pliable /'plaɪəbl/ *adj.* （指人或思想）容易受影响的；顺从的；易弯的

记忆 词根记忆：pli（=ply，弯，折）+able（能…的）→能弯曲的→易弯的

predispose /ˌpriːdɪ'spəʊz/ *v.* 事先（在某方面）影响某人；（使）易受感染（患病）

同根 predisposition *n.* 倾向，癖性

predominant /prɪ'dɒmɪnənt/ *adj.* 支配的，突出的

记忆 词根记忆：pre（前）+dominant（统治的）→在前面统治的→支配的

susceptibility /səˌseptə'bɪləti/ *n.* 易感性；易受影响（的状况）

记忆 词根记忆：sus（下）+cept（拿）+ibility（易…性）→易被拿下→易感性

susceptible /sə'septəbl/ *adj.* 易受感染的，易受影响的

记忆 词根记忆：sus（下）+cept（拿）+ible（能…的）→能被拿下的→易受影响的

与"治疗，康复"有关的词：

curative /'kjʊərətɪv/ *adj.* 有疗效的；医疗的

记忆 词根记忆：cura（=cure，治愈）+tive →有疗效的

heal /hiːl/ *v.* 治愈；调停

healing /'hiːlɪŋ/ *n.* 康复；*adj.* 有治疗作用的

记忆 来自 heal（*v.* 治愈）

psychiatric /ˌsaɪki'ætrɪk/ *adj.* 精神病的；治疗精神病的

recover /rɪ'kʌvə(r)/ *v.* 重新获得；使复原，使康复；收回

搭配 recover yourself 使自己振作

recover from 恢复

remedy /'remədi/ *n.* 药品，补救；治疗法；*vt.* 治疗；补救；纠正

搭配 remedy for 对…的治疗法或药物，补救

surgery /'sɜːdʒəri/ *n.* 外科手术治疗；外科；手术室

同根 surgical *adj.* 外科的

therapist /'θerəpɪst/ *n.* 临床医学家；治疗学家

therapy /'θerəpi/ *n.* 治疗，疗法

搭配 radiation therapy 放射治疗

interferon therapy 干扰素治疗法

recreation therapy 娱乐疗法

be in therapy 接受治疗

与"疾病"有关的词：

alcoholism /'ælkəhɒlɪzəm/ n. 酒精中毒

搭配 chronic alcoholism 慢性酒精中毒

anemia /ə'niːmiə/ n. 贫血

搭配 nutritional anemia 营养性贫血

angina /æn'dʒaɪnə/ n. 心绞痛

appendicitis /ə,pendə'saɪtɪs/ n. 阑尾炎；盲肠炎

arthritis /ɑː'θraɪtɪs/ n. 关节炎

搭配 rheumatoid arthritis 风湿性关节炎

asthma /'æsmə/ n. 哮喘症

搭配 bronchial asthma 支气管性哮喘

bronchitis /brɒŋ'kaɪtɪs/ n. 支气管炎

bunion /'bʌnjən/ n. 拇囊炎（拇指外翻）

cancer /'kænsə(r)/ n. 癌

搭配 breast cancer 乳腺癌

liver cancer 肝癌

lung cancer 肺癌

chickenpox /'tʃɪkɪnpɒks/ n. 水痘

coma /'kəʊmə/ n. 昏迷

搭配 in a coma 陷于昏迷

concussion /kən'kʌʃn/ n. 震荡，冲击

搭配 brain concussion 脑震荡

cough /kɒf/ n. 咳嗽

搭配 dry cough 干咳

diabetes /,daɪə'biːtiːz/ n. 糖尿病

dislocation /,dɪslə'keɪʃn/ n. 脱臼

dysmenorrhoea /,dɪsmenə'rɪːə/ n. 痛经

enteritis /,entə'raɪtəs/ n. 肠炎

搭配 chronic enteritis 慢性肠炎

fracture /'fræktʃə(r)/ n. 骨折

haemorrhage /'hemərɪdʒ/ n. 脑出血

搭配 cerebral haemorrhage 脑出血

intracerebral haemorrhage 脑内出血

hepatitis /,hepə'taɪtɪs/ n. 肝炎

hypertension /,haɪpə'tenʃn/ n. 高血压

hypotension /,haɪpəʊ'tenʃən/ n. 低血压

leukemia /luː'kiːmiə/ n.（肿瘤）白血病

malaria /mə'leəriə/ n. 疟疾

搭配 falciparum malaria 恶性疟；热带疟

pharyngitis /,færɪn'dʒaɪtɪs/ n. 咽炎

搭配 chronic pharyngitis 慢性咽炎

pneumonia /njuː'məʊniə/ n. 肺炎

搭配 atypical pneumonia 非典型性肺炎

bacterial pneumonia 细菌性肺炎

rabies /'reɪbiːz/ n. 狂犬病

smallpox /'smɔːlpɒks/ n. 天花

搭配 smallpox vaccine 天花疫苗

tetanus /'tetənəs/ n. 破伤风

tracheitis /,treɪkɪ'aɪtɪs/ n. 气管炎

tuberculosis /tjuː,bɜːkjuː'ləʊsɪs/ n. 肺结核

tumor /'tjuːmə(r)/ n. 瘤

搭配 benign tumor 良性瘤

Similarly, people who collect dolls may go beyond simply enlarging their collection, and develop an interest in the way that dolls are made, or the materials that are used.

同样，收集娃娃的人可能不只是简单地扩大他们的收藏范围，而是培养对玩偶的制作方式或使用材料的兴趣。

（剑桥雅思 12）

语法笔记

本句的主干是 people may go beyond simply enlarging their collection, and develop an interest in the way or the materials。who 在句中引导定语从句，修饰 people；go beyond simply enlarging their collection 和 develop an interest 通过 and 构成并列谓语结构；后面两个 that 引导两个定语从句，分别修饰先行词 way 和 materials。

核心词表

similarly /'sɪmələli/ *adv.* 同样地，类似地

collect /kə'lekt/ *v.* 收集；接走；收（税等）；聚集

记忆 词根记忆：col（共同）+lect（选择）→选择后放在一起→收集

同根 collective *adj.* 共同的，集体的

beyond /bɪ'jɒnd/ *prep.* 超出

记忆 联想记忆：红极一时的乐队"Beyond"就是这个词

enlarge /ɪn'lɑːdʒ/ *vt.* 扩大，放大

记忆 词根记忆：en（使…）+large（大的）→使…变大→扩大，放大

develop /dɪ'veləp/ *v.* 发展；生长，形成

同根 development *n.* 发展

undeveloped *adj.* 欠发达的

developing *adj.* 发展中的

interest /'ɪntrəst/ *n.* 兴趣；利息；利益；*vt.* 使感兴趣

主题归纳

表示"收集，聚集"的词：

accumulate /ə'kjuːmjəleɪt/ *v.* 积累；增加

同根 accumulation *n.* 积累

amass /ə'mæs/ *v.* 积聚

记忆 词根记忆：a（加强）+mass（聚集）→积聚

attend /ə'tend/ *v.* 出席；照料

搭配 attend school 上学

attend a meeting 出席会议

collection /kə'lekʃn/ *n.* 收集，积聚；收藏品

congregate /'kɒŋgrɪgeɪt/ *v.* 聚集

记忆 词根记忆：con（加强）+greg（组，群）+ate→聚集

convene /kən'viːn/ v. 召集

记忆 词根记忆：con（共同）+ven（来）+e→都来到一起→召集

gather /'gæðə(r)/ v. 聚集；收集；逐渐增加；猜想

搭配 gather in 收割

party /'pɑːti/ n.（共同做某事的）一组，一群

形容"扩大"的词：

amplify /'æmplɪfaɪ/ vt. 放大（声音等）；vi. 详述

反义 deflate vt. 放气；使缩小

shrink vi. 缩小

augment /ɔːg'ment/ v. 增大，增值；提高

同根 augmentation n. 增加

broaden /'brɔːdn/ v. 加宽

记忆 词根记忆：broad（宽的）+en（使…）→使宽的→加宽

dilate /'daɪleɪt/ v. 膨胀

记忆 词根记忆：di（分开）+lat（放）+e→分开放（使变得更大）→膨胀

escalate /'eskəleɪt/ v.（使）逐步增长或发展，（使）逐步升级；扩大，上升

记忆 来自 Escalator，原来是自动电梯的商标，后来才出现了动词 escalate

expand /ɪk'spænd/ v.（使）膨胀，（使）扩张；展开；详述

同根 expanding adj. 扩大的

expansion n. 扩张，膨胀

expanse n. 宽广空间

extend /ɪk'stend/ v. 延长；扩大

记忆 词根记忆：ex（出）+tend（伸展）→伸展出去→延长

同根 extension n. 延长

magnify /'mægnɪfaɪ/ vt. 放大；扩大

记忆 词根记忆：magn（大）+ify（使…）→使…大→放大

outstretch /ˌaʊt'stretʃ/ v. 拉长

记忆 词根记忆：out（出）+stretch（拉长）→拉长

sprawl /sprɔːl/ v. 摊开手脚躺（坐）着；散乱地延伸；n. 四肢伸开的姿势或动作；散乱杂乱的大片地方（尤指建筑物）

记忆 联想记忆：伸展手脚趴在地上（sprawl）潦草地写（scrawl）

swell /swel/ vi. 膨胀；增长

记忆 联想记忆：那种气味（smell）在增长（swell），越来越难闻

表示"范围"的词：

compass /'kʌmpəs/ n. 罗盘；[pl.] 圆规；指南针；界限，范围

记忆 词根记忆：com（共同）+pass（通过）→共同通过的地方→界限

realm /relm/ n. 界，领域；王国

记忆 联想记忆：real（真正的）+m→真正的好东西（如音乐，艺术）无国界→领域；王国

region /'riːdʒən/ n. 地区；范围

记忆 词根记忆：reg（统治）+ion →统治的区域→地区；范围

regional /'riːdʒənl/ *adj.* 局部范围的；地方（性）的；全地区的

搭配 regional accent 地方口音

scope /skəʊp/ *n.* （活动、影响等的）范围；（发挥能力等的）余地

记忆 联想记忆：s+cope（对付，处理）→人处理的事情多了，眼界自然就会开阔→范围

spectrum /'spektrəm/ *n.* 光谱，频谱；范围，幅度

记忆 词根记忆：spect（看）+rum →能看到的颜色→光谱

sphere /sfɪə(r)/ *n.* 球（体）；范围，领域

记忆 本身为词根：球

territory /'terətri/ *n.* 领土；领域，范围

同根 territorial *adj.* 领土的

zone /zəʊn/ *n.* 地区；范围

同根 horizontal *adj.* 水平的

　　horizontally *adv.* 水平地

表示"引起兴趣"的词：

appeal /ə'piːl/ *vi.* 呼吁；吸引；起诉；*n.* 感染力，吸引力

同义 accuse（*vt.* 起诉）

appetite /'æpɪtaɪt/ *n.* 食欲；欲望

搭配 appetite for 对…的食欲；对…的兴趣

captivate /'kæptɪveɪt/ *vt.* 迷住，吸引

记忆 词根记忆：cap（抓）+tiv+ate（使…）→使抓住→迷住，吸引

intrigue /ɪn'triːg/ *v.* 密谋；引起极大兴趣；*n.* 密谋

同根 intriguing *adj.* 迷人的，吸引人的

orient /'ɔːrient/ *vt.* 使朝向；使适应；把…兴趣引向

记忆 词根记忆：ori（升起）+ent →朝向太阳升起的地方→使朝向

表示"可能"的词：

contingency /kən'tɪndʒənsi/ *n.* 偶然，可能性；意外事件；紧急事件

记忆 词根记忆：con（共同）+ting（接触）+ency（表行为）→事情都碰一起→偶然

feasible /'fiːzəbl/ *adj.* 可行的，可能的；可做的，可实行的

记忆 联想记忆：f+easi（看作 easy，容易的）+ble →容易做到的→可能的

搭配 feasible plan 可行的计划

　　feasible suggestion 可行的建议

imaginable /ɪ'mædʒɪnəbl/ *adj.* 可想象的，可能的

记忆 词根记忆：imagin(e)（想象）+able（可…的）→可想象的

likelihood /'laɪklihʊd/ *n.* 可能；可能性

记忆 联想记忆：likeli（看作 likely，很可能）+hood（表性质）→可能性

presumably /prɪ'zjuːməbli/ *adv.* 推测起来，大概

记忆 来自 presumable（*adj.* 可能的）

同根 presume *v.* 料想，认为

　　presumable *adj.* 可能的，可假定的

probability /ˌprɒbə'bɪləti/ *n.* 可能性；概率

记忆 来自 probable（*adj.* 可能的）

probable /'prɒbəbl/ *adj.* 很可能的，大概的

同义 likely *adj.* 可能发生的

Sentence 31	He wanted to give people a feeling of suspense as they see the building first from a distance, and then close-up, and the shape of the building as a whole was that of a box.

他想给人们一种悬念之感，当人们从远处看到建筑，然后慢慢接近，整个建筑的形状就像一个盒子。

（剑桥雅思 11）

语法笔记

本句中第二个 and 连接前后两个分句，构成并列句。前一个分句的主干是 He wanted to give people a feeling of suspense，其中 as 引导时间状语从句。后一个分句的主干是 the shape of the building was that of a box，其中 that 指代前面的 shape。

核心词表

suspense /səˈspens/ *n.* 悬念；悬疑；焦虑

记忆 词根记忆：sus（下）+pens（悬挂）+e →挂着（一颗心）→悬念

同根 suspend *v.* 悬挂；暂停

suspended *adj.* 暂停的

suspender *n.* [常 pl.] 吊裤带

suspensive *adj.* 可疑的；悬而未定的

distance /ˈdɪstəns/ *n.* 距离；远离；远方；一长段时间

记忆 联想记忆：distan（看作 distant，在远处的）+ce →远方，距离

搭配 cover a distance of 跨过某个距离

long-distance flight 长途飞行

同义 far *n.* 远方

as a whole 整个来看

主题归纳

形容"距离"的词：

abut /əˈbʌt/ *vt.* 毗连

搭配 abut on 与…毗连

adjacent /əˈdʒeɪsnt/ *adj.* 邻近的，毗连的

反义 detached *adj.* 分开的

separate *adj.* 个别的

adjoin /əˈdʒɔɪn/ *vt.* 紧挨，临近

同根 adjoining *adj.* 邻接的

afield /əˈfiːld/ *adv.* 在野外；在战场上；到远方

记忆 词根记忆：a（在…）+field（原野）→在野外

alienate /ˈeɪliəneɪt/ *v.* 使疏远，使不友好；转让，让渡（财产等）

同根 alienated *adj.* 疏远的，被隔开的

alienation /ˌeɪliəˈneɪʃn/ *n.* 疏远；离间

搭配 alienation from 与…疏远

　　alienation of... …间的疏远

　　sense of alienation 疏离感

border /ˈbɔːdə(r)/ *n.* 边界；*v.* 接壤，接近

记忆 联想记忆：b+order（命令）→听从命令，不许出边界→边界

contiguous /kənˈtɪgjuəs/ *adj.* 接近的

记忆 词根记忆：con（共同）+tig（接触）+uous（…的）→都接触的→接近的

distant /ˈdɪstənt/ *adj.* 遥远的

记忆 词根记忆：di（s）（分开）+stant（站）→分开站→有距离的→遥远的

estrange /ɪˈstreɪndʒ/ *v.* 使疏远

记忆 词根记忆：e（加强）+strange（陌生）→使…陌生→使疏远

faraway /ˈfɑːrəweɪ/ *adj.* 遥远的

记忆 合成词：far（远）+away（离开）→远离→遥远的

nearness /ˈnɪənəs/ *n.* 接近

同义 closeness *n.* 接近

neighbouring /ˈneɪbərɪŋ/ *adj.* 临近的，附近的

proximity /prɒkˈsɪməti/ *n.* 接近，邻近；亲近

记忆 词根记忆：proxim（近处）+ity→接近

ulterior /ʌlˈtɪəriə(r)/ *adj.* 较远的；不可告人的

记忆 词根记忆：ult（高，远）+erior→较远的

vicinity /vəˈsɪnəti/ *n.* 邻近，附近

搭配 in the vicinity of sth. 在某物附近

与"感觉"有关的词：

daze /deɪz/ *n.* 迷惑

搭配 in a daze 茫然地

downhearted /ˌdaʊnˈhɑːtɪd/ *adj.* 无精打采的，垂头丧气的

记忆 词根记忆：down（下）+heart（心）+ed（…的）→心情低落的→无精打采的

exhaust /ɪgˈzɔːst/ *v.* （使）非常疲倦；用尽；*n.* （机器排出的）废气

同根 exhaustion *n.* 精疲力竭；耗尽

　　exhaustible *adj.* 被竭尽的

faint /feɪnt/ *adj.* 虚弱眩晕的；*vi.* 晕倒

indefatigable /ˌɪndɪˈfætɪgəbl/ *adj.* 不知疲倦的

记忆 词根记忆：in（使…）+de（否定）+fatig（疲倦）+able（…的）→不知疲倦的

intuition /ˌɪntjuˈɪʃn/ *n.* 直觉

记忆 词根记忆：in（不）+tuit（教育）+ion→不用教导就有的（感觉）→直觉

listless /ˈlɪstləs/ *adj.* 无精打采的

ravenous /ˈrævənəs/ *adj.* 狼吞虎咽的

记忆 词根记忆：rav（捕）+en+ous（…的）→不断捕食的→狼吞虎咽的

sensation /senˈseɪʃn/ *n.* （感官的）感觉能力；感觉；轰动

记忆 词根记忆：sens（感觉）+ation（表名词）→感觉

同根 sensational *adj.* 感觉的

sensitive /ˈsensətɪv/ *adj.* 敏感的，灵敏的

同根 sensitivity *n.* 敏感，灵敏性

sensory /'sensəri/ *adj.* 感觉的，感官的

搭配 a sensory organ 感觉器官

sensuous /'senʃuəs/ *adj.* 愉悦感官的

记忆 词根记忆：sens（感觉）+uous（有…性质的）→愉悦感官的

sentient /'sentiənt/ *adj.* 有感觉能力的，有感觉的；知悉的

记忆 词根记忆：senti（=sent 感觉）+ent（…的）→有感觉的

与"建筑设计考虑因素"有关的词：

blueprint /'bluːprɪnt/ *n.* 蓝图，方案

记忆 合成词：blue（蓝）+print（印刷的图）→蓝图

centre around 以…为中心，围绕着

concept /'kɒnsept/ *n.* 概念；观念；设想

construct /kən'strʌkt/ *vt.* 建造；构思，构筑；创立；/'kɒnstrʌkt/ *n.* 构想，观念，结构

记忆 词根记忆：con（加强）+struct（建立）→建造，构筑

搭配 construct a model 制作模型

construct an argument 建立论点

context /'kɒntekst/ *n.* 上下文；背景；环境

记忆 词根记忆：con（共同）+text（编织）→共同编织在一起的→上下文

district /'dɪstrɪkt/ *n.* 区

搭配 agricultural district 农业区

entertainment /ˌentə'teɪnmənt/ *n.* 娱乐，招待

同根 entertain *v.* （使）欢乐，（使）娱乐；招待

entrance /'entrəns/ *n.* 入口；进入

搭配 entrance fee 入场费

main entrance 大门

make use of 使用，利用

pedestrian /pə'destriən/ *adj.* 徒步的；*n.* 行人

记忆 词根记忆：ped（脚）+estrian →用脚走的人→行人

project /'prɒdʒekt/ *n.* 计划，方案；课题，项目；工程；/prə'dʒekt/ *v.* （使）伸出；放映，投射，发射；（使）凸出，使伸出；设计，规划

记忆 词根记忆：pro（向前）+ject（扔）→向前扔→放映

搭配 draw up a project 制定方案

carry out a project 执行方案

purpose /'pɜːpəs/ *n.* 目的；用途；*v.* 打算

搭配 for (the) purpose of 为了

on purpose 故意，有意

with the purpose of 为了

statement of purpose 目的陈述

ring road 环城公路

site /saɪt/ *n.* 场所，地方；工地，用地；位置

搭配 building site 建筑工地

structure /'strʌktʃə(r)/ *n.* 结构；构造；建筑物；*vt.* 建造

记忆 词根记忆：struct（建筑）+ure →建造

搭配 management structure 管理结构

economic structure 经济结构

Sentence 32

The reason often given for the low regard in which smell is held is that, in comparison with its importance among animals, the human sense of smell is feeble and undeveloped.

嗅觉不受重视的原因常常被归结为：相对于嗅觉功能对于动物的重要性，人类的嗅觉较弱而且没有充分发育。

（剑桥雅思 8）

语法笔记

本句的主干是 The reason is that，其中 that 引导表语从句。过去分词短语 often given for ... is held 作后置定语，修饰 The reason；定语从句 in which smell is held 修饰 the low regard；in comparison with 表示对比，作插入语。

核心词表

regard /rɪ'gɑːd/ *n.* 注意；尊重；问候

comparison /kəm'pærɪsn/ *n.* 比较，对比，比喻，比拟，对照

记忆 词根记忆：com+par（平等）+ison → 比较相等→比较

搭配 by comparison 比较起来

make a comparison 进行对比

fair comparison 公平比较

in comparison 比较起来

feeble /'fiːbl/ *adj.* 虚弱的；无效的

记忆 联想记忆：fee（费用）+ble →需要花钱看病→虚弱的

undeveloped /ˌʌndɪ'veləpt/ *adj.* 欠发达的

主题归纳

形容"虚弱，无力"的词：

breakdown /'breɪkdaʊn/ *n.* 崩溃；破裂；衰弱；（机器等的）损坏，故障；分类

记忆 合成词：break（打破）+down（向下）→打破后，纷纷往下落→倒塌

同义 disintegration *n.* 瓦解

classification *n.* 分类

emaciate /ɪ'meɪʃieɪt/ *vt.* 使瘦弱

记忆 词根记忆：e（使…）+maci（瘦）+ate →使瘦弱

emaciated /ɪ'meɪʃieɪtɪd/ *adj.* 瘦弱的；憔悴的

flimsy /'flɪmzi/ *adj.* 脆弱的；薄弱的

fragile /'frædʒaɪl/ *adj.* 脆弱的；虚弱的；易碎的，易损的；易受伤害的

记忆 词根记忆：frag（打破）+ile（易…的）→脆弱的

同义 frail *adj.* 体弱的；易破碎的，易损的

反义 unbreakable *adj.* 打不破的，牢不可破的

sturdy *adj.* 强壮的，强健

impotence /'ɪmpətəns/ *n.* 虚弱，衰弱

记忆 词根记忆：in（不）+firm（坚定）+ity
→不坚强→虚弱

meagre /'miːgə(r)/ *adj.* 瘦的；贫弱的

pitiful /'pɪtɪfl/ *adj.* 令人怜悯的，可怜的；可
鄙的

搭配 pitiful condition 惨况

slender /'slendə(r)/ *adj.* 修长的，细长的，
苗条的；微小的，微薄的

记忆 联想记忆：温柔（tender）和纤弱
（slender）都是用来形容女孩子的

同根 slenderness *n.* 苗条，纤细

slight /slaɪt/ *adj.* 轻微的，略微的；纤细的，
瘦弱的；*v./n.* 轻视，藐视，轻蔑

记忆 联想记忆：s+light（轻的）→轻微的

搭配 a slight girl 一个苗条的女孩

同根 slightly *adv.* 略微，稍微

tender /'tendə(r)/ *adj.* 嫩的；脆弱的；温柔的

记忆 联想记忆：婴儿太脆弱（tender），需要
悉心照料（tend）

weaken /'wiːkən/ *v.* （使）变弱，（使）减弱

weakness /'wiːknəs/ *n.* 虚弱；缺点；偏好，嗜好

形容"强壮"的词：

fierce /fɪəs/ *adj.* 凶猛的；强烈的

记忆 发音记忆："飞蛾死"→凶猛的飞蛾扑
火而死→凶猛的

搭配 fierce competition 激烈的竞争

firm /fɜːm/ *n.* 公司；*adj.* 坚实的；稳固的；
坚定的

hardy /'haːdi/ *adj.* 强壮的，耐劳的

lusty /'lʌsti/ *adj.* 健壮的，精力充沛的

记忆 词根记忆：lust（光）+y（…的）→人有
光的→满面红光的→精力充沛的

potent /'pəʊtnt/ *adj.* 强有力的，有威力的

robust /rəʊ'bʌst/ *adj.* 健壮的，强壮的；
健康的

同根 robustness *n.* 健壮

robustly *adv.* 有活力地；强健地

同义 sturdy *adj.* 强健的

healthy *adj.* 健壮的，健康的

反义 delicate *adj.* 病弱的，脆弱的

stocky /'stɒki/ *adj.* 矮而结实的

stout /staʊt/ *adj.* 发胖的，强壮的；结实的，
牢固的；勇敢的，大胆的

记忆 联想记忆：st（=stand 站）+out（出来）
→歹徒来，壮小伙站出来→强壮的

搭配 stout wind 暴风

stout ship 牢固的船

unyielding /ʌn'jiːldɪŋ/ *adj.* 顽强的；坚硬的；
不能弯曲的

记忆 词根记忆：un（不）+yielding（易弯曲的）
→不能弯曲的

与"感官"有关的词：

counterintuitive /ˌkaʊntərɪn'tjuːɪtɪv/
adj. 违反直觉的

imperceptible /ˌɪmpə'septəbl/ *adj.* 难以察觉的

记忆 词根记忆：im（不）+percept（知觉）+
ible（…的）→难以察觉的

tactile /'tæktaɪl/ *adj.* 有触觉的

vacuity /və'kjuːəti/ *n.* 空虚；茫然；缺乏思考的

Some of you suggested an Italian restaurant, but I must confess that I decided to book a Lebanese one, as we have plenty of opportunities to go to an Italian restaurant at home.

你们有些人建议去一家意大利餐馆，但我必须坦白说，我决定订一家黎巴嫩餐厅，因为我们在国内有很多机会去意大利餐馆。

（剑桥雅思 12）

语法笔记

本句是一个由 but 连接的并列句，but 在句子中表示转折关系，前一个分句的主干是 some of you suggested an Italian restaurant，后一个分句的主干是 I must confess+that 宾语从句，that 引导的宾语从句作 confess 的宾语。as 在此处引导原因状语从句。

核心词表

suggest /səˈdʒest/ v. 建议；暗示

同义 advise v. 建议

propose v. 建议

confess /kənˈfes/ v. 供认

book /bʊk/ v./n. 预订

搭配 book in 登记

opportunity /ˌɒpəˈtjuːnəti/ n. 机会，良机

记忆 词根记忆：op（加强）+port（运）+uni+ty（表状态）→是搬运某物的时候→机会

搭配 take the opportunity to do sth./of doing sth. 趁机做某事，借机做某事

同义 chance n. 机会

主题归纳

表示"建议，意见"的词：

advice /ədˈvaɪs/ n 劝告；建议，（医生等的）意见

搭配 write to sb. for advice 写信给某人征求建议

expert advice 专家意见

advocate /ˈædvəkeɪt/ vt. 提倡；/ˈædvəkət/ n. 拥护者；提倡者

记忆 词根记忆：ad（加强）+voc（喊叫）+ate（做）→大声喊→提倡

comment /ˈkɒment/ n./v. 注释，评论

同根 commentator n. 评论员；讲解员

counsel /ˈkaʊnsl/ n. 律师，法律顾问；忠告；v. 商议，劝告

记忆 联想记忆：coun（看作 court，法庭）+sel（看作 sell，卖）→在法庭上卖弄技巧的人→律师

judgment /ˈdʒʌdʒmənt/ n. 意见；审判；判断

mention /'menʃn/ *n./v.* 提及，说起

搭配 not to mention 更不用说，更不必说

opinion /ə'pɪnjən/ *n.* 主张，判断

搭配 in one's opinion 在某人看来

proposal /prə'pəʊzl/ *n.* 提议；求婚

记忆 来自 propose（*v.* 提议，建议）

recommend /ˌrekə'mend/ *vt.* 推荐；劝告；使受欢迎

搭配 recommend sb. sth. 向某人推荐某物

we recommend that... 我们建议…

recommendation /ˌrekəmen'deɪʃn/ *n.* 推荐，推荐信；建议

搭配 letter of recommendation 推荐信

on sb.'s recommendation 在某人的推荐下

remark /rɪ'mɑːk/ *n.* 评语，意见；*v.* 评论；注意到

同根 remarkable *adj.* 显著的，非凡的

submit /səb'mɪt/ *v.* 屈从；提交

搭配 submit to 递交；屈服

utterance /'ʌtərəns/ *n.* 用言语表达；话语

verdict /'vɜːdɪkt/ *n.* 裁定；（经思考或调查后的）意见

记忆 词根记忆：ver（真实）+dict（说）→说出事实→裁定

与"餐厅预订"有关的词：

booth /buːθ/ *n.* （餐馆中的）卡座

buffet /'bʊfeɪ/ *n.* 自助餐

搭配 buffet car 快餐车

cancel the reservation 取消预约

change the reservation 更改预约

chef /ʃef/ *n.* 厨师长，厨师

搭配 sous chef 副主厨，副厨师长

dinner jacket 晚礼服

dress code 着装要求

enjoy a good reputation 享有盛誉

entree /'ɒntreɪ/ *n.* 主菜

搭配 entree chaude 热盘

in advance 提前

in the corner 在角落里

in the lounge 在休息厅（等候）

keep the table 留位

name /neɪm/ *n.* 名字；*v.* 命名

搭配 in the name of 以…的名义

name after 按…命名

nonsmoking /ˌnɒn'sməʊkɪŋ/ *adj.* 严禁吸烟的

搭配 nonsmoking area 禁烟区

pay a deposit 预付定金

private room 包间

reserve ahead of time 提前预约

restaurant /'restrɒnt/ *n.* 餐馆

搭配 a self-service restaurant 一家自助餐馆

smoking area 吸烟区

table for two 双人桌

time /taɪm/ *n.* 时间

搭配 in good time 及时地

for a time 一度

under the name of 以…的名义

VIP room 雅间

wait for a table 等位

wait time 等待时间

window /'wɪndəʊ/ *n.* 窗户

搭配 seat near the window 靠窗坐

with a fine view of 能很好地欣赏…

与"日常生活"有关的词：

babysit /'beɪbisɪt/ *v.* 代人临时照看小孩

baggage /'bægɪdʒ/ *n.* 行李

搭配 check baggage 托运行李

dwell /dwel/ *v.* （在某一地方）居住

furniture /'fɜːnɪtʃə(r)/ *n.* 家具

搭配 modern furniture 现代家具

hurdle /'hɜːdl/ *v.* 越过障碍；*n.* 障碍；跳栏；（临时）树篱

litter /'lɪtə(r)/ *v.* 使乱七八糟；乱扔；*n.* 废弃物，垃圾；一窝（动物）

outing /'aʊtɪŋ/ *n.* （一群人的）短途旅游

regimen /'redʒɪmən/ *n.* 养生之法

residency /'rezɪdənsi/ *n.* 居住；居住权

记忆 词根记忆：re（重新）+sid（坐）+ency →安定下来→居住

rubbish /'rʌbɪʃ/ *n.* 垃圾，废物

同义 trash *n.* 垃圾，废物

singe /sɪndʒ/ *v.* （把表面）略微烧焦

sojourn /'sɒdʒən/ *n.* 逗留，暂住

sustenance /'sʌstənəns/ *n.* 食物，营养；维持，支持

记忆 词根记忆：sus（下）+ten（拿住）+ance →拿住下面使稳固→支持

tease /tiːz/ *v.* 逗乐，奚落，戏弄，嘲弄；强求；*n.* 揶揄，戏弄，取笑

搭配 tease out 巧妙获得（信息或答案）

同义 kid *v.* 开玩笑，取笑

toy *v.* 玩弄

Review

As these ancestral tortoises settled on the individual islands, the different populations adapted to their unique environments, giving rise to at least 14 different subspecies.

当这些最早期的龟定居在各个岛屿上时，不同的种群适应了它们独特的环境，产生了至少 14 个不同的亚种。

（剑桥雅思 12）

语法笔记

本句的主干是 the different populations adapted to their unique environments。as 在此处引导时间状语从句，表示"当…的时候"。句尾的 giving rise to at least 14 different subspecies 作结果状语。

核心词表

ancestral /æn'sestrəl/ *adj.* 祖先的；祖传的

tortoise /'tɔ:təs/ *n.* 乌龟；行动迟缓的人

搭配 tortoise shell 龟甲

settle /'setl/ *v.* 定居；调停；安放；结算；安置于；（鸟等）飞落；决定

记忆 词根记忆：sett（=set，安置）+le（表动词）→放好→安放

搭配 settle down 定居，过安定的生活

同根 settler *n.* 定居者

settlement *n.* 居住；住宅区

adapt /ə'dæpt/ *v.* （使）适合，适应；改编

记忆 词根记忆：ad（加强）+apt（适应）→适应

搭配 adapt to 适应…

adapt from 根据…改编

同根 adaptable *adj.* 能适应的；可修改的

unique /ju'ni:k/ *adj.* 唯一的；极不寻常的，极好的

记忆 词根记忆：uni（单一）+que（…的）→唯一的

搭配 a unique style 独特的风格

unique copy 珍本，孤本

同根 uniqueness *n.* 独特，独一无二

subspecies /'sʌb,spi:ʃi:z/ *n.* （动植物的）亚种

记忆 词根记忆：sub（次，亚）+species（物种，种）→亚种

主题归纳

与"爬行，两栖动物"有关的词：

alligator /'ælɪɡeɪtə(r)/ *n.* 短吻鳄

amphibian /æm'fɪbiən/ *n.* 两栖动物

搭配 amphibian jeep 水陆两用吉普车

amphibiology /æmˌfɪbɪˈɒlədʒi/ *n.* 两栖动物学

bullfrog /ˈbʊlfrɒg/ *n.* 牛蛙

camouflage /ˈkæməflɑːʒ/ *n.* 伪装

记忆 联想记忆：cam（看作 came，来）+ou（看作 out）+flag（旗帜）+e →扛着旗帜出来→伪装成革命战士

chameleon /kəˈmiːliən/ *n.* 变色龙

cobra /ˈkəʊbrə/ *n.* 眼镜蛇

crawl /krɔːl/ *n./v.* 爬行；匍匐前进

搭配 move at a crawl 缓慢行进

creep /kriːp/ *n./vi.* 爬行

crocodile /ˈkrɒkədaɪl/ *n.* 鳄鱼

搭配 crocodile tears 假慈悲；鳄鱼的眼泪

crocodile skin 鳄鱼皮

frog /frɒg/ *n.* 青蛙

搭配 tree frog 树蛙

leap frog 跳山羊

lizard /ˈlɪzəd/ *n.* 蜥蜴

搭配 lizard bite 蜥蜴咬伤

wall lizard 壁虎

python /ˈpaɪθən/ *n.* 蟒蛇

regenerate /rɪˈdʒenəreɪt/ *v.* （使）再生

同根 regeneration *n.* 再生

respiratory /rəˈspɪrətri/ *adj.* 呼吸的

搭配 respiratory system 呼吸系统

salamander /ˈsæləmændə(r)/ *n.* 蝾螈

serpent /ˈsɜːpənt/ *n.* 毒蛇

shed /ʃed/ *vt.* 使…脱落

skin /skɪn/ *n.* 皮肤

搭配 leopard skin 豹皮

snake /sneɪk/ *n.* 蛇

搭配 grass snake 草蛇

a snake in the grass 伪装成朋友的阴险的人

tadpole /ˈtædpəʊl/ *n.* 蝌蚪

tail /teɪl/ *n.* 尾巴

terrestrial /təˈrestriəl/ *adj.* 陆地的；地球的

toad /təʊd/ *n.* 蟾蜍

turtle /ˈtɜːtl/ *n.* 海龟

搭配 sea turtle 海龟

与 "生态环境" 有关的词：

barrenness /ˈbærənnəs/ *n.* 贫瘠，荒凉

biont /ˈbaɪɒnt/ *n.* 生物

biosphere /ˈbaɪəʊsfɪə(r)/ *n.* 生物圈

搭配 biosphere reserve 生物圈保护区

deforestation /ˌdiːˌfɒrəˈsteɪʃn/ *n.* 采伐森林

搭配 human deforestation 人类滥伐森林

desertification /dɪˌzɜːtɪfɪˈkeɪʃn/ *n.* 沙漠化

搭配 desertification of land 土地沙化

eco-environment /ˈiːkəʊɪnˈvaɪrənmənt/ *n.* 生态环境

ecosystem /ˈiːkəʊsɪstəm/ *n.* 生态系统

搭配 prairie ecosystem 草原生态系统

environmental /ɪnˌvaɪrənˈmentl/ *adj.* 环境的

forestation /ˌfɒrɪˈsteɪʃn/ *n.* 植树造林

搭配 artificial forestation 人工造林

hydrosphere /'haɪdrəʊsfɪə(r)/ n. 水圈

interactional /ˌɪntər'ækʃənl/ adj. 相互作用的

interrelation /ˌɪntərrɪ'leɪʃn/ʃɪp/ n. 相互联系

jungle /'dʒʌŋgl/ n. 丛林

搭配 tropical jungle 热带丛林

　　law of the jungle 弱肉强食

lithosphere /'lɪθəsfɪə(r)/ n. 岩石圈

pedosphere /'pedəsfɪə/ n. 土壤圈

rejuvenation /rɪˌdʒuvə'neɪʃn/ n. 复原；恢复活力

shield /ʃiːld/ n. 防护物，盾 v. 保卫，庇护

搭配 shield off 挡开；避开

surroundings /sə'raʊndɪŋz/ n. 周围的事物，环境

transpiration /ˌtrænspɪ'reɪʃn/ n. 蒸腾作用

uninhabited /ˌʌnɪn'hæbɪtɪd/ adj. 无人居住的

搭配 uninhabited island 无人岛

表示"适应"的词：

acclimatize /ə'klaɪmətaɪz/ v. 使…适应新环境

accommodation /əˌkɒmə'deɪʃn/ n. 住处，膳宿；适应

记忆 联想记忆：ac+commod（看作 common，普通的）+ation（表状态）→平凡的人也需要住处→住处

adjust /ə'dʒʌst/ v. 校准；调节；使…适应

搭配 adjust a policy 调整政策

　　adjust expenses to income 量入为出

adjust a watch 校准手表

adjust to 适应；调节

compatible /kəm'pætəbl/ adj. 兼容的；合得来的

记忆 词根记忆：com（共同）+pat（走）+ible（可…的）→可一起走的→合得来的

condition /kən'dɪʃn/ n. 状况，[pl.] 条件，环境；vt. 使适应；在…条件下

搭配 indoor condition 室内环境

　　out of condition 情况不好

　　on (the) condition that 以…为条件

conform /kən'fɔːm/ v. 遵守；适应，顺从；符合

记忆 词根记忆：con（共同）+form（形状）→形状相同→符合

flexibility /ˌfleksə'bɪləti/ n. 柔韧；柔顺；灵活性；适应性

搭配 flexibility of mind 头脑的灵活性

reorient /ˌriː'ɔːrient/ v. 再定方位；再教育；（使）适应

记忆 词根记忆：re（重新）+orient（确定方向）→再定方位

resilience /rɪ'zɪlɪəns/ n. 弹性；复原力；适应性；（指人）乐观的性情

记忆 来自 resile（v. 弹回，恢复活力）

socialize /'səʊʃəlaɪz/ v. 交际；使（某人）适应社会生活

specialize /'speʃəlaɪz/ v. 专门研究；专攻

同根 specialization n. 专门化，特殊化

Sentence 35

The continuous and reckless use of synthetic chemicals for the control of pests which pose a threat to agricultural crops and human health is proving to be counter-productive.

为控制害虫而连续不计后果地使用危害农作物和人类健康的人工合成化学品，结果产生了相反的效果。

（剑桥雅思 8）

语法笔记

本句的主干是 The use of synthetic chemicals is proving to be counter-productive。which 引导一个定语从句，修饰先行词 synthetic chemicals。

核心词表

continuous /kən'tɪnjuəs/ *adj.* 连续不断的

记忆 来自 continue（*v.* 连续）

搭配 continuous flow 持续气流

continuous performance cinema 循环场电影院

同根 continuously *adv.* 不断地，连续地

reckless /'rekləs/ *adj.* 轻率的，鲁莽的

搭配 reckless greed 肆无忌惮的贪婪

同义 rash *adj.* 鲁莽的

synthetic /sɪn'θetɪk/ *adj.* 合成的，人造的，综合的；虚假的

记忆 词根记忆：syn（一起）+the（放）+tic

→放到一起的→合成的

搭配 synthetic material 合成材料

synthetic dye 合成染料

同根 synthetically *adv.* 综合地，合成地

chemical /'kemɪkl/ *adj.* 化学的；*n.* 化学制品

记忆 词根记忆：chemi（化学）+cal（…的）

→化学的

搭配 toxic chemicals 有毒的化学物品

chemical reaction 化学反应

chemical engineering 化学工程

counter-productive /ˌkaʊntərprə'dʌktɪv/ *adj.* 产生相反效果的，适得其反的

主题归纳

形容"效果"的词：

asymmetric /ˌeɪsɪ'metrɪk/ *adj.* 不对称的，不均匀的

effectual /ɪ'fektʃuəl/ *adj.* 奏效的，有效的

efficacy /'efɪkəsi/ *n.* 功效，效力

invalid /ɪn'væləd/ *adj.* 无效的，作废的；无可靠根据的，站不住脚的；/'ɪnvələd/ *n.* 病弱者，残疾者

记忆 词根记忆：in（无）+val（价值）+id →无价值的→无效的

搭配 invalid request 无效的请求

oblique /ə'bliːk/ *adj.* 间接的，拐弯抹角的；倾斜的

overarch /ˌəʊvər'ɑːtʃ/ *vt.* 在…上形成拱形

unrequited /ˌʌnrɪ'kwaɪtɪd/ *adj.* 无报答的

validate /'vælɪdeɪt/ v. 使…生效

记忆 词根记忆：valid（有效的）+ate（使…）
→使…生效

同义 impotent adj. 无效的，不起作用的

unfounded adj. 无事实根据的

与"节肢动物"有关的词：

abdomen /'æbdəmən/ n. 腹部；腹腔

ant /ænt/ n. 蚂蚁

搭配 soldier ant 兵蚁

antenna /æn'tenə/ n. 触角；触须

同义 tentacle n. 触须

arthropod /'ɑːθrəpɒd/ n. 节肢动物

bee /biː/ n. 蜜蜂

搭配 worker bee 工蜂

black widow spider 黑寡妇

bumblebee /'bʌmblbiː/ n. 熊蜂

butterfly /'bʌtərˌflaɪ/ n. 蝴蝶

搭配 monarch butterfly 帝王蝶

centipede /'sentɪpiːd/ n. 蜈蚣

记忆 词根记忆：centi（百）+ped（脚）+e →
百脚虫→蜈蚣

dragonfly /'dræɡənflaɪ/ n. 蜻蜓

firefly /'faɪərˌflaɪ/ n. 萤火虫

fly /flaɪ/ n. 苍蝇

搭配 fruit fly 果蝇

ladybug /'leɪdiˌbʌɡ/ n. 瓢虫

scorpion /'skɔrpiən/ n. 蝎子

sting /stɪŋ/ v. 蜇，叮；n. （昆虫的）蜇刺

搭配 bee sting 蜂蜇伤

表示"合成，混合"的词：

blend /blend/ v. （使）混合，（使）混杂；
n. 混合物；混合，交融

搭配 blend in 掺入

blend with 与…混合

compound /'kɒmpaʊnd/ n. 化合物，混合物；
有围墙的场地，大院；adj. 复合的；
/kəm'paʊnd/ v. 使恶化，加重；使合成

记忆 词根记忆：com+pound（放置）→放到
一起使合成→化合物

fuse /fjuːz/ n. 保险丝；v. 熔合；熔化

同义 merge v. 合并，并入

meld v. （使）混合，（使）合并

smelt vt. 熔炼

反义 divide v. 分成；隔开

separate v. 使分离，使分开

split v. （使）分裂，分离

mingle /'mɪŋɡl/ v. （使）混合；相往来

记忆 联想记忆：和 single（adj. 单一的）
一起记

mixture /'mɪkstʃə(r)/ n. 混合（物）；合剂

记忆 词根记忆：mix（混合）+ture（状态）
→混合

synthesis /'sɪnθəsɪs/ n. 综合，合成

记忆 词根记忆：syn（共同）+thesis（论题）
→将相同的论题综合起来→综合

搭配 the synthesis of art 综合艺术

表示"化学元素，试剂"的词：

adhesive /əd'hiːsɪv/ *n.* 黏合剂；*adj.* 胶黏的；黏着性的

记忆 词根记忆：ad（加强）+hes（粘附）+ive（…的）→胶黏的

alchemy /'ælkəmi/ *n.* 炼金术

记忆 词根记忆：al（加强）+chem（化学）+y →炼金术

alkali /'ælkəlaɪ/ *n.* 碱；碱金属；*adj.* 碱性的

搭配 alkali land 碱地

alloy /'ælɔɪ/ *n.* 合金；*vt.* 将…铸成合金

搭配 iron alloy 铁合金

ammonia /ə'məʊniə/ *n.* 氨；氨水

搭配 ammonia synthesis 氨合成；氨合成法

calcium /'kælsiəm/ *n.* 钙

记忆 词根记忆：calc（石头）+ium（元素名称）→钙

carbon /'kɑːbən/ *n.* 碳

记忆 词根记忆：carb（碳）+on（表物质结构成分）→碳

derivative /dɪ'rɪvətɪv/ *n.* 衍生物

helium /'hiːliəm/ *n.* 氦

hydrate /'haɪdreɪt/ *n.* 水合物

记忆 词根记忆：hydr（水）+ate →水合物

hydrocarbon /ˌhaɪdrə'kɑːbən/ *n.* 碳氢化合物

记忆 词根记忆：hydro（水，引申为氢）+carbon（碳）→碳氢化合物

impurity /ɪm'pjʊərəti/ *n.* 杂质

记忆 词根记忆：im（不）+purity（纯净）→杂质

intermediary /ˌɪntə'miːdiəri/ *n.* 中间人；媒介

记忆 词根记忆：inter（在…之间）+medi（中间）+ary（表物）→中间的物体→媒介

iodine /'aɪədiːn/ *n.* 碘，碘酒

ion /'aɪən/ *n.* 离子

isotope /'aɪsətəʊp/ *n.* 同位素

limestone /'laɪmstəʊn/ *n.* 石灰石，石灰岩

metal /'metl/ *n.* 金属

metalloid /'metlɔɪd/ *n.* 非金属

methane /'miːθeɪn/ *n.* 甲烷，沼气

搭配 methane emission 沼气泄出

methane content 沼气含量

nitrogen /'naɪtrədʒən/ *n.* 氮

oxygen /'ɒksɪdʒən/ *n.* 氧

particle /'pɑːtɪkl/ *n.* 极少量，微粒

plastic /'plæstɪk/ *adj.* 塑料（制）的

silica /'sɪlɪkə/ *n.* 硅石

silicon /'sɪlɪkən/ *n.* 硅，硅元素

silver /'sɪlvə(r)/ *n.* 银

sodium /'səʊdiəm/ *n.* 钠

sulfur /'sʌlfə(r)/ *n.* 硫磺

形容"化学过程"的词：

action /'ækʃn/ *n.* 作用

biochemistry /ˌbaɪəʊˈkemɪstri/ *n.* 生物化学

记忆 词根记忆：bio（生物）+chemistry（化学）→生物化学

bleach /bliːtʃ/ *vt.* 漂白；*n.* 漂白剂

搭配 bleach out 漂白

catalysis /kəˈtæləsɪs/ *n.* 催化作用

caustic /ˈkɔstɪk/ *n.* 腐蚀剂；*adj.* 腐蚀性的；（指评论）讽刺的，挖苦的

搭配 caustic remarks 讽刺挖苦的言论

corrode /kəˈrəʊd/ *v.* 腐蚀；侵蚀

记忆 词根记忆：cor（加强）+rod（咬）+e →不断侵咬使腐坏→腐蚀

decay /dɪˈkeɪ/ *v.* 腐烂；衰退；*n.* 腐败

搭配 decayed tooth 龋齿

a decaying culture 日渐衰落的文化

decomposition /ˌdiːkɒmpəˈzɪʃn/ *n.* 分解

搭配 biological decomposition 生物分解

dye /daɪ/ *v.* 给…染色；*n.* 染料

搭配 hair dye 染发剂

erode /ɪˈrəʊd/ *v.* 侵蚀，腐蚀

搭配 erode away 侵蚀

同义 erosion *n.* 侵蚀

explode /ɪkˈspləʊd/ *v.* （使）爆炸；激增；破除

搭配 explode a superstition 破除迷信

explode with rage 勃然大怒

explosive /ɪkˈspləʊsɪv/ *n.* 爆炸物；*adj.* 爆炸的；使人冲动的

搭配 explosive device 引爆装置

hydronic /haɪˈdrɒnɪk/ *adj.* 液体循环加热的

ignite /ɪgˈnaɪt/ *v.* 点燃，燃烧

记忆 词根记忆：ign（点火）+ite（使…）→点燃

polymerization /ˌpɒlɪməraɪˈzeɪʃn/ *n.* 聚合

reagent /riˈeɪdʒənt/ *n.* 反应力；反应物；试剂

rot /rɒt/ *n.* 腐烂；*v.* （使）腐烂

同根 rotten *adj.* 腐烂的

scorch /skɔːtʃ/ *v.* 烧焦；使枯萎；*n.* 烧焦

sear /sɪə(r)/ *v.* 烙，烧灼

solubility /ˌsɒljuˈbɪləti/ *n.* 溶度，溶性；可解决性，可解释性

solvent /ˈsɒlvənt/ *adj.* 溶解的；有溶解性的；有偿付能力的；*n.* 溶媒，溶剂

记忆 词根记忆：solv（e）溶解 +ent（…剂）→溶剂

stale /steɪl/ *adj.* 不新鲜的；陈腐的

tint /tɪnt/ *vt.* 上色，染色；*n.* 上色；色彩

Both social and cognitive types of laughter tap into the same expressive machinery in our brains, the emotion and motor circuits that produce smiles and excited vocalisations.

无论是社交场合中的笑还是认知活动中的笑，都是利用我们大脑中的同一表达机制——情感和运动环路使人发笑并发出兴奋的声音。

（剑桥雅思5）

语法笔记

本句的主干是 Both types of laughter tap into the same expressive machinery。句中 that 引导定语从句，修饰先行词 circuits。the emotion and motor circuits...vocalisations 是 expressive machinery 的同位语。

核心词表

laughter /ˈlɑːftə(r)/ *n.* 笑，笑声

tap /tæp/ *v.* 轻拍；利用，开发

expressive /ɪkˈspresɪv/ *adj.* 表现的；有表现力的

搭配 expressive force 表现力

machinery /məˈʃiːnəri/ *n.* 机械；机构

记忆 词根记忆：machine（机械）+ry（集合名词）→机械

emotion /ɪˈməʊʃn/ *n.* 感情；情绪

记忆 词根记忆：e（出）+mot（动）+ion→动出感情→感情

motor /ˈməʊtə(r)/ *n.* 马达

搭配 motor system 马达系统

circuit /ˈsɜːkɪt/ *n.* 环行；电路

记忆 词根记忆：circu（=circ 环）+it（走）→环行

vocalisation /ˌvəʊkəlaɪˈzeɪʃn/ *n.* 声音

主题归纳

形容"高兴"的词：

amused /əˈmjuːzd/ *adj.* 愉快的

搭配 be amused by 对…觉得有趣

amusing /əˈmjuːzɪŋ/ *adj.* 风趣的

beaming /ˈbiːmɪŋ/ *adj.* 喜气洋洋的，愉快的

blessed /ˈblesɪd/ *adj.* 愉快的

bliss /blɪs/ *n.* 狂喜

blithe /blaɪð/ *adj.* 无忧无虑的，快乐的

同根 blithesome *adj.* 欢乐的，愉快的

brighten /ˈbraɪtn/ *vt.* 使快活，使高兴

delight /dɪˈlaɪt/ *n.* 快乐，喜悦；*v.*（使）高兴，（使）欣喜

同根 delightful *adj.* 令人愉快的

ecstasy /'ekstəsi/ *n.* 狂喜

同根 ecstatic *adj.* 狂喜的

elation /i'leɪʃn/ *n.* 兴高采烈

enrapture /ɪn'ræptʃə(r)/ *vt.* 使狂喜

exaltation /ˌegzɔːl'teɪʃn/ *n.* 欣喜

同根 exalt *vt.* 提拔；提升

　　exalted *adj.* 兴奋的

excitement /ɪk'saɪtmənt/ *n.* 激动，兴奋；
　　刺激

exhilaration /ɪgˌzɪlə'reɪʃn/ *n.* 高兴，活跃，
　　愉快

同根 exhilarate *vt.* 使高兴

exult /ɪg'zʌlt/ *v.* 欢腾

记忆 词根记忆：ex（加强）+ult（=sult 跳）→
　　（高兴地）跳起来→欢腾

同根 exultant *adj.* 欢腾的，狂欢的

gleeful /'gliːfl/ *adj.* 极高兴的，兴奋的

grin /grɪn/ *n./v.* 咧着嘴笑

搭配 grin and bear it 默默忍受

hilarious /hɪ'leəriəs/ *adj.* 高兴的

intoxicate /ɪn'tɒksɪkeɪt/ *vt.* （使）沉醉，
　　（使）欣喜若狂

同根 intoxication *n.* 陶醉

joyous /'dʒɔɪəs/ *adj.* 快乐的，高兴的

jubilant /'dʒuːbɪlənt/ *adj.* 欢欣的

merry /'meri/ *adj.* 欢快的

同根 merrily *adv.* 高兴地，愉快地

mirth /mɜːθ/ *n.* 欢乐，欢笑

搭配 abandoned mirth 尽情的快乐

overjoyed /ˌəʊvə'dʒɔɪd/ *adj.* 极度高兴的

搭配 overjoyed at sth. 因…欣喜若狂

pleasing /'pliːzɪŋ/ *adj.* 愉快的

rapture /'ræptʃə(r)/ *n.* 狂喜

ravish /'rævɪʃ/ *vt.* 使陶醉，使狂喜；强奸

rejoice /rɪ'dʒɔɪs/ *v.* 高兴，欣喜

搭配 rejoice in 因…感到欣喜

形容"懊悔"的词：

amorous /'æmərəs/ *adj.* 色情的；恋爱的

记忆 词根记忆：amor（爱）+ous（…的）→
　　恋爱的

compunction /kəm'pʌŋkʃn/ *n.* 懊悔

搭配 without compunction 毫无愧疚地

contrite /kən'traɪt/ *adj.* 痛悔的

penitential /ˌpenɪ'tenʃl/ *adj.* 赎罪的；后悔的

repentance /rɪ'pentəns/ *n.* 悔恨，懊悔

搭配 in repentance 悔过

sentimental /ˌsentɪ'mentl/ *adj.* 感伤的

表达"同情"的词：

commiserate /kə'mɪzəreɪt/ *v.* 同情，怜悯

consolation /ˌkɒnsə'leɪʃn/ *n.* 安慰；慰问

搭配 consolation prize 安慰奖

empathetic /ˌempə'θetik/ *adj.* 移情作用的，
　　能产生共鸣的

表达"正面情感"的词：

effusive /ɪˈfjuːsɪv/ *adj.* 热情洋溢的；溢出的

记忆 词根记忆：ef（出）+fus（流）+ive（…的）→（感情）流出的→热情洋溢的

endearment /ɪnˈdɪəmənt/ *n.* 表示爱意的词或短语

enviable /ˈenviəbl/ *adj.* 值得羡慕的

搭配 an enviable position 令人羡慕的地位

fondness /ˈfɒndnəs/ *n.* 爱好，溺爱

搭配 fondness for 喜欢，喜爱

inclination /ˌɪnklɪˈneɪʃn/ *n.* 爱好；趋势；倾斜

记忆 词根记忆：in（使…）+clin（倾斜）+ation →倾斜

nostalgia /nɒˈstældʒə/ *n.* 思乡情（病）

记忆 词根记忆：nost（家）+alg（痛）+ia（某种病）→想家想得心痛的病→思乡病

表达"负面情感"的词：

fraternize /ˈfrætənaɪz/ *v.* （尤指与不该亲善者）亲善

impassive /ɪmˈpæsɪv/ *adj.* 无动于衷的，冷漠的

搭配 impassive fervid 无动于衷的

profane /prəˈfeɪn/ *v.* 亵渎

记忆 词根记忆：pro（在前）+fan（庙）+e → 在庙前做坏事→亵渎

与"社交中的表现"有关的词：

adjust oneself 自我调整，学会适应环境

attractive personality 吸引人的个性

be adept in 擅长…

convincing /kənˈvɪnsɪŋ/ *adj.* 令人信服的

同根 convince *vt.* 使信服

cooperative /kəʊˈɒpərətɪv/ *adj.* 合作的

反义 incooperative *adj.* 不愿合作的

generous /ˈdʒenərəs/ *adj.* 慷慨的

同根 generosity *n.* 慷慨

greeting /ˈɡriːtɪŋ/ *n.* 问候

搭配 exchange greetings 互相问候

informal /ɪnˈfɔːml/ *adj.* 非正式的

搭配 informal occasion 非正式场合

intelligent /ɪnˈtelɪdʒənt/ *adj.* 聪明的

同根 intelligence *n.* 智力

interpersonal relationship 人际关系

keep promise 信守承诺

moderate /ˈmɒdərət/ *adj.* 温和的；
/ˈmɒdəreɪt/ *v.* （使）和缓；节制

搭配 moderate character 性情温和

networking skill 人际技巧，社交技巧

punctual /ˈpʌŋktʃuəl/ *adj.* 准时的

同根 punctuality *n.* 准时

relationship network 关系网

reliable /rɪˈlaɪəbl/ *adj.* 可靠的

同义 trustworthy *adj.* 可靠的

sociable /ˈsəʊʃəbl/ *adj.* 社交的

搭配 sociable personality 好交际的性格

反义 unsociable *adj.* 不合群的

tolerant /ˈtɒlərənt/ *adj.* 宽容的

同根 tolerance *n.* 忍耐

111

Opinion polls suggest that many people nurture the belief that environmental standards are declining and four factors seem to cause this disjunction between perception and reality.

民意调查表明，很多人支持了这一看法，认为环境标准在降低，似乎有四种因素导致这种认识与实际情况的差异。

（剑桥雅思 5）

语法笔记

本句主干是 Opinion polls suggest+that 宾语从句。第二个 that 引导同位语从句 environmental standards ... and reality，解释前面的 belief。

核心词表

poll /pəʊl/ *n.* 民意测验；政治选举；*v.* 对…进行民意测验；获得…选票

记忆 联想记忆：大选（poll）费用（toll）上涨幅度惊人

搭配 public opinion poll 民意调查

conduct a poll on 对…进行调查，投票

同根 polling *n.* 投票

nurture /'nɜːtʃə(r)/ *vt.* 培养；滋养；*n.* 营养品

记忆 联想记忆：大自然（nature）滋养（nurture）着人类

decline /dɪ'klaɪn/ *v./n.* 下降，衰退；谢绝

记忆 词根记忆：de（向下）+clin（倾斜）+e →向下倾斜→下降，衰退

搭配 on the decline 在衰退中

in decline 下降

rapid decline 飞速减少

phase of decline 衰退期

参考 recline *v.* 放置

incline *v.* 倾斜

factor /'fæktə(r)/ *n.* 因素，要素

搭配 the key factor 关键因素

internal/external factors 内在 / 外在因素

cause /kɔz/ *vt.* 引起，导致

disjunction /dɪs'dʒʌŋkʃn/ *n.* 分离；折断

记忆 词根记忆：dis（分离）+junct（连接）+ion →分离

perception /pə'sepʃn/ *n.* 感觉；洞察力

记忆 来自 perceive（*v.* 感知，觉察）

同根 perceptible *adj.* 可察觉的

perceptive *adj.* 有感知的，有洞察力的

reality /ri'æləti/ *n.* 现实

主题归纳

表示"培养，养育"的词：

breed /briːd/ *n.* 种，品种；*v.* 饲养；养育，培育；酿成，产生

記忆 联想记忆：这一窝（brood）小鸡是同一个品种（breed）

搭配 breed fish 养鱼

cultivate /'kʌltɪveɪt/ *vt.* 种植；培养

记忆 词根记忆：cult（培养，耕种）+iv+ate（使…）→培养；种植

cultivation /ˌkʌltɪ'veɪʃn/ *n.* 耕种；培养

cultural /'kʌltʃərəl/ *adj.* 文化的，人文的；修养的

foster /'fɒstə(r)/ *v.* 培养，培育（某物）；促进；领养；*adj.* 收养的

记忆 联想记忆：fost（看作 fast，快速的）+er→促进

同根 fosterling *n.* 养子，养女

fosterer *n.* 养育者

nourish /'nʌrɪʃ/ *vt.* 养育，滋养；怀有（希望等）

同根 nourishing *adj.* 有营养的

表示"导致"的词：

conduce /kən'djuːs/ *v.* 有助于；导致

搭配 conduce to 导致，有助于

generate /'dʒenəreɪt/ *vt.* 产生（光、热、电等）；引起

记忆 词根记忆：gener（产生）+ate（做）→引起

同根 generation *n.* 产生；一代

generator *n.* 发电机

induce /ɪn'djuːs/ *v.* 引诱，诱使；引起；感应

记忆 词根记忆：in（加以）+duc（引导）+e→引诱，引起

同根 inducement *n.* 引诱；劝诱

inducible *adj.* 可诱导的，可诱发的

trigger /'trɪɡə(r)/ *n.* 扳机；*v.* 引发，导致

同义 stimulus *n.* 刺激物

initiate *vt.* 发起，开始

cause *vt.* 引起，导致

形容"事实，实际"的词：

factual /'fæktʃuəl/ *adj.* 事实的；真实的

记忆 词根记忆：fact（事实）+ual（…的）→事实的

literally /'lɪtərəli/ *adv.* 逐字地；实际上

practically /'præktɪkli/ *adv.* 几乎，简直；实际上

记忆 来自 practice（*n.* 实践，实际）

virtually /'vɜːtʃuəli/ *adv.* 实际上；几乎

与"政治"有关的词：

affiliate /ə'fɪlieɪt/ *v.* 隶属；加入，加盟

记忆 词根记忆：af（加强）+fili（子女）+ate →成为子女→加入

anarchism /'ænəˌkɪzəm/ *n.* 无政府主义

记忆 词根记忆：an（无）+arch（统治者）+ism（表主义）→无政府主义

authoritative /ɔː'θɒrətətɪv/ *adj.* 有权威性的；命令式的

同根 authority *n.* 权威

autonomy /ɔː'tɒnəmi/ *n.* 自治，自治权

记忆 词根记忆：auto（自己）+nomy→自治

ballot /'bælət/ *n.* 投票

centralize /'sentrəlaɪz/ *vt.* 集中于中央（或中心）

记忆 词根记忆：central（中心）+ize（使…）→集中于中央（或中心）

commission /kə'mɪʃn/ *n.* 委员会；委任，委托（书），代办；佣金，手续费

in commission 可使用，服现役中

out of commission 不能使用

committee /kəˈmɪti/ *n.* 委员会，全体委员

confederacy /kənˈfedərəsi/ *n.* 联盟，邦联

记忆 词根记忆：con（共同）+feder（联盟）+ acy（表性质）→联盟

confederate /kənˈfedərət/ *v.* （使）联盟；*adj.* 联合的

记忆 词根记忆：con（共同）+feder（联盟）+ ate→共结联盟→（使）联盟

congress /ˈkɒŋgres/ *n.* （代表）大会；（美国等国的）国会，议会

dictatorial /ˌdɪktəˈtɔːriəl/ *adj.* 独裁的，专断的

同根 dictatorship *n.* 专政

diplomatic /ˌdɪpləˈmætɪk/ *adj.* 外交的；讲究手腕的

搭配 diplomatic relations 外交关系

dispensation /ˌdɪspenˈseɪʃn/ *n.* 特许，赦免

domain /dəˈmeɪn/ *n.* 领地；领域

同义 area *n.* 领域

field *n.* 领域

election /ɪˈlekʃn/ *n.* 选举

embargo /ɪmˈbɑːgəʊ/ *n./v.* 禁止贸易，禁运

factious /ˈfækʃəs/ *adj.* 内讧的，闹派别的

ideology /ˌaɪdiˈɒlədʒi/ *n.* 意识形态

记忆 词根记忆：ideo（思想）+logy（…学）→思想体系，意识形态

ignominy /ˈɪgnəmɪni/ *n.* 耻辱

indignity /ɪnˈdɪgnəti/ *n.* 轻蔑，侮辱

记忆 词根记忆：in（不）+dignity（尊严）→侮辱

kingdom /ˈkɪŋdəm/ *n.* 王国

league /liːg/ *n.* 同盟，联盟

parade /pəˈreɪd/ *n.* 游行

搭配 parade party 游行晚会

partisan /ˌpɑːtɪˈzæn/ *adj.* 党派的

记忆 来自 party（*n.* 党派）

petition /pəˈtɪʃn/ *n.* 请愿；*vt.* 向…请愿

记忆 词根记忆：pet（寻求）+ition→力争实现要求→请愿

privilege /ˈprɪvəlɪdʒ/ *n.* 特权

记忆 词根记忆：privi（=priv 单个）+leg（法律）+e→有个人法律→特权

procession /prəˈseʃn/ *n.* 队伍，行列

记忆 词根记忆：process（队列行进）+ion（表名词）→向前走的→队伍

regime /reɪˈʒiːm/ *n.* 政权

搭配 political regime 政治体制

regimen /ˈredʒɪmən/ *n.* 政权

记忆 词根记忆：regi（=reg 统治）+men（抽象名词）→统治方式/制度→政权

rejection /rɪˈdʒekʃn/ *n.* 拒绝

sanction /ˈsæŋkʃn/ *v.* 批准；*n.* 批准，认可；约束力；[常作 pl.] 国际制裁

同根 sanctionist *n.* 制裁者

scandal /ˈskændl/ *n.* 丑事，丑闻；恶意诽谤；流言蜚语；反感，愤慨

搭配 financial scandal 财政丑闻

self-government /ˌself ˈgʌvənmənt/ *n.* 自治

senate /ˈsenət/ *n.* 参议院

搭配 Senate President 参议长

sovereign /ˈsɒvrɪn/ *n.* 君主；*adj.* 主权独立的

unconventional /ˌʌnkən'venʃənl/ *adj.* 不因循守旧的，不落俗套的

veto /ˈviːtəʊ/ *n./v.* 否决（权）

搭配 veto right/the power of veto 否决权

vote /vəʊt/ *n.* 投票，选票

Review

Sentence 38

Natural soil fertility is dropping in many areas because of continuous industrial fertilizer and pesticide use, while the growth of algae is increasing in lakes because of the fertilizer run-off.

由于工业肥料和杀虫剂的持续使用，许多地区的自然土壤肥力正在下降，而湖泊中的藻类则因肥料的径流而增加。

（剑桥雅思 7）

语法笔记

本句是由 while 连接的并列句，while 表转折关系，前一分句的主干是 Natural soil fertility is dropping in many areas，后一分句的主干是 the growth of algae is increasing in lakes。本句中出现两次 because of 这个介词短语，后面接名词或相当于名词的成分。

核心词表

soil /sɔɪl/ *n.* 土壤
搭配 soil erosion 水土流失

fertility /fə'tɪləti/ *n.* 富饶；丰产

fertilizer /'fɜːtəlaɪzə(r)/ *n.* 肥料
搭配 organic fertilizer 有机肥

pesticide /'pestɪsaɪd/ *n.* 杀虫剂
记忆 词根记忆：pesti（=pest 害虫）+cid（杀）+e→杀虫剂

growth /grəʊθ/ *n.* 增长；发展
搭配 personal growth 个人成长

algae /'ældʒiː/ *n.* 藻类

increase /ɪn'kriːs/ *vt.* 增加，增长，增强；
/'ɪŋkriːs/ *n.* 增加，增长，增强
搭配 on the increase 正在增加，不断增长

run-off /rʌn ɔf/ *n.* （雨、水或其他液体的）地表径流

主题归纳

与"消灭虫害"有关的词：

anopheles /ə'nɒfɪˌliːz/ *n.* 疟蚊

beetle /'biːtl/ *n.* 甲虫

biocenosis /ˌbaɪəʊsɪ'nəʊsɪs/ *n.* 生物群落

bug /bʌg/ *n.* 虫子；臭虫
搭配 bug repellent 防虫液；驱虫剂

cabbage worm 菜青虫

cockroach /'kɒkrəʊtʃ/ *n.* 蟑螂

cricket /'krɪkɪt/ *n.* 蟋蟀

flea /fliː/ *n.* 跳蚤

grasshopper /'grɑːʃɒpə(r)/ *n.* 蚂蚱，蝗虫
同义 locust *n.* 蝗虫

hazardous /'hæzədəs/ *adj.* 有害的

horsefly /ˈhɔːsflaɪ/ *n.* 牛虻

insect /ˈɪnsekt/ *n.* 昆虫

搭配 insect bite 昆虫咬伤

　　beneficial insect 益虫

　　injurious insect 害虫

insecticide /ɪnˈsektɪsaɪd/ *n.* 杀虫剂

integrated pest management 害虫综合治理

larva /ˈlɑːvə/ *n.* 幼虫

louse /laʊs/ *n.* 虱子

mosquito /məˈskiːtəʊ/ *n.* 蚊子

搭配 mosquito net 蚊帐

moth /mɒθ/ *n.* 蛾

搭配 silk moth 蚕蛾

pest /pest/ *n.* 害虫，有害物

记忆 联想记忆："拍死它"→见到害虫就拍死它→害虫

rootworm /ˈruːtˌwɜːm/ *n.* 食根虫

silkworm /ˈsɪlkwɜːm/ *n.* 蚕

spider /ˈspaɪdə(r)/ *n.* 蜘蛛

搭配 spider web 蜘蛛网

termite /ˈtɜːmaɪt/ *n.* 白蚁

vermin /ˈvɜːmɪn/ *n.* 害虫

wasp /wɒsp/ *n.* 黄蜂，胡蜂

搭配 wasp waist 蜂腰，细腰

与"农业施肥及除草"有关的词：

additive /ˈædətɪv/ *n.* 添加剂

搭配 free from additive 不含添加剂

cancer-causing chemical 致癌化学物

communicable /kəˈmjuːnɪkəbl/ *adj.* 可传染的

concoction /kənˈkɒkʃn/ *n.* 混合物

contaminant /kənˈtæmɪnənt/ *n.* 污染物

记忆 词根记忆：contamin（污染）+ant（…物）→污染物

搭配 air contaminant 空气污染物

cyanide /ˈsaɪənaɪd/ *n.* 氰化物

exacerbation /ɪɡˌzæsəˈbeɪʃn/ *n.* 恶化，加重

记忆 词根记忆：ex（使…）+acerb（酸）+ation（表名词）→使变酸→恶化

同根 exacerbate *vt.* 使加剧

fertilize /ˈfɜːtəlaɪz/ *vt.* 使…受精；施肥

同根 fertilization *n.* 施肥；受精

herbicide /ˈhɜːbɪsaɪd/ *n.* 除草剂

参考 herb *n.* 药草

nitrogen /ˈnaɪtrədʒən/ *n.* 氮

pesticide residues 农药残留

phosphate fertilizer 磷肥

resistant /rɪˈzɪstənt/ *adj.* 抵抗的；抗…的

sprayer /ˈspreɪə(r)/ *n.* 喷雾器

weed /wiːd/ *v.* 除草

记忆 联想记忆：种子（seed）在杂草（weed）中顽强生长

与"藻类"有关的词：

algae pollution 藻类污染

aquatic plant 水生植物

brown algae 褐藻

exuberant /ɪgˈzjuːbərənt/ *adj.* 繁茂的

记忆 词根记忆：ex（加强）+uber（果实）+ant（…的）→全都是果实的→繁茂的

green algae 绿藻

red algae 红藻

sargassum /sɑːˈɡæsəm/ *n.* 马尾藻类海藻

seaweed /ˈsiːwiːd/ *n.* 海藻

symbiosis /ˌsɪmbaɪˈəʊsɪs/ *n.* 共生关系

记忆 词根记忆：sym（共同）+bi（生命，生物）+osis（表现象）→共同维持生命→共生关系

underwater /ˌʌndəˈwɔːtə(r)/ *adj.* 水下的

Review

Sentence 39

Within the span of several centuries, the Lapita stretched the boundaries of their world from the jungle-clad volcanoes of Papua New Guinea to the loneliest coral outliers of Tonga.

在几个世纪的时间跨度里，拉皮塔人把他们的世界从巴布亚新几内亚丛林覆盖的火山延伸到汤加最孤独的珊瑚群周围。

（剑桥雅思 10）

语法笔记

本句的主干是 the Lapita stretched the boundaries。Within the span of several centuries 作时间状语，句中 from... to... 构成并列结构，作地点状语。

核心词表

span /spæn/ *n.* 跨距；一段时间；*v.* 持续；横跨

century /'sentʃəri/ *n.* 世纪

搭配 half a century 半个世纪

stretch /stretʃ/ *v.* 延伸，绵延；伸展；拉长；*n.* 一段（时间、路程）；伸展

搭配 at a stretch 一口气地，连续

at full stretch 全力以赴，竭尽所能

stretch out 伸展，伸手

同义 extend *v.* 延伸

boundary /'baʊndri/ *n.* 分界线；边界

记忆 词根记忆：bound（界限）+ary（表地点）→分界线，边界

jungle-clad /'dʒʌŋgl klæd/ *adj.* 丛林密布的

clad /klæd/ *adj.* 被…覆盖的，被…笼罩的

volcano /vɒl'keɪnəʊ/ *n.* 火山

记忆 联想记忆：vol（意愿）+can（会）+(n)o →火山爆发不以人的意志为转移→火山

同根 volcanic *adj.* 火山的

coral /'kɒrəl/ *n.* 珊瑚，珊瑚虫；*adj.* 珊瑚色的，珊瑚红的

outlier /'aʊtˌlaɪə/ *n.* [地质学] 老围层，外露层

主题归纳

与"年代日期"有关的词：

calendar /'kælɪndə(r)/ *n.* 日历，历法

搭配 academic calendar 校历；学年日历

decade /'dekeɪd/ *n.* 十年

搭配 over the past decade 在过去的十年里

epoch /'epək/ *n.* 纪元

同根 epochal *adj.* 划时代的

era /'ɪərə/ *n.* 年代，时代

搭配 the Christian era 公元

fortnight /'fɔːtnaɪt/ *n.* 两星期

搭配 in a fortnight 两星期后

leap year 闰年

lunar calendar 阴历

solar calendar 阳历

与"珊瑚"有关的词：

acidification /əˌsɪdəfɪˈkeʃn/ n. 酸化

搭配 oceanic acidification 海洋酸化

atoll /ˈætɔːl/ n. 环状珊瑚岛；环礁

blast fishing 爆破捕鱼

calcium carbonate 碳酸钙

cluster /ˈklʌstə(r)/ vi. 丛生；群集；n. 串，束，群

搭配 a cluster of... 一束…

colony /ˈkɒləni/ n.（同地生长的植物或动物）群；群体

同义 community n. 群落

continental shelf 大陆架

crustacean /krʌˈsteɪʃn/ n. 甲壳类动物；adj. 甲壳类的

记忆 词根记忆：crust（外壳）+acean →甲壳类动物

exoskeleton /ˈeksəʊˌskelɪtn/ n. 外骨骼

记忆 词根记忆：exo（外部）+skeleton（骨骼）→外骨骼

fishery /ˈfɪʃəri/ n. 渔业；水产业

搭配 fishery resource 渔业资源

fore reef 前礁

fringing reef 岸礁；边礁

marine species 海洋物种

mollusk /ˈmɒləsk/ n. 软体动物

记忆 词根记忆：moll（软）+usk →软体动物

polyp /ˈpɒlɪp/ n.（水螅型）珊瑚虫

rainforests of the sea 海洋热带雨林

reef crest 礁顶

sea anemone 海葵

secrete /sɪˈkriːt/ vt. 分泌

同根 secretion n. 分泌，分泌物

shoreline protection 海岸线保护

sponge /spʌndʒ/ n. 海绵动物

同根 spongy adj. 海绵似的

stony coral 石珊瑚

与"火山"有关的词：

active volcano 活火山

caldera /kɒlˈdeərə/ n. 破火山口（开口较大的火山口）

char /tʃɑː(r)/ v. 烧焦

cone volcano 锥状火山

crater /ˈkreɪtə(r)/ n. 火山口

搭配 bowl-shaped crater 碗型的火山口

crater lake 火山湖

crust /krʌst/ n. 地壳

depression /dɪˈpreʃn/ n. 洼地；盆地

dormant /ˈdɔːmənt/ adj. 静止的；休眠的

搭配 dormant volcano 休眠火山

earthquake /ˈɜːθkweɪk/ n. 地震

eject /ɪ'dʒekt/ v. 喷出

erupt /ɪ'rʌpt/ vi. 喷出（熔岩、水、气体、泥浆等）

同根 eruption n. 火山爆发，喷发

extinct volcano 死火山

fault /fɔːlt/ n. 断层

lava /'lɑːvə/ n.（火上喷出的）岩浆

搭配 lava flow 熔岩流

lithogenous /lɪ'θɒdʒɪnəs/ adj. 岩成的

magma /'mægmə/ n. 岩浆

magnitude /'mægnɪtjuːd/ n. 震级

搭配 earthquake magnitude 震级

mantle /'mæntl/ n. 披风；覆盖物；[地质学] 地幔；v. 用斗篷盖；覆盖

outburst /'aʊtbɜːst/ n.（火山等的）爆发

plate /pleɪt/ n. 板块

seismic /'saɪzmɪk/ adj. 地震的，地震引起的

记忆 词根记忆：seism（地震）+ic（…的）→地震的

seismology /saɪz'mɒlədʒi/ n. 地震学

记忆 词根记忆：seism（地震）+ology（…学）→地震学

shield volcano 盾状火山

squirt /skwɜːt/ v. 喷出，喷射

stratum /'strɑːtəm/ n.（[pl.] strata）地层；社会阶层

记忆 词根记忆：strat（层）+um（场所）→人们分出层次的场所→社会阶层

tectonic plate 构造板块

tremor /'tremə(r)/ n. 轻微地震；颤抖

记忆 词根记忆：trem（颤抖）+or（情况）→颤抖

volcanic ash 火山灰

volcanic dome 火山丘

volcanic dust 火山尘

Review

Multiplan insurance may not cover all pre-existing medical conditions—so before you leave be sure to check with them about any long-term illnesses or disabilities that you have.

多重保险可能没有涵盖所有预先存在的医疗情况，所以在你离开之前，一定要与他们核对任何你有的长期疾病或残疾。

（剑桥雅思8）

语法笔记

本句是由 so 连接的并列句，前一分句的主干是 Multiplan insurance may not cover all conditions，后一分句的主干是 be sure to check with them。在后一分句中，before you leave 作时间状语；that 引导定语从句，修饰先行词 illness 和 disabilities。

核心词表

multiplan /ˌmʌltiˈplæn/ *adj.* 多元计划的

insurance /ɪnˈʃuərəns/ *n.* 保险，保险费，保险业

记忆 词根记忆：in（使…）+sur（肯定，安全）+ance →保险

搭配 unemployment insurance 失业保险

accident insurance 意外险

life insurance 人寿险

pre-existing /ˌpriː ɪgˈzɪstɪŋ/ *adj.* 先前存在的，先于…而存在的

medical /ˈmedɪkl/ *adj.* 医学的，医疗的；内科的；*n.* 医生，体检

搭配 medical centre 医疗中心

medical science 医学

medical service 医疗服务

family medical history 家族疾病史

主题归纳

与"医疗卫生服务"有关的词：

abscission /æbˈsɪʒn/ *n.* 切除，截去

搭配 abscission of cornea 角膜切除术

acupuncture /ˈækjupʌŋktʃə(r)/ *n.* 针灸

搭配 Chinese acupuncture 中医针灸

allergic /əˈlɜːdʒɪk/ *adj.* 过敏的

搭配 be allergic to... 对…过敏

birth control 计划生育

clinical /ˈklɪnɪkl/ *adj.* 临床的；诊所的

搭配 clinical reception 接诊

clinical trial 临床试验

convalesce /ˌkɒnvəˈles/ *vi.* 渐渐康复；疗养

同根 convalescent *adj.* 康复期的

deliver /dɪˈlɪvə(r)/ *vt.* 给…接生；传递，传送

同根 delivery *n.* 分娩；递送

doctor in charge 主治医师

epidemic /ˌepɪ'demɪk/ n. 流行病；adj. 传染性的

搭配 epidemic prevention 防疫

homeopathy /ˌhəʊmi'ɒpəθi/ n. 同种疗法

houseman /'haʊsmən/ n. 实习医生

inquiry /ɪn'kwaɪəri/ n. 询问

搭配 inquiry about 询问

leave hospital 出院

nurse /nɜːs/ vt. 照料；护理；n. 护士

搭配 nurse station 护士站

recuperate /rɪ'kuːpəreɪt/ v. 使恢复健康；休养

同义 recover v. 恢复

sanatorium /ˌsænə'tɔːriəm/ n. 疗养院

记忆 词根记忆：sanat（健康）+orium（地点，场所）→让人重获健康的地方→疗养院

seclude /sɪ'kluːd/ vt.（使）隔离

记忆 词根记忆：se（分开）+clud（关闭）+e →关上门使分开→（使）隔离

同根 secluded adj. 隔离的

transplant /træns'plænt/ n./v. 移植

搭配 transplant into 把（器官）移植于

organ transplant 器官移植

heart transplant 心脏移植

ward /wɔːd/ n. 病房

与 "疾病或缺陷" 有关的词：

athlete's foot 足癣

awkward /'ɔːkwəd/ adj. 笨拙的，不灵活的，尴尬的

搭配 awkward position 尴尬地位

awkward vehicle 不合用的车辆

bald /bɔːld/ adj. 秃顶的

blind /blaɪnd/ adj. 瞎的

搭配 blind date 相亲

blind eye 视而不见

blind spot （视网膜上的）盲点

body odor 体臭

clumsy /'klʌmzi/ adj. 笨拙的

colour blindness 色盲

congenital heart disease 先天性心脏病

deaf /def/ adj. 聋的

搭配 turn a deaf ear to 充耳不闻

defect /'diːfekt/ n. 缺点，缺陷，不足之处；v. 叛变

搭配 birth defect 先天性缺陷

zero defect 零缺点

disabled /dɪs'eɪbld/ adj. 残疾的

搭配 disabled ramp 残疾人坡道

learning disabled 有学习障碍的

disadvantaged /ˌdɪsəd'væntɪdʒd/ adj. 处于不利地位的

搭配 disadvantaged group 弱势群体

discrimination /dɪˌskrɪmɪ'neɪʃn/ n. 歧视

搭配 discrimination treatment 差别对待

dull /dʌl/ adj. 迟钝的

搭配 dull pain 钝痛

dwarfism /'dwɔːfɪzəm/ n. 侏儒症

fool /fuːl/ adj. 愚蠢的；v. 愚弄；n. 傻瓜

搭配 fool with 玩弄

make a fool of sb. 戏弄某人

gigantism /dʒaɪ'gæntɪzəm/ n. 巨人症

harelip /'heəlɪp/ n. 唇裂

idiot /'ɪdiət/ n. 白痴，傻子

impaired /ɪmˈpeəd/ *adj.* 受损的

搭配 impaired vision 视力受损

lame /leɪm/ *adj.* 跛的；有缺陷的

搭配 lame duck 无用的人

limp /lɪmp/ *adj.* 无力的；*vi.* 跛行

搭配 hobble limp 跛行

malformation /ˌmælfɔːˈmeɪʃn/ *n.* 畸形

mute /mjuːt/ *adj.* 哑的

搭配 deaf mute 聋哑人

obesity /əʊˈbiːsəti/ *n.* 肥胖症

记忆 词根记忆：obes（肥）+ity →肥胖症

搭配 severe obesity 重度肥胖

sickish /ˈsɪkɪʃ/ *adj.* 多病的

slothful /ˈsləʊθfl/ *adj.* 迟钝的

搭配 slothful factor 惰性因素

torpor /ˈtɔːpə(r)/ *n.* 迟钝

记忆 词根记忆：torp（麻木）+or →迟钝

形容"包含，包括"的词：

comprise /kəmˈpraɪz/ *vt.* 包含；由…组成

记忆 词根记忆：com（加强）+pris（抓）+e →（包括）抓住的东西→包含

搭配 be comprised in 归入…

embody /ɪmˈbɒdi/ *v.*（作品等）表达，体现，使…具体化；包括或含有某物

记忆 词根记忆：em（使…）+body（身体）→使（身体）显现出来→体现

同义 contain *vt.* 包含，容纳

incarnate *vt.* 使具体化

embrace /ɪmˈbreɪs/ *vt./n.* 拥抱；包括；欣然接受

记忆 词根记忆：em（进入…之中）+brace（两臂）→进入两臂→拥抱

encompass /ɪnˈkʌmpəs/ *v.* 包含，包围，环绕

记忆 词根记忆：en（进入）+compass（范围）→进入范围→包含

inclusive /ɪnˈkluːsɪv/ *adj.* 包括一切的，包括一切费用在内的；所有数目（或首末日期）包括在内的

记忆 词根记忆：in（加强）+clus（关闭）+ive（…的）→关进去的→包括一切的

搭配 fully inclusive 完全包括在内的

同根 inclusively *adv.* 包含地

incorporate /ɪnˈkɔːpəreɪt/ *v.* 包含，吸收；把…合并，纳入；组成公司；*adj.* 合并的

记忆 词根记忆：in（进入）+corpor（团体）+ate（使…）→进入团体→把…合并

同义 comprehend *vt.* 包括，由…组成

embody *vt.* 包括或含有

involve /ɪnˈvɒlv/ *vt.* 使卷入，使参于，牵涉，陷入，连累；包含，含有

记忆 词根记忆：in（使…）+volv（卷）+e →使卷入，使牵涉

搭配 involve in 卷入，参加

involve sb. in 使某人卷入，使某人陷入

involvement /ɪnˈvɒlvmənt/ *n.* 包含，连累

Sentence 41

As the medical world continues to grapple with what's acceptable and what's not, it is clear that companies must continue to be heavily scrutinized for their sales and marketing strategies.

随着医学界持续努力解决哪些是可接受的和哪些是不可接受的这一底线问题，有一点是清楚的，（制药）公司的销售和市场策略必须继续受到严格审查。

（剑桥雅思6）

语法笔记

本句的主干是 it is clear that，其中 that 引导主语从句，it 作形式主语。句首 as 引导时间状语从句；句中两处 what 分别引导两个宾语从句，作 grapple with 的宾语，what's not 后面省略了 acceptable。

核心词表

grapple /'græpl/ v. 努力设法解决

搭配 grapple with sth. 尽力解决某事

acceptable /ək'septəbl/ adj. 可接受的

记忆 词根记忆：accept（接受）+able（可…的）→可接受的

heavily /'hevɪli/ adv. 在很大程度上；大量地

scrutinize /'skru:tənaɪz/ v. 详细检查，细看

记忆 词根记忆：scrutin（检查）+ize（做）→详细检查

sales /seɪlz/ n. 销售；销售量

搭配 sales target 销售目标

marketing /'mɑ:kɪtɪŋ/ n. 促销；营销

记忆 来自 market（n. 市场；交易；v. 促销）

搭配 marketing mix 营销组合

同根 marketer n. 销售者

主题归纳

与"医学药物"有关的词：

antibiotic /ˌæntibaɪ'ɒtɪk/ n. 抗生素；adj. 抗菌的

记忆 词根记忆：anti（抗）+bio（生命）+tic →抗生素

搭配 antibiotic medicine 抗菌药

antidote /'æntidəʊt/ n. 解毒药

记忆 词根记忆：anti（抗）+dote（=dose 药剂）→抗毒的药→解毒药

搭配 antidote to …的解毒剂

aspirin /'æsprɪn/ n. 阿司匹林

bacterial /bæk'tɪəriəl/ adj. 细菌的；有细菌引起的

搭配 bacterial infection 细菌感染（传染）

be allergic to 对…过敏

capsule /'kæpsjuːl/ n. 胶囊

搭配 soft capsule 软胶囊

clinic /'klɪnɪk/ n. 诊所

clinical trial 临床试验

dentist /'dentɪst/ n. 牙医

记忆 词根记忆：dent（牙齿）+ist（从事某职业的人）→牙医

diagnose /'daɪəgnəʊz/ v. 诊断

记忆 词根记忆：dia（穿过）+gnos（知道）+e→穿过（皮肤）知道→诊断

dispenser /dɪ'spensə(r)/ n. 药剂师；分配者；自动售货机

记忆 词根记忆：dis（分开）+pens（花费）+er（表人）→把花费分开→分配者

drop /drɒp/ n. 滴剂

drug abuse 滥用药物

efficacy /'efɪkəsi/ n. 药力

记忆 词根记忆：ef（=e 加强）+fic（做）+acy→做，发挥作用→药力

epidemic prevention 防疫；疫病治疗

eye drops 眼药

family doctor 家庭医生

herbal /'hɜːbl/ adj. 草本植物的；草药的；n. 草本植物志，药草书

搭配 herbal medicine 草药

herbal practitioner 草药医生

hygiene /'haɪdʒiːn/ n. 卫生

搭配 personal hygiene 个人卫生

illness /'ɪlnəs/ n. 病

搭配 chronic illness 慢性病

injection /ɪn'dʒekʃn/ n. 注射

记忆 词根记忆：in（向内）+ject（扔）+ion→向里面注入→注射

medication /ˌmedɪ'keɪʃn/ n. 药物治疗，药物

记忆 词根记忆：medic（治疗）+ation →药物治疗

搭配 be on medication for... 因为…而吃药

narcotic /nɑː'kɒtɪk/ n. 麻醉剂

记忆 词根记忆：narco（麻木）+tic →麻醉剂

non-drowsy /ˌnɒn'draʊzi/ adj. 不使人困倦的

反义 drowsy adj. 昏昏欲睡的

ointment /'ɔɪntmənt/ n. 药膏

搭配 ointment jar 药膏瓶

pain-killer /'peɪnkɪlə(r)/ n. 镇痛剂

pediatrician /ˌpiːdiə'trɪʃn/ n. 儿科医师

记忆 词根记忆：ped（儿童）+iatr+ician（从事某种职业）→儿科医师

penicillin /ˌpenɪ'sɪlɪn/ n. 盘尼西林（青霉素）

pharmaceutical /ˌfɑːmə'suːtɪkl/ n. 药物；adj. 制药（学）的

physician /fɪ'zɪʃn/ n. 医生，内科医师

pill /pɪl/ n. 药丸

potency /'pəʊtnsi/ n. 药力

powder /'paʊdə(r)/ n. 药粉；粉末

prescription /prɪ'skrɪpʃn/ n. 处方；开处方

记忆 词根记忆：pre（预先）+script（写）+ion →预先把要抓的药写在方子上→处方

搭配 prescription drug/medication 处方药

fill a prescription 按方配药

give a prescription 开药方

psychiatrist /saɪˈkaɪətrɪst/ *n.* 精神病学专家

记忆 词根记忆：psychiatr(y)（精神病学）+ist（从事某职业的人）→精神病学专家

surgeon /ˈsɜːdʒən/ *n.* 外科医师

syrup /ˈsɪrəp/ *n.* 糖浆

tablet /ˈtæblət/ *n.* 药片

test result 测试结果

to get vaccinated 接种

vitamin /ˈvɪtəmɪn/ *n.* 维生素

wholesome /ˈhəʊlsəm/ *adj.* 有益于健康的

与"公司"有关的词：

branch /brɑːntʃ/ *n.* 分部；分支

搭配 branch manager 分公司经理
　　 branch company 分公司

company profile 公司概况

conglomerate /kənˈglɒmərət/ *n.* 大公司，企业集团

记忆 词根记忆：con（共同）+glomer（球）+ate→聚合成球→合并→企业集团

consortium /kənˈsɔːtiəm/ *n.* 财团

搭配 consortium company 财团公司

corporate culture 企业文化

departmental /ˌdiːpɑːtˈmentl/ *adj.* 部门的

搭配 departmental library 系资料

headquarter /ˌhedˈkwɔːtə/ *n.* 总部

joint venture 合资企业

premise /ˈpremɪs/ *n.* [pl.] 经营场址

state-owned enterprise 国有企业

Review

Sentence 42

The reasoning is that if you replenish the ice sheets and frozen waters of the high latitudes, more light will be reflected back into space, so reducing the warming of oceans and atmosphere.

其理论依据是，如果你补充了高纬度地区的冰盖和冰冻水域，更多的光线将会反射回太空，从而减少海洋和大气变暖。

（剑桥雅思 11）

语法笔记

本句的主干是 The reasoning is that。其中 that 引导表语从句，表语从句中含有一个 if 条件句，句尾的 so reducing the warming of oceans and atmosphere 在条件句中作结果状语。

核心词表

reasoning /ˈriːzənɪŋ/ *n.* 推理，推论

记忆 词根记忆：reason（推理）+ing（行为）→推理

搭配 inductive reasoning 归纳推理

replenish /rɪˈplenɪʃ/ *v.* 再斟（装）满；添加；加强；补充（钱袋等）

记忆 词根记忆：re（重新）+plen（满）+ish（做）→添加；补充

ice sheet 冰盖，冰原

latitude /ˈlætɪtjuːd/ *n.* 纬度；[pl.] 纬度地区；（言行、行动等的）自由

记忆 联想记忆：和 attitude（*n.* 态度）一起记

同义 freedom *n.* 自由，自主
liberty *n.* 自由，自由权

reflect /rɪˈflekt/ *v.* 反映；反省；反射；深思

记忆 词根记忆：re（向后）+flect（弯曲）→（光线）向回弯曲→反射

同根 reflection *n.* 反映；考虑

space /speɪs/ *n.* 太空

搭配 space station 太空站

reduce /rɪˈdjuːs/ *v.* 减少，缩小；简化

同义 decrease *v./n.* 减少，减小

warming /ˈwɔːmɪŋ/ *n.* 变暖，升温

ocean /ˈəʊʃn/ *n.* 海洋；…洋

搭配 the Pacific Ocean 太平洋

atmosphere /ˈætməsfɪə(r)/ *n.* 大气；气氛；环境

记忆 词根记忆：atmo（空气）+spher（球体）+e→围绕地球的空气→大气

搭配 atmosphere of... …的氛围

同根 atmospheric *adj.* 大气的

主题归纳

表示"缩减"的词：

constrict /kənˈstrɪkt/ *v.* 压缩，使收缩

记忆 词根记忆：con（加强）+strict（拉紧）→拉到一起→压缩

contract /'kɒntrækt/ *n.* 合同；/kən'trækt/ *v.* 缩小；签约

同义 pact *n.* 条约

treaty *n.* 条约，协议

deduct /dɪ'dʌkt/ *vt.* 扣除，减去

搭配 deduct from 扣除

deductible /dɪ'dʌktəbl/ *adj.* 可扣除的；可减免的

记忆 词根记忆：deduct（扣除）+ible（可…的）→可扣除的

deflate /dɪ'fleɪt/ *vt.* 放气；使缩小

记忆 词根记忆：de（去掉）+flat（吹）+e →吹掉气→放气→使缩小

detract /dɪ'trækt/ *v.* 去掉，减损

记忆 词根记忆：de（向下）+tract（拉）→向下拉→去掉，减损

dwindle /'dwɪndl/ *v.* 变小，缩小

记忆 联想记忆：d+wind（风）+le →随风而去，越来越小→缩小

indent /'ɪndent/ *n.* 订货单；*v.* 将（行首）缩格

lessen /'lesn/ *vt.* 减少，减轻

记忆 词根记忆：less（少）+en（使…）→减少

narrow /'nærəʊ/ *adj.* 狭窄的；*v.* 变窄

参考 narrow-minded *adj.* 心胸狭窄的

restriction /rɪ'strɪkʃn/ *n.* 限制，约束

搭配 speed restriction 速度限制

impose restriction on... 对…进行限制

shrink /ʃrɪŋk/ *v.* （使）收缩；萎缩

记忆 联想记忆：童话里喝（drink）了药水就能将身体收缩（shrink）

subtract /səb'trækt/ *vt.* 减去；去掉

记忆 词根记忆：sub（在下面）+tract（拉）→拉下来→减去

subtraction /səb'trækʃn/ *n.* 减法，减去

记忆 词根记忆：subtract（减去）+ion（行为）→减去

与"气候变暖原因及影响"有关的词：

anticipated effect 预期效应

combustion /kəm'bʌstʃən/ *n.* 燃烧；燃烧过程

同根 combustibility *n.* 燃烧性，可燃性

Copenhagen Accord 《哥本哈根协议》

energy consumption 能源消耗

exhaust gas 废气

expansion of desert 沙漠扩张

extreme weather 极端天气

give off 排放

搭配 give off heat 发热

glacier /'glæsiə(r)/ *n.* 冰川，冰河

记忆 词根记忆：glac（冰）+ier（表物）→冰川，冰河

global warming 全球变暖

greenhouse effect 温室效应

greenhouse gas 温室气体

heat wave 热浪

heating /'hiːtɪŋ/ *n.* 加热；供热系统

搭配 heating installation 供暖装置

human activity 人类活动

Kyoto Protocol 京都议定书

melt /melt/ *v.* 融化

搭配 melt away 融掉

potential problems 潜在问题

precipitation /prɪˌsɪpɪ'teɪʃn/ *n.* 降雨量，降水（量）

搭配 precipitation change 降水变化

reduce emission 减排

rising sea level 海平面上升

temperature increase 温度升高

the warming of global temperature
全球气温变暖

表示"地球经纬度地区"的词:

Antarctica /æn'tɑːktɪkə/ *n.* 南极洲

Arctic /'ɑːktɪk/ *adj.* 北极的

equator /ɪ'kweɪtə(r)/ *n.* （地球）赤道

hemisphere /'hemɪsfɪə(r)/ *n.* （地球的）半球;
大脑半球

搭配 the Northern Hemisphere 北半球

longitude /'lɒŋɡɪtjuːd/ *n.* 经度

meridian /mə'rɪdiən/ *n.* 子午线

temperate zone 温带

the Antarctic 南极地区

tropic /'trɒpɪk/ *n.* 热带

Review

A final theory is related to group behaviour, and suggests that sea mammals cannot distinguish between sick and healthy leaders and will follow sick leaders, even to an inevitable death.

最后的这一理论与集体行为有关，认为海洋哺乳动物不能区分病态和健康的领导者，它们会跟随生病的领导者，甚至最终不可避免地死亡。

（剑桥雅思 9）

语法笔记

本句的主干是 A final theory is related to group behaviour, and suggests that。其中 that 引导宾语从句作 suggest 的宾语。句末的介词短语 even to an inevitable death 作程度状语。

核心词表

theory /'θɪəri/ *n.* 理论，原理；学说；意见，看法

记忆 词根记忆：theo（神）+ry →从理论上讲，神是不存在的

同根 theorize *v.* 理论化，学说化

theoretical *adj.* 理论（上）的

relate /rɪ'leɪt/ *v.* 有关联；适应，和睦相处；讲述，叙述

记忆 联想记忆：re+late（新近的）→和新近的事件有关联→有关联

同根 relative *adj.* 有关系的；相对的；*n.* 亲属

relation *n.* 关系；故事

distinguish /dɪ'stɪŋgwɪʃ/ *vt.* 区别，辨别；辨认出；使杰出

记忆 词根记忆：di(s)（分离）+stingu（刺）+ish →将刺挑出来→区别，辨别

搭配 distinguish between 辨别，弄清

distinguish...from... 把…与…区别开

distinguish oneself 使自己杰出

同义 discern *v.* 洞悉，辨别

differentiate *v.* 区分

inevitable /ɪn'evɪtəbl/ *adj.* 不可避免的，必然（发生）的

记忆 词根记忆：in（不）+evitable（可避免的）→不可避免的

搭配 inevitable disaster 不可避免的灾难

the inevitable 必然性

同义 doomed *adj.* 注定的

unavoidable *adj.* 不可免除的

同根 inevitably *adv.* 不可避免地，必然地

主题归纳

形容"关系，联系"的词：

accord /ə'kɔːd/ *n.* 一致，符合

affiliate /əˈfɪlieɪt/ n. 分支机构

affinity /əˈfɪnəti/ n. 密切的关系；类同

association /əˌsəʊʃiˈeɪʃn/ n. 协会，团体；
联合，联系，交往；联想

搭配 research associations 研究协会

an alumni association 校友会

同义 union n. 联合

bond /bɒnd/ n. 纽带；联系；关系；契合；
v. 使牢固结合；把…紧紧地连接到

close /kləʊs/ adj. 亲近的；亲密的

closeness /ˈkləʊsnəs/ n. 接近

collaborate /kəˈlæbəreɪt/ v. 合作；勾结，
通敌

搭配 collaborate with...on... 与…合作…

同根 collaboration n. 合作

collaborative adj. 合作的

complement /ˈkɒmplɪment/ v. 补足，补充；
与…相辅相成；/ˈkɒmplɪmənt/ n. 补足
物，补充

记忆 词根记忆：com（加强）+ple（满的）+
ment→都填满了→补足

concerted /kənˈsɜːtɪd/ adj. 联合的；同心协
力的

搭配 concerted action 一致行动

congenial /kənˈdʒiːniəl/ adj. 意气相投的，
情趣相投的；合得来的

记忆 词根记忆：con（共同）+gen（产生）+
ial（…的）→产生共同点的→意气相投的

congruity /kɒnˈgruːəti/ n. 适合，一致

consensus /kənˈsensəs/ n. 共识；（意见）
一致

记忆 词根记忆：con（共同）+sens（感觉）+
us→感觉相同→一致

搭配 value consensus 价值共识

同义 unanimity n. 全体一致

correlate /ˈkɒrəleɪt/ v. 相互关联影响；相互
依赖

记忆 词根记忆：cor（共同）+relate（联系）
→共同联系→相互关联影响

dependence /dɪˈpendəns/ n. 依赖

dependent /dɪˈpendənt/ adj. 依赖的；取决
于…的

derivative /dɪˈrɪvətɪv/ n. 派生物；衍生物；
adj. 模仿他人的；缺乏创意的

displace /dɪsˈpleɪs/ vt. 取代；使离开原位

记忆 词根记忆：dis（除去，剥夺）+place
（位置）→使从位置上离开→使离开原位

fusion /ˈfjuːʒn/ n. （不同特质、思想等的）
合成体，融合体；合为一体；融合

hinge /hɪndʒ/ n. 合页；铰链；v. 依…而定

记忆 发音记忆："很紧"→铰链很紧，转不动

implicate /ˈɪmplɪkeɪt/ vt. 牵连

搭配 implicate in 使卷入

incompatible /ˌɪnkəmˈpætəbl/ adj. 不可协
调的，合不来的；不兼容，不能和谐
共存的

记忆 词根记忆：in（不）+compatible（协调
的）→不协调的

incongruity /ˌɪnkɒnˈgruːəti/ n. 不和谐，不
相称；不协调或不一致的事物

记忆 词根记忆：in（不）+congruity（一致，
和谐）→不协调，不相称

incongruous /ɪnˈkɒngruəs/ adj. 不协调的，
不一致的；不适宜的

intimacy /ˈɪntɪməsi/ n. 亲密；隐私

intimate /ˈɪntɪmət/ adj. 亲密的；个人的；
小圈子内的；vt. 暗示；n. 至交，密友

搭配 be intimate with sb. 与某人保持亲密关系

intimate details 隐私

intimate knowledge of... 对…非常了解，熟悉

on intimate terms with sb. 与某人保持亲密关系

irrelevant /ɪ'reləvənt/ *adj.* 不相关的；不切题的

记忆 词根记忆：ir（不）+relevant（有关的）→无相关的

mutual /'mjuːtʃuəl/ *adj.* 相互的；共同的

记忆 词根记忆：mut（变换）+ual（…的）→变换的→互相的

搭配 mutual understanding 相互理解

relation /rɪ'leɪʃn/ *n.* 关系

respective /rɪ'spektɪv/ *adj.* 分别的，各自的，各个的

subsidiary /səb'sɪdiəri/ *adj.* 次要的；辅助的，附设的；*n.* 子公司；附属机构；支流

记忆 词根记忆：sub（在下面）+sidi（=sid 坐）+ary（…的）→坐在下面的→次要的，辅助的

搭配 subsidiary unit 从属单位

a subsidiary company 分公司

substitute /'sʌbstɪtjuːt/ *n.* 代替者（物）；*vt.* 代替，替换

搭配 substitute for 代替

supplant /sə'plɑːnt/ *v.* 取代，替代

记忆 词根记忆：sup（下）+plant（种植，植物）→在下面种上东西把上面的取代掉→取代

sway /sweɪ/ *n.* 统治；势力；支配；控制；影响

Review

From earliest childhood we are so bound up with our system of numeration that it is a fear of imagination to consider the problems faced by early humans who had not yet developed this facility.

从幼儿时期开始，我们就与自身的计算系统密切相关，以至于考虑到还未形成这种能力的早期人类所面临的问题，仅仅是想象就让我们觉得可怕。

（剑桥雅思 6）

语法笔记

本句的主干是 we are so bound up with our system of numeration，so...that... 引导结果状语从句。在结果状语从句中，it 是形式上的主语，实际的主语是 to consider... this facility，其中 who 引导定语从句修饰 humans。

核心词表

childhood /'tʃaɪldhʊd/ *n.* 幼年时代，童年

记忆 合成词：child（小孩）+hood（表时期）
→幼年时代

bound up with 密切相关

system /'sɪstəm/ *n.* 系统，体系；体制

搭配 digestive system 消化系统

同根 systematic *adj.* 系统的

numeration /ˌnjuːmə'reɪʃn/ *n.* 计算

imagination /ɪˌmædʒɪ'neɪʃn/ *n.* 想象

记忆 来自 imagine（*v.* 想象）

consider /kən'sɪdə(r)/ *v.* 考虑；认为

同根 consideration *n.* 考虑

problem /'prɒbləm/ *n.* 问题

搭配 social problem 社会问题

facility /fə'sɪləti/ *n.* 才能；天赋

主题归纳

与"童年"相关的词：

childhood memories 童年的回忆

childhood dream 童年梦想

naive /naɪ'iːv/ *adj.* 幼稚的，天真的，
不成熟的

记忆 联想记忆：native（原始的，土著的）
去掉 t→比土著人还要少一点阅历→
天真的，幼稚的

childish /'tʃaɪldɪʃ/ *adj.* 幼稚的，不成熟的

puerile /'pjʊəraɪl/ *adj.* 幼稚的，孩子气的

juvenile /'dʒuːvənaɪl/ *adj.* 少年的；幼稚的；
n. 未成年人，少年

记忆 词根记忆：juven（年轻）+ile（属于…
的）→少年的；幼稚的

innocent /'ɪnəsnt/ *adj.* 天真的；清白的

记忆 词根记忆：in（不）+noc（伤害）+ent（…的）→单纯无害人之心的→天真的

表达"想象"的词：

conceive /kən'siːv/ *v.* 想象；构想，构思；怀孕

同根 conceivable *adj.* 可想象的

envisage /ɪn'vɪzɪdʒ/ *v.* 展望，想象；面对

搭配 envisage realism 正视现实

envision /ɪn'vɪʒn/ *v.* 想象，展望

fancy /'fænsi/ *n.* 设想；爱好；*vt.* 想象；*adj.* 别致的

imagine /ɪ'mædʒɪn/ *vt.* 想象；猜想

同根 imaginary *adj.* 想象的，假想的

imaginative *adj.* 富有想象力的

unimaginable /ˌʌnɪ'mædʒɪnəbl/ *adj.* 不可思议的，不可想象的

visualize /'vɪʒuəlaɪz/ *v.* 使具体化；想象，设想

记忆 词根记忆：vis（看）+ual+ize（…化）→使（大家）看到→使具体化

形容"才能，天赋"的词：

apt /æpt/ *adj.* 易于…的；适宜的；敏捷的

记忆 本身为词根：适应，能力

aptitude /'æptɪtjuːd/ *n.* 适宜；才能

记忆 联想记忆：感激（gratitude）上苍让你具备这种才能（aptitude）

attainment /ə'teɪnmənt/ *n.* 素养

同根 attain *vt.* 达到；获得

calibre /'kælɪbə(r)/ *n.* 才干，能力；口径

capacity /kə'pæsəti/ *n.* 容量；能力；接受力；宽敞；身份

记忆 词根记忆：cap（拿）+acity（表状态、情况）→能拿住→容量

competent /'kɒmpɪtənt/ *adj.* 有能力的；能胜任的

记忆 词根记忆：com（加强）+pet（力争）+ent（…的）→（敢于）竞争的→有能力

反义 inefficient *adj.*（指人）不能胜任的

creativity /ˌkriːeɪ'tɪvəti/ *n.* 创造力

搭配 creativity and innovation 创新

disable /dɪs'eɪbl/ *v.*（使）丧失能力；（使）伤残

gift /gɪft/ *n.* 天赋；礼物

inborn /ˌɪn'bɔːn/ *adj.* 天生的，天赋的

记忆 词根记忆：in（内）+born（出生）→天生的

inherent /ɪn'hɪərənt/ *adj.* 内在的；固有的

insightful /'ɪnsaɪtful/ *adj.* 富有洞察力的，有深刻见解的

搭配 insightful learning 顿悟学习

intelligence /ɪn'telɪdʒəns/ *n.* 智力

搭配 intelligence quotient 智商

mentality /men'tæləti/ *n.* 心态；智力

记忆 词根记忆：mental（思想，心智）+ity（名词后缀）→心态

potency /'pəʊtnsi/ *n.* 潜能

同根 potential *adj.* 有潜力的

viability /ˌvaɪə'bɪləti/ *n.* 可行性；生存能力

表示"相关，关联"的词：

connect /kə'nekt/ *v.* 连接，衔接；联合；关联，联系；给…接通电话

记忆 词根记忆：con+nect（连接）→连接

搭配 connect with/to... 与…连接

connection /kə'nekʃn/ *n.* 联系，关联

correlation /ˌkɒrə'leɪʃn/ *n.* 相互关系，相关

记忆 词根记忆：cor（共同）+relation（关系）→相互关系

relevance /'reləvəns/ *n.* 中肯，适当；相关性

记忆 词根记忆：re（一再）+lev（举）+ance →不要一再抬高，要中肯一些→中肯

同义 combine *vt.* 使结合

join *vi.* 加入，结合

relevant /'reləvənt/ *adj.* 有关的，相应的；适当的，中肯的；实质性的，有重大意义的

记忆 词根记忆：re（一再）+lev（举）+ant（…的）→不要反复举例子，要相关的论据→相关的

搭配 relevant to 与…相关，有关的，相应的

relevant details 相关细节

同根 irrelevant *adj.* 不相关的；不切题的

Review

Sentence 45

One of my purposes in writing this book is to give readers who haven't had the opportunity to see and enjoy real mathematics the chance to appreciate the mathematical way of thinking.

我写这本书的目的之一是给那些没能看到和享受真正的数学的读者一个机会去欣赏数学的思维方式。

（剑桥雅思 11）

语法笔记

本句的主干是 One of my purposes in writing this book is to give readers the chance to appreciate the mathematical way of thinking，who 引导的定语从句修饰 readers。

核心词表

mathematics /ˌmæθə'mætɪks/ *n.* 数学

同根 mathematical *adj.* 数学的

chance /tʃɑːns/ *n.* 机会；机遇

搭配 chance to do sth. 做某事的机会

appreciate /ə'priːʃɪeɪt/ *v.* 赏识，鉴赏；感激；增值

记忆 词根记忆：ap（加强）+preci（价值）+ate（做）→对价值给予肯定→赏识

搭配 appreciate doing sth. 对做某事表示感激

同根 appreciation *n.* 欣赏，感激

appreciative *adj.* 感激的，表示赞赏的

appreciable *adj.* 值得重视的；可觉察到的

主题归纳

与"算数"有关的词：

accuracy /'ækjərəsi/ *n.* 正确度；精确性

同根 accurate *adj.* 正确无误的；精确的

inaccurate *adj.* 错误的

algebra /'ældʒɪbrə/ *n.* 代数，代数学

altitude /'æltɪtjuːd/ *n.* 海拔，高度；[pl.] 高地

记忆 词根记忆：alt（高）+itude（表状态）→海拔，高度

approximate /ə'prɒksɪmət/ *adj.* 近似的；/ə'prɒksɪmeɪt/ *vt.* 近似

同根 approximately *adv.* 近似地，大约

arc /ɑːk/ *n.* 弧

arithmetic /ə'rɪθmətɪk/ *n.* 算术

记忆 联想记忆：数学（mathematic）包括算术（arithmetic）

ascending /ə'sendɪŋ/ *adj.* 上升的，向上的

同根 ascend *v.* 攀登；上升

assumption /ə'sʌmpʃn/ *n.* 假定

同根 assume *v.* 假定

calculus /'kælkjələs/ *n.* 微积分

complementary /ˌkɒmplɪ'mentri/ *adj.* 互补的；补充的，补足的

记忆 词根记忆：complement（补充物）+ary（…的）→互补的

congruent /'kɒŋgruənt/ *adj.* 全等的

coordinate /kəʊ'ɔːdɪneɪt/ *n.* 坐标（用复数）

cube /kjuːb/ *n.* 立方形；立方

同根 cubic *adj.* 立方体的

decimal /'desɪml/ *adj.* 十进制的；*n.* 小数

denominator /dɪ'nɒmɪneɪtə(r)/ *n.* 分母

derivative /dɪ'rɪvətɪv/ *n.* 导数

deviation /ˌdiːvi'eɪʃn/ *n.* 离差

记忆 词根记忆：de（离开）+vi（道路）+ation →偏离道路→离差

divide /dɪ'vaɪd/ *v.* 分开；除；使产生分歧

搭配 divide into 分成

　　　divide sth. from sth. 把某物和某物分开

enumerate /ɪ'njuːməreɪt/ *vt.* 枚举；计数

记忆 词根记忆：e（加强）+numer（数，计数）+ate →用数表示→计数

error /'erə(r)/ *n.* 错误

搭配 error message 错误信息

even /'iːvn/ *adj.* 偶数的

反义 odd *adj.* 奇数的

exponent /ɪk'spəʊnənt/ *n.* 指数

formula /'fɔːmjələ/ *n.* 公式；配方

搭配 mathematical formula 数学公式

hyperbola /haɪ'pɜːbələ/ *n.* 双曲线

infinity /ɪn'fɪnəti/ *n.* 无限，无穷大

记忆 词根记忆：in（无）+fin（范围）+ity →无限

intersect /ˌɪntə'sekt/ *v.* 相交

同根 intersection *n.* 交点；道路交叉口

invariance /ɪn'veəriəns/ *n.* 不变性，恒定性

记忆 词根记忆：in（不）+vari（变化）+ance（表性质）→不变性

logarithm /'lɒgərɪðəm/ *n.* 对数

maximize /'mæksɪmaɪz/ *v.* 使最大化；充分利用

记忆 词根记忆：maxim（大，高）+ize（…化）→使最大化

multiply /'mʌltɪplaɪ/ *v.* （使）增加；乘

numerator /'njuːməreɪtə(r)/ *n.* 分子

pentagon /'pentəgən/ *n.* 五边形，五角形

记忆 词根记忆：penta（五）+gon（角）→五角形

percentage /pə'sentɪdʒ/ *n.* 百分率，百分比

记忆 词根记忆：percent（百分比）+age（表状态）→百分比，百分率

permutation /ˌpɜːmju'teɪʃn/ *n.* 排列

power /'paʊə(r)/ *n.* 乘方；幂

progression /prə'greʃn/ *n.* 级数；前进

quadrant /'kwɒdrənt/ *n.* 象限

记忆 词根记忆：quadr（四）+ant →由四个部分组成→象限

quotient /'kwəʊʃnt/ *n.* 商

sequence /'siːkwəns/ *n.* 序列；连续

记忆 词根记忆：sequ（跟随）+ence（状态）→一个跟一个→连续

slope /sləʊp/ *n.* 斜率

statistics /stə'tɪstɪks/ *n.* 统计资料，统计学

搭配 reliable statistics 可靠的统计数字

summation /sʌ'meɪʃn/ *n.* 总和

记忆 词根记忆：summ（加）+ation（行为）→总和

addition /əˈdɪʃn/ *n.* 加，增加（物）

记忆 词根记忆：add（加）+ition（表名词）
→加，增加

classification /ˌklæsɪfɪˈkeɪʃn/ *n.* 分类；级别

记忆 来自 classify（*v.* 把…分类）

combination /ˌkɒmbɪˈneɪʃn/ *n.* 组合；结合；
结合体

记忆 来自 combine（*v.* 结合）

dimension /daɪˈmenʃn/ *n.*（长、宽、厚、深）
度；维；面积

同根 dimensional *adj.* 空间的

fraction /ˈfrækʃn/ *n.* 分数；小部分

记忆 词根记忆：frac（碎裂）+tion →碎的部
分→小部分

function /ˈfʌŋkʃn/ *n.* 函数

equation /ɪˈkweɪʒn/ *n.* 方程（式）；等同

搭配 identical equation 恒等式

与"几何学"有关的词：

circumference /səˈkʌmfərəns/ *n.* 圆周

记忆 词根记忆：circum（环绕）+fer（带来）+
ence（表状态）→来环绕一圈→圆周

cone /kəʊn/ *n.* 圆锥

cylinder /ˈsɪlɪndə(r)/ *n.* 圆柱体

记忆 词根记忆：cylind（卷）+er →卷成卷→
圆柱体

diameter /daɪˈæmɪtə(r)/ *n.* 直径

记忆 词根记忆：dia（穿过）+meter（测量）
→穿过圆心测量→直径

ellipse /ɪˈlɪps/ *n.* 椭圆，椭圆形

记忆 词根记忆：el（=e 出）+lips（离开）+e
→（圆的边）偏离圆心→椭圆

geometry /dʒiˈɒmətri/ *n.* 几何学

同根 geometric *adj.* 几何的，几何学的

perimeter /pəˈrɪmɪtə(r)/ *n.* 周长，周界

记忆 词根记忆：peri（周围）+meter（测量）
→周长

polygon /ˈpɒliˌɡɒn/ *n.* 多边形

记忆 词根记忆：poly（多）+gon（角）→多
边形

radius /ˈreɪdiəs/ *n.* 半径

记忆 词根记忆：radi（光线）+us →半径就像
是从一点发出 N 多光线，它们距离都相
等→半径

rectangle /ˈrektæŋɡl/ *n.* 长方形，矩形

记忆 词根记忆：rect（直）+angle（角）→每
个角均为直角的多边形→长方形

square /skweə(r)/ *n.* 正方形；平方

symmetry /ˈsɪmətri/ *n.* 对称（性）；匀称

反义 asymmetry *n.* 不对称

triangle /ˈtraɪæŋɡl/ *n.* 三角（形）

记忆 词根记忆：tri（三）+angle（角）→三角

We have also negotiated a range of benefits for staff such as discounted private healthcare and a car purchase scheme, along with a number of one-off deals with hotels and amusement parks.

我们也已经为员工争取到一系列优惠福利，例如享受带有折扣的私人医疗保健、购车计划以及一些与酒店和游乐场的一次性交易。

（剑桥雅思9）

语法笔记

本句的主干是 We have also negotiated a range of benefits for staff。such as 是列举，对 a range of benefits 进行补充说明。

核心词表

negotiate /nɪ'gəʊʃieɪt/ v. 洽谈，协商；顺利通过

range /reɪndʒ/ n. 范围，界限；成套产品；射程；（山）脉；v. 排列；包括；涉及

记忆 本身为词根，意为：排列，顺序

搭配 range between 范围在…与…之间不等

a wide range of 范围广的，多方面的，一大片

a range of 一排，一行，一系列

range from 延伸；（在一定程度或范围内）变动，变化

同根 ranger n. 护林员

benefit /'benɪfɪt/ n. 益处，好处；恩惠；救济金，保险金，津贴；v. 有益于，得益

记忆 词根记忆：bene（善，好）+fit→利益，好处

搭配 benefit from/by 从…得益，受益，得到好处

material benefit 物质利益

for the benefit of 为了…的利益（好处）

social benefits 社会效益

同义 advantage n. 好处

同根 beneficial adj. 有益的

discounted /dɪs'kaʊntɪd/ adj. 折扣的

private /'praɪvət/ adj. 私人的；私下的；私立的

记忆 词根记忆：priv（私有的）+ate（具有…的）→私人的

同义 secret adj. 秘密的；机密的

personal adj. 个人的

healthcare /'helθkeə(r)/ n. 医疗保健，健康护理

搭配 healthcare system 医疗保健体系

purchase /'pɜːtʃəs/ v. 买，购买；n. 购买的物品

记忆 联想记忆：pur+chase（追逐）→为了得到紧俏的商品而竞相追逐→购买

搭配 purchase from... 从…处购买

同义 buy v. 买

同根 purchaser n. 购买者

scheme /skiːm/ n. 计划，方案；阴谋；安排；配置；v. 计划，密谋，策划；阴谋

记忆 联想记忆：教学大纲（schema）是学习的计划（scheme）

along with 和…一起，随着；以及；连同

one-off /ˌwʌn 'ɒf/ *adj.* 一次性的；非经常的

主题归纳

与"协商，谈判"有关的词：

coordinate /kəʊˈɔːdɪneɪt/ *v.* 协调，调节；配合

搭配 coordinate...with... 使…协调

coordination /kəʊˌɔːdɪˈneɪʃn/ *n.* 协调

搭配 in coordination with... 与…协调

coordinator /kəʊˈɔːdɪneɪtə(r)/ *n.* 协调者

consult /kənˈsʌlt/ *vt.* 请教；查阅；商议

记忆 联想记忆：不顾侮辱（insult），不耻请教（consult）

同根 consultation *n.* 请教；咨询

convention /kənˈvenʃn/ *n.* 大会，会议；惯例，常规，习俗；公约，协定

记忆 词根记忆：con（共同）+vent（来）+ion→大家共同来遵守的东西→习俗

同义 meeting *n.* 会议
conference *n.* 会议

intercede /ˌɪntəˈsiːd/ *v.* 调解；求情

amusement /əˈmjuːzmənt/ *n.* 消遣，娱乐；乐趣

记忆 词根记忆：amuse（使愉快）+ment（表名词）→娱乐

记忆 词根记忆：inter（在…之间）+ced（行走）+e→在两者中间走→调解

negotiable /nɪˈɡəʊʃiəbl/ *adj.* 可通过谈判解决的；可协商的

pact /pækt/ *n.* 协定，条约

reconcile /ˈrekənsaɪl/ *v.* （与某人）和解，和好

记忆 词根记忆：re（再）+con+cil（召集）+e→（双方）再次召到一起→和解

reconciliation /ˌrekənsɪliˈeɪʃn/ *n.* 调解，协调；和解

treaty /ˈtriːti/ *n.* 条约，协议；谈判

记忆 词根记忆：treat（处理）+y→处理（纷争的文件）→条约

unanimity /ˌjuːnəˈnɪməti/ *n.* 一致同意

与"娱乐，消遣"有关的词：

amuse /əˈmjuːz/ *v.* 娱乐；消遣；使发笑

distraction /dɪˈstrækʃn/ *n.* 注意力分散，分心；分心的事物；娱乐，放松

entertain /ˌentəˈteɪn/ *v.* 招待，款待；使娱乐；使欢乐

记忆 词根记忆：enter（进入）+tain（拿住）→在（工作）中间抓住时间（休息）→使娱乐

搭配 entertain sb. with... 用…娱乐/款待某人

leisure /ˈleʒə(r)/ *n.* 空闲时间，悠闲

搭配 leisure wear 便装

　　　at leisure 清闲

leisured /'leʒəd/ *adj.* 有空闲的

pastime /'pɑːstaɪm/ *n.* 娱乐，消遣

recess /rɪ'ses/ *n./v.* 休假；休息

搭配 at recess 在休息时间

recreate /ˌriːkri'eɪt/ *v.*（使）得到休养，（使）得到娱乐

记忆 词根记忆：re（一再）+cre（做）+ate（使…）→一再做（放松活动）→（使）得到娱乐

recreation /ˌrekri'eɪʃn/ *n.* 娱乐，消遣

搭配 recreation area 娱乐休闲区

recreational /ˌrekri'eɪʃənl/ *adj.* 娱乐的，消遣的；休养的

relaxation /ˌriːlæk'seɪʃn/ *n.* 放松；缓和；消遣

repose /rɪ'pəʊz/ *n.* 休息；休憩；闲适

记忆 词根记忆：re（一再）+pos（放）+e →一再放下（工作）→休息

slacken /'slækən/ *v.*（使）松弛，放松；放慢

vacation /və'keɪʃn/ *v.* 休假；度假；*n.* 假期

搭配 vacation tour 度假旅游

　　　on vacation 在度假中

与"福利，利益"有关的词：

entitlement /ɪn'taɪtlmənt/ *n.* 权利；津贴

subsidise /'sʌbsɪdaɪz/ *v.* 资助，津贴

welfare /'welfeə(r)/ *n.* 福利；安宁，幸福

搭配 welfare work 福利事业

　　　welfare benefits 福利待遇

well-being /'wel biːɪŋ/ *n.* 安宁，福利

记忆 合成词：well（好，健康）+being（存在）→安宁，福利

Sentence
47

For many enthusiasts, the ultimate flight fantasy is the jet pack, a small piece of equipment on your back which enables you to climb vertically into the air and fly forwards, backwards and turn.

对许多爱好者来说，终极飞行幻想就是喷气背包，这是一种放置在背部的小型设备，使你能够垂直升空，向前或向后飞行，也能调头转弯。

（剑桥雅思9）

语法笔记

本句的主干是 the ultimate flight fantasy is the jet pack。在这句话中，a small piece of equipment on your back... backwards and turn 作 the jet pack 的同位语，解释说明 jet pack。which 引导定语从句，修饰先行词 equipment。

核心词表

enthusiast /ɪnˈθjuːziæst/ *n.* 热衷于…的人；热心者；爱好者

flight /flaɪt/ *n.* 飞行，飞翔

fantasy /ˈfæntəsi/ *n.* 幻想；想象

jet /dʒet/ *n.* 喷气式飞机

pack /pæk/ *v.* （把…）打包；塞满；*n.* 包

equipment /ɪˈkwɪpmənt/ *n.* 设备，装备

enable /ɪˈneɪbl/ *v.* 使能够，使成为可能

记忆 词根记忆：en（使…）+able（能够的）→使能够，使成为可能

搭配 enable sb. to do sth. 使某人能够做某事

climb /klaɪm/ *n./v.* 上升，增长

vertically /ˈvɜːtɪkli/ *adv.* 垂直地；直立地

forwards /ˈfɔːwədz/ *adv.* 向前方

backwards /ˈbækwədz/ *adv.* 向后的

主题归纳

形容"狂热，热衷"的词：

crazy /ˈkreɪzi/ *adj.* 热衷的；狂热的

devoted /dɪˈvəʊtɪd/ *adj.* 爱好的；热衷的；致力（于…）的

fanatic /fəˈnætɪk/ *n.* （对某一活动、运动、生活方式）入迷者，痴狂者

fanaticism /fəˈnætɪsɪzəm/ *n.* 狂热；着迷
搭配 religious fanaticism 宗教狂热

frenetic /frəˈnetɪk/ *adj.* 发狂似的；狂热的

frenzy /ˈfrenzi/ *n.* 狂热；狂乱；疯狂

furor /ˈfjʊərɔː(r)/ *n.* 喧闹；狂热；狂怒；抗议

mania /ˈmeɪniə/ *n.* 强烈的欲望，狂热，极大的热情

zealotry /ˈzelətri/ *n.* 狂热分子的态度（或行为）

形容"热情"的词：

ardent /'ɑːdnt/ *adj.* 热情的

搭配 ardent passion 热情

ardor /'ɑːdə(r)/ *n.* 激情；狂热；热情，热忱

cordial /'kɔːdiəl/ *adj.* 热诚的

搭配 cordial hospitality 盛情接待

enthusiasm /ɪn'θjuːziæzəm/ *n.* 热情

搭配 an outburst of enthusiasm 热情奔放

enthusiastic /ɪn,θjuːzi'æstɪk/ *adj.* 热情的；热心的

搭配 enthusiastic applause 热烈的掌声

enthusiastic reception 热诚的接待

fervent /'fɜːvənt/ *adj.* 热情的，热诚的，热烈的

fervor /'fɜːvə(r)/ *n.* 热情，热烈

搭配 patriotic fervor 爱国热情

passionate /'pæʃənət/ *adj.* 充满激情的，热切的，强烈的

记忆 词根记忆：passion（激情）+ate（具有…的）→充满激情的

verve /vɜːv/ *n.* 热忱；（人的）生机，精力

zeal /ziːl/ *n.* 热情

搭配 zeal for 对…的热情

zealous /'zeləs/ *adj.* 热情的，积极的；狂热的

搭配 be zealous in... 热心于…

zest /zest/ *n.* 热情；狂热

表示"渴望，追求"的词：

ache for 渴望

aspire /ə'spaɪə(r)/ *v.* 渴望，有志于

记忆 加强记忆：a（加强）+spir（呼吸）+e →看到渴望的东西就呼吸急促→渴望

court /kɔːt/ *v.* 试图获得；博得

crave /kreɪv/ *v.* 渴望

搭配 crave for 渴望

desirable /dɪ'zaɪərəbl/ *adj.* 令人向往的；可取的；值得拥有的；值得做的

desire /dɪ'zaɪə(r)/ *n.* 愿望；欲望；渴望；*v.* 渴望；期望；想望

desirous /dɪ'zaɪərəs/ *adj.* 渴望的

desperate for 极度渴望…

hunger /'hʌŋgə(r)/ *n.* （对某事物的）渴望，渴求；饥饿

搭配 hunger for 渴望

long /lɒŋ/ *vi.* 渴望

搭配 long for 渴望

reverie /'revəri/ *n.* 幻想；白日梦

yearn /jɜːn/ *vi.* 渴望；怀念

搭配 yearn for 渴望

yen /jen/ *vi.* 渴望

与"方向，方位"有关的词：

clockwise /'klɒkwaɪz/ *adj.* 顺时针方向的；*adv.* 顺时针方向地

decline /dɪ'klaɪn/ *n.* 斜面，倾斜

disorientate /dɪs'ɔːriənteɪt/ *v.* 使失去方向感；使（某人）神智迷乱

incline /ɪn'klaɪn/ *v.* （使）倾斜；（使）倾向于；易于；/'ɪnklaɪn/ *n.* 倾斜；斜面，斜坡

orientate /ˈɔːriənteɪt/ *v.* （使）适应；给…
定位；使朝向，转至特定方向

slope /sləʊp/ *n.* 斜坡；倾斜；*v.* （使）倾斜

uphill /ˌʌpˈhɪl/ *adv.* 向上，往上；艰难地

Review

Sentence 48

The typical way of talking to a baby—high-pitched, exaggerated and repetitious—is a source of fascination for linguists who hope to understand how "baby talk" impacts on learning.

对那些希望了解"婴儿牙牙学语声"是如何影响学习的语言学家来说，与婴儿高声调的、夸张的、重复的典型说话方式令语言学家感兴趣。

（剑桥雅思 13）

语法笔记

本句的主干是 The typical way of talking to a baby is a source of fascination for linguists。破折号之间的内容作插入语，解释说明 The typical way of talking to a baby，who 引导定语从句，修饰 linguists。

核心词表

typical /ˈtɪpɪkl/ *adj.* 典型的

记忆 词根记忆：typ（模式）+ical（…的）→成为模式的→典型的

同根 typically *adv.* 典型地

high-pitched /ˌhaɪ ˈpɪtʃt/ *adj.* 声调高的

记忆 词根记忆：high（高）+pitch（音高）+ed（…的）→声调高的

exaggerated /ɪgˈzædʒəreɪtɪd/ *adj.* 夸张的

记忆 词根记忆：ex（出）+agger（堆积）+ate（使…）+(e)d（…的）→使越堆越高的→夸张的

同根 exaggerate *v.* 夸大，夸张

exaggeration *n.* 夸张

repetitious /ˌrepəˈtɪʃəs/ *adj.* 重复的

记忆 来自 repeat（*vt.* 重说；重做）

同根 repetition *n.* 重复；副本

source /sɔːs/ *n.* 根源；来源

搭配 at source 在源头

fascination /ˌfæsɪˈneɪʃn/ *n.* 着迷；令人着迷的事物

记忆 联想记忆：fasc（看作 fast，牢固的）+in（里面的）+ation →牢牢地陷在里边→使着迷

同根 fascinate *v.* 强烈地吸引，使着迷

linguist /ˈlɪŋgwɪst/ *n.* 语言学家

记忆 词根记忆：lingu（语言）+ist（从事某项研究的人）→语言学家

同根 linguistic *adj.* 语言的，语言学的

主题归纳

表示"夸张"的词：

boast /bəʊst/ *v./n.* 自夸；夸耀

记忆 联想记忆：烤鸭（roast duck）值得夸耀（boast）

boastful /'bəʊstfl/ *adj.* 好自夸的

bombastic /bɒm'bæstɪk/ *adj.* 辞藻华丽而空洞的

brag /bræg/ *v.* 自夸，吹嘘

magniloquent /mæg'nɪləkwənt/ *adj.* 言语夸张的

记忆 词根记忆：magni（大）+loqu（说话）+ent（关于…的）→说大话的→言语夸张的

overstate /ˌəʊvə'steɪt/ *v.* 夸大的叙述，夸张

记忆 合成词：over（过分）+state（说）→夸张

pretentious /prɪ'tenʃəs/ *adj.* 自命不凡的，自负的

记忆 词根记忆：pre（预先）+tent（伸展）+ious（…的）→将优势伸展的→自命不凡的

与"理解，了解"有关的词：

acquaint /ə'kweɪnt/ *v.* （使）认识；（使）熟悉

同根 acquaintance *n.* 认识；了解

ambiguous /æm'bɪgjuəs/ *adj.* 含糊其辞的；意向不明的

搭配 an ambiguous smile 用意含糊的微笑

apprehend /ˌæprɪ'hend/ *vt.* 了解，明白

记忆 词根记忆：ap（加强）+prehend（抓）→（被）抓住→逮捕；抓住（意思）→了解，明白

comprehend /ˌkɒmprɪ'hend/ *v.* 理解；包含

记忆 词根记忆：com（加强）+prehend（抓住）→牢牢抓住→理解

同根 comprehensible *adj.* 能充分理解的

comprehension *n.* 理解

comprehension /ˌkɒmprɪ'henʃn/ *n.* 理解；理解力

evident /'evɪdənt/ *adj.* 明显的

记忆 词根记忆：e（出）+vid（看）+ent（…的）→看出来的→明显的

explicit /ɪk'splɪsɪt/ *adj.* 明确的；清楚的；详述的

记忆 词根记忆：ex（出）+plic（重叠）+it→（说话）不啰嗦的→清楚的

grasp /grɑːsp/ *vt.* 抓紧；掌握；*n.* 抓

记忆 联想记忆：他见到她宛如抓住（grasp）一根救命稻草（grass）

ignorance /'ɪgnərəns/ *n.* 无知；不知道

搭配 ignorance about 不知…

ignorant /'ɪgnərənt/ *adj.* 无知的

搭配 ignorant of the law 不懂法律

intelligible /ɪn'telɪdʒəbl/ *adj.* 容易理解的；清楚的

反义 unintelligible *adj.* 难解的，无法了解的

incomprehensible *adj.* 不能理解的，难于领悟的

tangibly /'tændʒəbli/ *adv.* 可触摸地；明白地

同根 tangible *adj.* 有形的；可触摸的

intangible *adj.* 无形的；难以理解的

understandable /ˌʌndə'stændəbl/ *adj.* 可以理解的；可同情的

understanding /ˌʌndə'stændɪŋ/ *n.* 理解；谅解；*adj.* 体谅的；宽容的

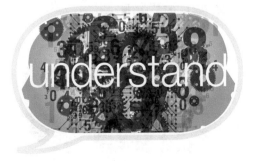

与"婴儿语言学习"有关的词:

acquisition /ˌækwɪˈzɪʃn/ *n.* 取得;获得物

同根 acquire *vt.* 取得,获得

alphabet /ˈælfəbet/ *n.* 字母表

同根 alphabetical *adj.* 按字母表顺序的;字母的

first-language acquisition 母语习得

language acquisition 语言习得

language study 语言学习

mother tongue 母语

native language 本国语言

oral /ˈɔːrəl/ *adj.* 口头的,口述的

搭配 oral communication 口头交流

phonetic /fəˈnetɪk/ *adj.* 语音的

记忆 词根记忆:phon(声音)+et+ic(…的)
→语音的

pronounce /prəˈnaʊns/ *v.* 发音;宣称

记忆 词根记忆:pro(在前)+nounc(说)+e
→在前面说→宣布

搭配 pronounce sentence 宣判

pronounceable /prəˈnaʊnsəbl/ *adj.*(指声音)发得出的;(指词)可发音的

记忆 词根记忆:pronounce(发音)+able
(可…的)→(指词)可发音的

spoken language 口语

形容"说话方式"的词:

accost /əˈkɒst/ *vt.*(以不怀好意的态度)上前和(陌生人)说话

chat /tʃæt/ *v./n.* 闲谈,聊天

搭配 chat with... 和…聊天

coax /kəʊks/ *vt.* 劝诱,哄

搭配 coax sb. to do sth. 哄某人做某事

colloquial /kəˈləʊkwiəl/ *adj.* 白话的;通俗的;口语体的

记忆 词根记忆:col(共同)+loqu(说话)+
ial(…的)→两人一起说→口语体的

confide /kənˈfaɪd/ *vt.* 吐露

记忆 词根记忆:con(加强)+fid(相信)+e
→值得相信→吐露

declaim /dɪˈkleɪm/ *v.* 慷慨陈词

记忆 词根记忆:de(使…加强)+claim(呼
喊)→大声呼喊→慷慨陈词

dumb /dʌm/ *adj.* 哑的,无说话能力的;
不说话的,无声音的

搭配 be struck dumb with 因…说不出话来

同义 mute *adj.* 哑的

speechless *adj.* 无言的

voiceless *adj.* 无声的

effuse /ɪˈfjuːz/ *v.* 流出;吐露

记忆 词根记忆:ef(出)+fus(流)+e →流出
→吐露

equivocate /ɪˈkwɪvəkeɪt/ *vi.* 含糊其辞

记忆 词根记忆:equi(相等)+voc(声音)
+ate →大家都说一样的话,无人表态→
含糊其辞

excuse /ɪkˈskjuːs/ *n.* 借口;

/ɪkˈskjuːz/ *vt.* 原谅

搭配 excuse for …的借口

gabble /'gæbl/ *v.* 急促不清的说话

gossip /'gɒsɪp/ *n.* 小道传闻；闲话；爱说长道短的人；*v.* 闲聊；传播流言蜚语

搭配 gossip with sb. about sth. 和某人说长道短

grumble /'grʌmbl/ *n./v.* 抱怨，牢骚

搭配 grumble at 对…表示不满

grumble over 埋怨

hearsay /'hɪəseɪ/ *n.* 传闻，谣言

搭配 hearsay evidence 传闻证据；非直接证据

hoarse /hɔːs/ *adj.* （声音）嘶哑的

搭配 hoarse voice 沙哑的声音

hubbub /'hʌbʌb/ *n.* （人群的）喧闹声

nonsense /'nɒnsns/ *n.* 废话

搭配 cut the nonsense 不要胡说

oration /ɔː'reɪʃn/ *n.* （正式的）演说

记忆 词根记忆：ora（说）+tion →演说

outwit /ˌaʊt'wɪt/ *vt.* （智力上）超过；智胜

记忆 词根记忆：out（超过）+wit（机智）→以机智取胜→智胜

rumble /'rʌmbl/ *vi.* 发出持续而低沉的声音；*n.* 低沉的声音

solicit /sə'lɪsɪt/ *v.* 请求，恳求

搭配 solicit sth. from sb. 向某人恳求某事

Review

Sentence 49

Psychologists have long held that a person's character cannot undergo a transformation in any meaningful way and that the key traits of personality are determined at a very young age.

心理学家们一直认为，一个人的性格不可能以任何有意义的方式发生转变，人格的关键特征在很小的时候就确定了。

（剑桥雅思 10）

语法笔记

本句的主干是 Psychologists have long held that...。句中 that 引导宾语从句。that a person's character... meaningful way 和 that the key traits... young age 通过 and 构成并列结构，一起作 held 的宾语。

核心词表

psychologist /saɪˈkɒlədʒɪst/ *n.* 心理医生，心理学家

搭配 an educational psychologist 一位教育心理学家

character /ˈkærəktə(r)/ *n.* 性格；特性；人物；（书写或印刷）符号，（汉）字

记忆 联想记忆：char+acter（看作 actor，演员）→演员刻画人物性格，惟妙惟肖→性格

搭配 character traits 性格特征

character flaws 性格缺陷

cartoon characters 卡通人物

in character 适合

out of character 不适合；不相称

undergo /ˌʌndəˈgəʊ/ *v.* 经历，经受

transformation /ˌtrænsfəˈmeɪʃn/ *n.* （彻底的）变化，改观

meaningful /ˈmiːnɪŋfl/ *adj.* 有目的的；有意义的

记忆 词根记忆：meaning（意义）+ful（有…的）→有意义的

trait /treɪt/ *n.* 特性

同义 attribute *n.* 特性

personality /ˌpɜːsəˈnæləti/ *n.* 人格，个性；名人

搭配 multiple personality 多重人格

主题归纳

形容"正面性格"的词：

adorable /əˈdɔːrəbl/ *adj.* 可爱的

同根 adore *vt.* 喜爱

ambitious /æmˈbɪʃəs/ *adj.* 雄心壮志的

同根 ambition *n.* 雄心

aspiring /əˈspaɪərɪŋ/ *adj.* 有志气的，有抱负的

同根 aspire *v.* 有志于

bravery /ˈbreɪvəri/ *n.* 勇敢；勇气

同根 brave *adj.* 勇敢的

brilliant /'brɪliənt/ *adj.* 有才气的

搭配 brilliant mind 聪明头脑

courageous /kə'reɪdʒəs/ *adj.* 勇敢的，有胆量的

同根 courage *n.* 勇气

daring /'deərɪŋ/ *adj.* 大胆的

fearless /'fɪələs/ *adj.* 勇敢的，无畏的

forgiving /fə'ɡɪvɪŋ/ *adj.* 宽大的，宽容的

搭配 forgiving heart 宽容的心

genial /'dʒiːniəl/ *adj.* 亲切的，和蔼的

同义 amiable *adj.* 和蔼可亲的

humorous /'hjuːmərəs/ *adj.* 幽默的

同根 humor *n.* 幽默

independent /ˌɪndɪ'pendənt/ *adj.* 独立的

搭配 independent thinking 独立思考

ingenuous /ɪn'dʒenjuəs/ *adj.* 纯朴的，单纯的

同义 naive *adj.* 天真的

intrepid /ɪn'trepɪd/ *adj.* 勇敢的，无畏的

同根 intrepidity *n.* 无畏

perfect /'pɜːfɪkt/ *adj.* 完美的

同根 perfection *n.* 完美

quick wit 机敏，急智

romantic /rəʊ'mæntɪk/ *adj.* 浪漫的

同根 romanticism *n.* 浪漫主义

spunky /'spʌŋki/ *adj.* 活力四射的

形容"负面性格"的词：

arbitrary /'ɑːbɪtrəri/ *adj.* 专断的，武断的

arrogant /'ærəɡənt/ *adj.* 傲慢的，自大的

同义 haughty *adj.* 傲慢的

bad-tempered /ˌbæd 'tempəd/ *adj.* 坏脾气的

barbaric /bɑː'bærɪk/ *adj.* 野蛮的

同义 savage *adj.* 野蛮的

bossy /'bɒsi/ *adj.* 专横的；爱指挥他人的

conceited /kən'siːtɪd/ *adj.* 自负的

同根 conceit *n.* 自负

dishonest /dɪs'ɒnɪst/ *adj.* 不诚实的

反义 honest *adj.* 诚实的

foxy /'fɒksi/ *adj.* 狡猾的

同义 crafty *adj.* 狡诈的

hasty /'heɪsti/ *adj.* 草率的

同根 haste *n.* 草率

　　hasten *v.* 使加快

hypocritical /ˌhɪpə'krɪtɪkl/ *adj.* 虚伪的

同根 hypocrisy *n.* 虚伪

impatient /ɪm'peɪʃnt/ *adj.* 不耐烦的，急躁的

搭配 be impatient with 对…感到不耐烦

irresponsible /ˌɪrɪ'spɒnsəbl/ *adj.* 不负责任的

反义 responsible *adj.* 负责的

irritable /'ɪrɪtəbl/ *adj.* 急躁的，易怒的

同根 irritation *n.* 刺激

passive /'pæsɪv/ *adj.* 消极的

同义 inactive *adj.* 消极的

quarrelsome /ˈkwɒrəlsəm/ *adj.* 爱争吵的

rude /ruːd/ *adj.* 粗鲁的

selfish /ˈselfɪʃ/ *adj.* 自私的

搭配 selfish behavior 自私行为

vulgar /ˈvʌlgə(r)/ *adj.* 粗俗的

同根 vulgarity *n.* 粗俗

weird /wɪəd/ *adj.* 怪异的

同义 odd *adj.* 古怪的

Review

It was only when the hull was hanging freely from the lifting frame, clear of the seabed and the suction effect of the surrounding mud, that the salvage operation progressed to the second stage.

只有当船体顺利地悬挂在吊架上，离开海底和远离周围泥浆的吸力作用时，打捞工作才进入第二阶段。 （剑桥雅思 11）

语法笔记

本句是一个"It was+ 被强调部分 +that"结构的强调句，被强调的部分是 when 引导的时间状语从句。clear of the seabed and the suction effect of the surrounding mud 作插入语，解释说明 the hull 的状态。

核心词表

hull /hʌl/ *n.* 船体；（种子的）外壳

hang /hæŋ/ *v.* 悬挂；绞死；垂下

搭配 hang out with 跟…闲逛

lift /lɪft/ *vt.* 提，举

搭配 lift up 拿起

frame /freɪm/ *n.* 框架；*vt.* 给…镶框

clear of sth. 不碰到某物，没有某物阻碍

seabed /'siːbed/ *n.* 海底，海床

记忆 合成词：sea（海）+bed（床）→海床

suction /'sʌkʃn/ *n.* （对空气或液体）吸，抽吸

surrounding /sə'raʊndɪŋ/ *adj.* 周围附近的

搭配 surrounding ground 周围土地

同根 **surround** *v.* 包围，环绕
surroundings *n.* 周围的事物，环境

mud /mʌd/ *n.* 泥，泥浆

搭配 in the mud 在泥里

salvage /'sælvɪdʒ/ *n./v.* （在灾难中）抢救

记忆 词根记忆：salv（救助）+age（表行为）→救助行为→抢救

progress /'prəʊgres/ *n.* 进步；进展；前进；
/prə'gres/ *v.* 进步；进展；前进

同根 **progressive** *adj.* 进步的
progression *n.* 前进；连续

stage /steɪdʒ/ *n.* 舞台；戏剧；阶段

主题归纳

与"海洋地质环境"有关的词：

cape /keɪp/ *n.* 海角，岬

搭配 Cape of Good Hope 好望角

channel /'tʃænl/ *n.* 海峡；航道

搭配 stream channel 有海流的海峡

coast /kəʊst/ *n.* 海岸

同根 coastal *adj.* 沿海的；海岸的

gulf /gʌlf/ *n.* 海湾

搭配 the Gulf Stream 墨西哥湾流

inlet /'ɪnlet/ *n.* 入口；水湾

记忆 词根记忆：in（进入）+let（让）→让…进入的地方→入口

islet /'aɪlət/ *n.* 小岛

main stream 主干流

maritime /'mærɪtaɪm/ *adj.* 海的，海事的；海运的

记忆 词根记忆：mari（海洋）+time →海的

ocean current 洋流

oceanic basin 海盆

oceanic ridge 海岭

oceanic trench 海沟

offshore /ˌɒfˈʃɔː(r)/ *adj.* 近海的；离岸的；*adv.* 向海；离岸

搭配 offshore platform 海上平台

saline /'seɪlaɪn/ *adj.* 含盐的，咸的

记忆 词根记忆：sal（盐）+ine（…的）→含盐的，咸的

sea level 海平面

sediment /'sedɪmənt/ *n.* 沉淀物；沉积物（如沙、砾、石、泥等）

同根 sedimentation *n.* 沉淀

sedimentary *adj.* 沉积的

shallow /'ʃæləʊ/ *adj.* 浅的；*n.* 浅滩

搭配 shallow water 浅水区

strait /streɪt/ *n.* 海峡；困境

搭配 Bering strait 白令海峡

submarine /ˌsʌbməˈriːn/ *n.* 潜水艇；*adj.* 水下的，海底的

搭配 submarine cable 海底电缆

与"海洋考古"有关的词：

ancient /'eɪnʃənt/ *adj.* 古老的；年老的

记忆 发音记忆："安神的"→那古老的旋律让人心安神宁

antique /æn'tiːk/ *n.* 古物，古董；*adj.* 古时的

记忆 词根记忆：antiq（古老）+ue →古时的

搭配 antique shop 古董店

antique furniture 古董家具

antiquity /æn'tɪkwəti/ *n.* 古代；古迹；古老

记忆 词根记忆：antiq（古老）+uity →古代

archaeological /ˌɑːkiəˈlɒdʒɪkl/ *adj.* 考古学的，考古有关的

搭配 archaeological site 考古遗址

archaeologist /ˌɑːkiˈɒlədʒɪst/ *n.* 考古学家

archaeology /ˌɑːkiˈɒlədʒi/ *n.* 考古学

archaic /ɑːˈkeɪɪk/ *adj.* 古老的；陈旧的；古代的

artifact /'ɑːtɪfækt/ *n.* 人工制品；手工艺品

记忆 词根记忆：arti（技巧）+fact（做）→有技巧地做出来→手工艺品

ascend /ə'send/ *v.* 追溯

搭配 ascend to 追溯到

burial object 陪葬品

chronological /ˌkrɒnəˈlɒdʒɪkl/ *adj.* 按年代顺序排列的

记忆 词根记忆：chrono（时间）+log（说）+ ical（…的）→按照时间来讲述→按年代顺序排列的

data processing 数据处理

excavate /ˈekskəveɪt/ *vt.* 挖掘，掘出

记忆 词根记忆：ex（出）+cav（洞）+ate（使…）→挖出洞→挖掘

excavation /ˌekskəˈveɪʃn/ *n.* 挖掘，发掘

搭配 excavation depth 挖掘深度

medieval /ˌmediˈiːvl/ *adj.* 中世纪的；中古（时代）的

记忆 词根记忆：medi（中间）+ev（时代）+ al →中世纪的

Mesolithic /ˌmesəʊˈlɪθɪk/ *adj.* 中石器时代的

记忆 词根记忆：meso（中间）+lith（石头）+ ic（…的）→中石器时代的

Neolithic /ˌniːəˈlɪθɪk/ *adj.* 新石器时代的

记忆 词根记忆：neo（新）+lith（石头）+ic（…的）→新石器时代的

origination /əˈrɪdʒəˌneɪʃn/ *n.* 发源

Paleolithic /ˌpæliəˈlɪθɪk/ *adj.* 旧石器时代的

记忆 词根记忆：paleo（古，旧）+lith（石头）+ ic（…的）→旧石器时代的

prehistoric /ˌpriːhɪˈstɒrɪk/ *adj.* 史前的；陈旧的

搭配 prehistoric times 史前时期

prehistory /ˌpriːˈhɪstri/ *n.* 史前

primordial /praɪˈmɔːdiəl/ *adj.* 原始的

remainder /rɪˈmeɪndə(r)/ *n.* 剩余物

记忆 词根记忆：remain（剩余）+der（表名词）→剩余物

remains /rɪˈmeɪnz/ *n.* 剩余，遗迹

搭配 human remains 人体残骸

remnant /ˈremnənt/ *n.* 残余部分；残迹

记忆 词根记忆：remn（留下）+ant（…物）→残余部分

remote sensing 遥感

residue /ˈrezɪdjuː/ *n.* 残余物

搭配 pesticide residue 农药残留

scientific method 科学方法

skull /skʌl/ *n.* 头脑；头骨

搭配 skull fracture 颅骨骨折

trace /treɪs/ *v.* 查出；追溯；*n.* 痕迹

记忆 联想记忆：追溯（trace）车轮的痕迹（track）

unearth /ʌnˈɜːθ/ *vt.* 发掘；揭露

搭配 unearth evidence 发掘证据

vestige /ˈvestɪdʒ/ *n.* 痕迹，遗迹；残余

They think the population of Rapa Nui grew rapidly and then remained more or less stable until the arrival of the Europeans, who introduced deadly diseases to which islanders had no immunity.

他们认为，拉帕努伊岛人口增长迅速，在欧洲人到来之前保持基本稳定，欧洲人带来了致命的疾病，而岛民对这些疾病没有免疫力。

（剑桥雅思 11）

语法笔记

本句的主干是 They think。think 后是一个省略了 that 的宾语从句，在这个宾语从句中，who 引导非限制性定语从句修饰 the Europeans，定语从句 to which islanders had no immunity 修饰 diseases。

核心词表

population /ˌpɒpjuˈleɪʃn/ *n.* 人口

记忆 词根记忆：popul（人）+ation（表名词）→人口

搭配 population control 人口控制

rapidly /ˈræpɪdli/ *adv.* 迅速地

搭配 rapidly expand 迅速发展

remain /rɪˈmeɪn/ *v.* 保持；仍旧是；剩下；*n.* [pl.] 残余，遗迹

记忆 词根记忆：re（一再）+main（逗留）→一再留下→剩下

more or less 或多或少；大约

the arrival of... ⋯的到来

deadly /ˈdedli/ *adj.* 致命的；极度的；*adv.* 非常

同义 deathful *adj.* 致命的

　　fatal *adj.* 致命的

islander /ˈaɪləndə(r)/ *n.* 岛上居民

记忆 词根记忆：island（岛）+er（表人）→岛上居民

immunity /ɪˈmjuːnəti/ *n.* 免疫力；免除，豁免权

同根 immune *adj.* 免疫的；不受影响的

　　immunology *n.* 免疫学

主题归纳

表示"致命，死亡"的词：

assassination /əˌsæsɪˈneɪʃn/ *n.* 刺杀，暗杀

搭配 assassination plot 暗杀阴谋

choke /tʃəʊk/ *v.* 窒息

defunct /dɪˈfʌŋkt/ *adj.* 死亡的；不再存在的

记忆 词根记忆：de（否定）+funct（活动）→不活动→死亡的

demise /dɪˈmaɪz/ *n.* 消亡；死亡

expire /ɪkˈspaɪə(r)/ *v.* （期限）终止；呼气；断气

同根 expiry *n.* 满期；终结

incinerate /ɪnˈsɪnəreɪt/ *v.* 焚化，毁弃

记忆 词根记忆：in（使…）+ciner（灰）+ate →使成灰→焚化

invasive /ɪnˈveɪsɪv/ *adj.* 入侵的

lethal /ˈliːθl/ *adj.* 致命的，破坏性的，毁灭性的；有害的

记忆 词根记忆：leth（遗忘）+al →致命的伤害就是被彻底遗忘→致命的

mischievous /ˈmɪstʃɪvəs/ *adj.* 淘气的；（人、行为等）恶作剧的；有害的

同义 naughty *adj.* 调皮的

harmful *adj.* 有害的

mortal /ˈmɔːtl/ *adj.* 致死的；凡人的；*n.* 凡人

同根 mortality *n.* 死亡率

immortal *adj.* 不朽的；不死的；*n.* 不朽的人物

immortality *n.* 不朽；永存

noxious /ˈnɒkʃəs/ *adj.* 有害的，有毒的

搭配 noxious fumes 有毒的烟雾

poisonous /ˈpɔɪzənəs/ *adj.* 有毒的

搭配 poisonous atmosphere 有毒的大气

smother /ˈsmʌðə(r)/ *v.* 厚厚地覆盖；（使）窒息；把（火）闷熄

记忆 联想记忆：s（看作 she）+mother（母亲）→她快被母亲的溺爱窒息了→窒息

suicide /ˈsuːɪsaɪd/ *n.* 自杀

同根 suicidal *adj.* 自杀（性）的

toxic /ˈtɒksɪk/ *adj.* 有害的，有毒的

同根 toxicity *n.* 毒性

non-toxic *adj.* 无毒的

toxin /ˈtɒksɪn/ *n.* 毒素，毒质

同义 poison *n.* 毒物

venom /ˈvenəm/ *n.* 毒液

venomous /ˈvenəməs/ *adj.* 分泌毒液的；狠毒的

搭配 venomous snake 毒蛇

与"判断"有关的词：

affirm /əˈfɜːm/ *vt.* 断言属实，证实，确认

同根 affirmation *n.* 肯定；断言

reaffirm *v.* 再肯定；再断言

assert /əˈsɜːt/ *v.* 断言，声称；坚持

同根 assertive *adj.* 言语果断的

assertiveness *n.* 坚定而自信

assertion *n.* 坚决断言

believe /bɪˈliːv/ *v.* 认为，想

conclude /kənˈkluːd/ *v.* 推断出；做结论

搭配 conclude with... 以…做结论

to conclude 最后

declare /dɪˈkleə(r)/ *vt.* 断言，宣称

搭配 declare oneself 显露身份；发表意见

declare for 赞成

declare bankruptcy 宣告破产

deem /diːm/ *vt.* 认为

记忆 联想记忆：和 seem（*v.* 似乎）一起记

discern /dɪˈsɜːn/ *v.* 识别，辨别；认识

记忆 词根记忆：dis（加强）+cern（搞清，区别）→辨别

同根 discerning *adj.* 有识别力的

discernible *adj.* 看得见的，辨认得出的

dogmatic /dɒɡˈmætɪk/ *adj.* 教条的；武断的

搭配 dogmatic theology 教义神学

dogmatic attitude 武断的态度

illegible /ɪˈledʒəbl/ *adj.* 难辨认的，（字迹）模糊的

记忆 词根记忆：il（不）+legible（可读的）→不可读的→难辨认的

pending /ˈpendɪŋ/ *adj.* 待定的；即将发生或来临的

记忆 词根记忆：pend（悬挂）+ing（正⋯的）→待定的

presume /prɪˈzjuːm/ *v.* 假设；假定

同根 presumably *adv.* 推测起来，大概

presumable *adj.* 可能的，可假定的

protest /ˈprəʊtest/ *n.* （公开的）抗议活动；/prəˈtest/ *v.* 抗议；断言

搭配 storm of protest 抗议风暴

firestorm of protest 抗议大爆发

suppose /səˈpəʊz/ *v.* 猜想；假定，以为

搭配 be supposed to do sth. 应该做某事

Review

Anyway, even though these noise maps are fairly crude, they've been useful in providing information and raising awareness that noise matters, we need to deal with it and so it's a political matter.

无论如何，尽管这些噪音地图粗糙且不完善，但它们在提供信息和提高人们对噪音的认识方面很有用，我们需要解决这个问题，所以这是一个政治问题。

(剑桥雅思 12)

语法笔记

本句的主干是 they've been useful in providing information and raising awareness。even though 引导让步状语从句，从句的主干是 these maps are crude。that 引导同位语从句 noise matters ... political matter，补充说明 awareness，从句中的 it 指代 noise matters。

核心词表

crude /kruːd/ *adj.* 天然的；粗糙的；粗俗的

记忆 词根记忆：crud（生的）+e →天然的；粗糙的

awareness /əˈweənəs/ *n.* 察觉，意识

搭配 awareness of 意识到

aware /əˈweə(r)/ *adj.* 知道的；意识到的

搭配 be aware of 意识到…

同根 unaware *adj.* 不知道的，没意识到的

deal /ˈdiːl/ *n.* 交易；协议；*v.* 处理

同根 dealer *n.* 商人，经销商

political /pəˈlɪtɪkl/ *adj.* 政治的，党派的

搭配 political party 政党

主题归纳

有关"环境保护"的词：

acid rain 酸雨

air pollution 空气污染

biodegradable /ˌbaɪəʊdɪˈɡreɪdəbl/ *adj.* 可降解的

搭配 biodegradable packaging 降解包装

carbon emission 碳排放

carpool /ˈkɑːpuːl/ *v.* 拼车；*n.* 拼车族

climatic deterioration 气候恶化

deteriorate /dɪˈtɪəriəreɪt/ *v.* 恶化，退化

disposable /dɪˈspəʊzəbl/ *adj.* 一次性的，可丢弃的

搭配 disposable chopsticks 一次性筷子

　　 disposable slippers 一次性拖鞋

drive less 少开车

ecological degradation 生态退化

environmental awareness 环保意识

environmental issue 环境问题

environmental pollution 环境污染

environmental protection 环境保护

groundwater contamination 地下水污染

hybrid electric vehicle 混合动力汽车

industrial waste control 工业废料管理

land resource 土地资源

low carbon 低碳

mass transportation 大众交通工具

mineral resource 矿产资源

noise pollution 噪声污染

plastic bag 塑料袋

pollutant /pə'luːtənt/ *n.* 污染物

搭配 pollutant emission 污染物排放

polluter /pə'luːtə(r)/ *n.* 污染源，污染者

pollution /pə'luːʃn/ *n.* 污染

搭配 pollution monitoring 污染监测

marine pollution 海洋污染

radioactive /ˌreɪdiəʊ'æktɪv/ *adj.* 放射性的

搭配 radioactive substance 放射性物质

rainfall /'reɪnfɔːl/ *n.* 降雨；降雨量

搭配 rainfall intensity 降雨强度

recycle /ˌriː'saɪkl/ *v.* 回收

refuse disposable good 拒绝一次性用品

renewable /rɪ'nuːəbl/ *adj.* （能源和自然资源）可再生的

搭配 renewable sources of energy 可再生能源

reuse /ˌriː'juːs/ *v.* 再使用

sustainable development strategy 可持续发展战略

water conservation 节约用水

water pollution 水污染

water resource 水资源

white pollution 白色污染

worsen /'wɜːsn/ *v.* （使）变得更糟，恶化

有关"认识，意识"的词：

acquaintance /ə'kweɪntəns/ *n.* 认识；了解

搭配 a speaking acquaintance 见面聊几句的朋友

nodding acquaintance 点头之交

automatically /ˌɔːtə'mætɪkli/ *adv.* 自动地；无意识地

记忆 词根记忆：auto（自己）+mat（=mob，动）+ical（…的）+ly（…地）→自动地

cognition /kɒg'nɪʃn/ *n.* 认知，认识，认识力

记忆 词根记忆：cogn（知道）+ition（表状态）→知道的状态→认知

conscious /'kɒnʃəs/ *adj.* 自觉的；意识到的；神志清醒的

记忆 词根记忆：con（共同）+sci（知道）+ous（…的）→都知道该怎么做→自觉的

subliminal /ˌsʌb'lɪmɪnl/ *adj.* 下意识的

同根 subliminally *adv.* 下意识地

perceive /pə'siːv/ *v.* 感知，察觉；理解

同义 detect *vt.* 察觉，发觉

comprehend *vt.* 领会，理解

unaware /ˌʌnə'weə(r)/ *adj.* 未意识到的

记忆 词根记忆：un（不）+aware（意识到的）→未意识到的

Sentence 53

Travel has existed since the beginning of time, when primitive man set out, often traversing great distances in search of game, which provided the food and clothing necessary for his survival.

旅行从远古时代开始就一直存在，那时原始人出发，经常长途跋涉寻找猎物，猎物为其生存提供所需的食物和衣服。

（剑桥雅思 10）

语法笔记

本句的主干是 Travel has existed。when 引导非限制性定语从句，修饰 the beginning of time。现在分词短语 often traversing great distances in search of game 作动词 set out 的伴随状语。which 引导定语从句，修饰先行词 game。

核心词表

exist /ɪɡˈzɪst/ v. 存在；生存

existence /ɪɡˈzɪstəns/ n. 存在；生活（方式）

记忆 词根记忆：exist（存在）+ence（状态）→存在；生活（方式）

搭配 come into existence 开始存在

同根 coexistence n. 共存，共处

primitive /ˈprɪmətɪv/ adj. 原始的；简单的，粗糙的；n. 原（始）人，原始事物

记忆 词根记忆：prim（第一）+itive（具…性质的）→第一时间的→原始的

搭配 primitive society 原始社会

primitive measuring method 原始的测量方法

traverse /trəˈvɜːs/ v. 跨过，穿过，横越

game /ɡeɪm/ n. 比赛

搭配 Olympic Games 奥运会

play the game 玩游戏

survival /səˈvaɪvl/ n. 幸存

搭配 the survival of the fittest 适者生存

a survival kit 救生包

主题归纳

与"人类进化"有关的词：

biophysical environment 生物物理环境

cave man 山顶洞人

common descent 共同起源

cranial /ˈkreɪniəl/ adj. 颅骨的

搭配 cranial cavity 颅腔

Darwin /ˈdɑːwɪn/ n. 达尔文

同根 Darwinism n. 达尔文学说

degenerate /dɪˈdʒenəreɪt/ vi. 退化

同根 degradation n. 退化

descendant /dɪˈsendənt/ n. 后裔，子孙

同根 descend *vi.* 遗传；下降；起源于

directional selection 定向选择

ecological anthropologist 生态人类学家

evolutionary change 进化变异

evolve /i'vɒlv/ *v.* 使逐渐形成；（使）进化

同根 evolution *n.* 进化

　　evolutionary *adj.* 进化的

extinction /ɪk'stɪŋkʃn/ *n.* 灭绝

记忆 来自 extinct（*adj.* 灭绝的）

food chain 食物链

hominid /'hɒmɪnɪd/ *n.* 原始人类；人（科）

记忆 词根记忆：homin（=hum 人）+id → 原始人类

natural selection 自然选择

offspring /'ɒfsprɪŋ/ *n.* 后代，子孙

origin /'ɒrɪdʒɪn/ *n.* 起源；[常 pl.] 出身

搭配 origin of species 物种起源

outgrow /,aʊt'grəʊ/ *vt.* 生长速度超过…；长大成熟而不再…

paleoanthropologist /,peɪliəʊ,ænθrə'pɒlədʒɪst/ *n.* 古人类学家

同根 paleoanthropology *n.* 古人类学

psychological anthropologist 心理人类学家

weed out 淘汰

与"频率"有关的词：

consecutive /kən'sekjətɪv/ *adj.* 连续不断的，连贯的

记忆 词根记忆：con（加强）+secut（跟随）+ive（…的）→一个接一个的→连续不断的

搭配 consecutive days 连续几天

　　consecutive years 连年

同义 successive *adj.* 继承的，连续的

constantly /'kɒnstəntli/ *adv.* 经常；不断地

fitful /'fɪtfl/ *adj.* 一阵阵的，断续的

frequency /'fri:kwənsi/ *n.* 频繁；频率，次数

frequently /'fri:kwəntli/ *adv.* 常常，频繁地

incessant /ɪn'sesnt/ *adj.* 不断的

记忆 词根记忆：in（不）+cess（停止）+ant（…的）→不停止的→不断的

incoherent /,ɪnkəʊ'hɪərənt/ *adj.* 不连贯的

occasional /ə'keɪʒənl/ *adj.* 偶尔的，间或发生的

同根 occasionally *adv.* 有时候，偶尔

periodical /,pɪəri'ɒdɪkl/ *n.* 期刊，杂志；*adj.* 周期的，定期的

记忆 来自 period（*n.* 时期，周期）

同根 periodically *adv.* 周期地；定期，按时

同义 journal *n.* 定期刊物，杂志

　　magazine *n.* 杂志，期刊

perpetual /pə'petʃuəl/ *adj.* 连续不断的；永久的；长期的

记忆 词根记忆：per（自始至终）+pet（追求）+ual（有…性质的）→自始至终追求的→长期的

同义 eternal *adj.* 永恒的，永远的

　　permanent *adj.* 永久的，持久的

　　continuous *adj.* 连续的，持续的

反义 temporary *adj.* 暂时的，临时的

swift /swɪft/ *adj.* 快的；敏捷的，迅速的

This is why composers often introduce a key note in the beginning of a song, spend most of the rest of the piece in the studious avoidance of the pattern, and then finally repeat it only at the end.

这就是为什么作曲家常常在歌曲的开始定一个基调，之后在歌曲的剩余部分有意地避免这个音，最终只在结尾处重复一次。　　（剑桥雅思 12）

语法笔记

本句的主干是 this is why...。此处为 why 引导的表语从句，从句中的动词 introduce、spend 和 repeat 通过 and 构成并列谓语结构。

核心词表

composer /kəm'pəʊzə(r)/ *n.* 作曲家

introduce /ˌɪntrə'djuːs/ *v.* 介绍；引进；提出

搭配 introduce a course 介绍一门课程

同根 introduction *n.* 介绍

studious /'stjuːdiəs/ *adj.* 好学的；有意的

avoidance /ə'vɔɪdəns/ *n.* 逃避

avoid /ə'vɔɪd/ *vt.* 避免；躲开

记忆 词根记忆：a（加强）+void（空）→空出来→躲开

搭配 avoid doing sth. 避免做某事

　　 avoid mistakes 避免犯错误

pattern /'pætn/ *n.* 样式；模式；图案；*vt.* 仿造

搭配 pattern recognition 图象识别

repeat /rɪ'piːt/ *v.* 重复

同根 repeatedly *adv.* 反复地；屡次地

主题归纳

形容"优秀道德品质"的词：

austerity /ɒ'sterəti/ *n.* 朴素

搭配 austerity measure 财政紧缩措施

　　 economic austerity 经济紧缩

courtesy /'kɜːtəsi/ *n.* 谦恭有礼

搭配 courtesy pledge 文明宣言

　　 courtesy card 优待卡，优惠卡

diligence /'dɪlɪdʒəns/ *n.* 勤勉

搭配 due diligence 尽职调查

forgiveness /fə'ɡɪvnəs/ *n.* 宽恕

搭配 without forgiveness 没有宽恕

gentilesse /'dʒentələs/ *n.* 温柔

grace /ɡreɪs/ *n.* 恩惠

honesty /'ɒnəsti/ *n.* 诚信

humility /hjuː'mɪləti/ *n.* 谦卑

搭配 with humility 谦逊地

kindness /'kaɪndnəs/ *n.* 仁慈

搭配 out of kindness 出于好意

moral /'mɒrəl/ *adj.* 道德的；*n.* 道德

morality /mə'ræləti/ *n.* 道德，美德

同根 moralism *n.* 道德教育，道德准则

norm /nɔːm/ *n.* 规范；准则

搭配 social norm 社会规范

superstructure /'suːpəstrʌktʃə(r)/
　　　　n. 上层建筑

upright /'ʌpraɪt/ *adj.* 诚实的，正直的

valor /'vælə(r)/ *n.* 英勇

virtue /'vɜːtʃuː/ *n.* 美德；优点

搭配 easy virtue 水性杨花

　　　virtue education 思想教育

　　　virtue ethics 德行伦理学

willpower /'wɪlpaʊə(r)/ *n.* 毅力

与"流行歌曲"有关的词：

album /'ælbəm/ *n.* 专辑

搭配 album title 专辑名

　　　debut album 首张专辑

blues /bluːz/ *n.* 蓝调音乐

cassette /kə'set/ *n.* 盒式录音（录像）带

搭配 cassette tape 盒式录音带

　　　cassette player 卡式录音机

　　　cassette recorder 盒式录音机

composition /ˌkɒmpə'zɪʃn/ *n.* 作曲

搭配 musical composition 乐曲

country-folk /'kʌntrifəʊk/ *n.* 乡村民谣

country-pop /'kʌntripɒp/ *n.* 乡村流行音乐

cowboy /'kaʊbɔɪ/ *n.* 牛仔

disc /dɪsk/ *n.* 唱片

funk /fʌŋk/ *n.* 放克音乐

hip-hop /'hɪphɒp/ *n.* 嘻哈音乐

house /haʊs/ *n.* 浩室音乐

jazz /dʒæz/ *n.* 爵士乐；*vt.* 使活泼

搭配 jazz up 使更诱人；使更令人兴奋

melodic /mə'lɒdɪk/ *adj.* 音调优美的

搭配 melodic sound 悦耳的声音

melody /'melədi/ *n.* 旋律

搭配 melody of love 爱的旋律

music /'mjuːzɪk/ *n.* 音乐

搭配 background music 背景音乐

musical /'mjuːzɪkl/ *adj.* 悦耳的

搭配 musical comedy 歌舞喜剧

notation /nəʊ'teɪʃn/ *n.* 乐谱

搭配 musical notation 乐谱

punk /pʌŋk/ *n.* 朋克乐

rap /ræp/ *n.* 说唱音乐

record /rɪ'kɔːd/ *v.* 录制；将…录音；/'rekɔːd/
　　　　n. 纪录

搭配 record player 唱机

　　　world record 世界纪录

reggae /'regeɪ/ *n.* 雷盖音乐

royalty /'rɔɪəlti/ *n.* 版税

soul /səʊl/ *n.* 灵乐

stereo /'steriəʊ/ *adj.* 立体声的

搭配 stereo system 立体音响系统

tape /teɪp/ *n.* 录音（录像）带

搭配 tape recorder 磁带录音机

tempo /'tempəʊ/ *n.* （音乐的）节奏

搭配 moderate tempo 舒缓的节拍

timbre /'tæmbə(r)/ *n.* 音质

搭配 speech timbre 音色

tuneful /'tjuːnfl/ *adj.* 声调优美的

vocal /'vəʊkl/ *n.* 声乐作品

搭配 vocal music 声乐；通过口头传唱的音乐

　　　vocal tract 声道

表示"重复"的词：

duplicate /'djuːplɪkət/ *adj.* 完全相同的；*n.* 复制品；/'djuːplɪkeɪt/ *v.* 复制；重复；比得上

记忆 词根记忆：du（两，双）+plic（重叠）+ate →重复第二份→复制

duplication /ˌdjuːplɪ'keɪʃn/ *n.* 副本，复制

同义 copy *n.* 副本，拷贝；*v.* 复印，复制

replicate /'replɪkeɪt/ *v.* 重做；复制

记忆 词根记忆：re（重新）+plic（重叠）+ate（做）→再重叠（一份）→复制

表示"开始，开端"的词：

commence /kə'mens/ *v.* 开始；倡导

搭配 commence with... 从…开始

　　　commence doing sth. 开始做某事

commencement /kə'mensmənt/ *n.* 开始；毕业典礼

inaugurate /ɪ'nɔːgjəreɪt/ *v.* 开始；举行就职典礼；举行开幕式，举行落成典礼

同根 inauguration *n.* 就职，就职典礼

　　　inaugural *adj.* 就职的；开幕的

initial /ɪ'nɪʃl/ *adj.* 最初的，开始的；词首的；*n.* 词首大写字母

同根 initially *adv.* 最初，开始

initiate /ɪ'nɪʃieɪt/ *v.* 开始，发起；接纳（新成员）；/ɪ'nɪʃiət/ *n.* 新加入组织的人

记忆 词根记忆：in（使…）+it（走）+iate →使走→开始

preliminary /prɪ'lɪmɪnəri/ *adj.* 预备的，初步的；*n.* 初步做法

记忆 词根记忆：pre（前）+limin（门槛）+ary（…的）→入门前的→初步的

renew /rɪ'njuː/ *v.* 重新开始；恢复；延长有效期

记忆 词根记忆：re（重新）+new（新的）→重新开始

renewal /rɪ'njuːəl/ *n.* 更新；重新开始；重建；复兴；续借

resume /rɪ'zjuːm/ *vt.* （中断后）重新开始；恢复

记忆 词根记忆：re（重新）+sum（拿起）+e →重新拿起→重新开始

threshold /'θreʃhəʊld/ *n.* 入门；极限；开端；门槛

同义 doorway *n.* 门口

　　　outset *n.* 开端，开始

In its most general sense, prescriptivism is the view that one variety of language has an inherently higher value than others, and that this ought to be imposed on the whole of the speech community.

就其最通常的意义而言，规范主义认为某种语言本来就比其他语言具有更高的价值，并且这一点应该应用于整个语言社会。 （剑桥雅思9）

语法笔记

本句的主干是 prescriptivism is the view。and 连接了两个同位语从句，构成并列结构，共同解释 view，其中代词 this 指代 one variety of language has an inherently higher value than others 这个观点。

核心词表

general /ˈdʒenrəl/ *adj.* 一般的，普通的；大体的，概括的

记忆 词根记忆：gener（产生）+al（…的）→产生一切的→普遍的

搭配 in general 通常，大体上

general science 大众科学

同根 generalization *n.* 归纳，概括

sense /sens/ *n.* 意义；含义；理解…的方式；看待…的角度

prescriptivism /prɪˈskrɪptɪˌvɪzəm/ *n.* 规定主义

view /vju:/ *n.* 看法，意见，见解；态度

variety /vəˈraɪəti/ *n.* 种类；变化，多样化

记忆 词根记忆：vari（变化）+ety（表性质）→变化

搭配 a variety of 许多

language /ˈlæŋgwɪdʒ/ *n.* 语言

inherently /ɪnˈhɪərəntli/ *adv.* 天性地，固有地

记忆 词根记忆：in（向内）+her（粘附）+ent+ly（…地）→骨子里带来地→固有地

ought to 应当，应该

impose /ɪmˈpəʊz/ *vi.* 把…强加于；征（税等），处以（罚款、监禁等）

记忆 词根记忆：im（使…）+pos（放）+e→强行放置→把…强加于

主题归纳

表示"合适，适用"的词：

adaptable /əˈdæptəbl/ *adj.* 能适应的；可修改的

adaption /əˈdæpʃn/ *n.* 适应，改编

advisable /ədˈvaɪzəbl/ *adj.* 可取的，适当的；明智的

记忆 词根记忆：advis(e)（建议，劝告）+able（能…的）→能够听取别人的劝告是明智的→明智的

becoming /bɪˈkʌmɪŋ/ *adj.* 合适的；与…相称的

coincide /ˌkəʊɪnˈsaɪd/ *vi.* 同时发生；一致

记忆 词根记忆：co（共同）+in+cid（落下）+e→突然降临→一致

同义 concur *vi.* 同时发生

agree *vi.* 与…一致

conformity /kənˈfɔːməti/ *n.* 符合，一致

fit /fɪt/ *v.* 符合

搭配 fit with... 符合…

fitting /ˈfɪtɪŋ/ *adj.* 适合的

pertinent /ˈpɜːtɪnənt/ *adj.* 有关的；恰当的；相宜的

记忆 词根记忆：per（自始至终）+tin（拿住）+ent（…的）→始终抓住→有关的

plausible /ˈplɔːzəbl/ *adj.* 似有道理的，似乎正确的

记忆 词根记忆：plaus（鼓掌）+ible（可…的）→可给予鼓掌的→似有道理的

properly /ˈprɒpəli/ *adv.* 适当地，恰当地

suit /suːt/ *v.* 适合；适宜

suitable /ˈsuːtəbl/ *adj.* 适当的，相配的

与"语言学"相关的词：

abridge /əˈbrɪdʒ/ *vt.* 缩短，删节

记忆 词根记忆：a（加强）+bridg（短，缩短）+e→缩短

clause /klɔːz/ *n.* 子句；条款

concise /kənˈsaɪs/ *adj.* 简明的，简练的，简洁的

记忆 词根记忆：con（加强）+cis（切）+e→切掉（多余的）→简洁的

genre /ˈʒɒnrə/ *n.* 类型

glossary /ˈglɒsəri/ *n.* 词汇表，术语表

记忆 词根记忆：gloss（词语，语言）+ary（场所）→放（难词）的地方→词汇表

grammar /ˈgræmə(r)/ *n.* 语法

implicit /ɪmˈplɪsɪt/ *adj.* 含蓄的；不直接言明的

记忆 词根记忆：im（加以）+plic（重叠，折叠）+it→重叠表达→含蓄的

lexical /ˈleksɪkl/ *adj.* 词汇的

lingual /ˈlɪŋgwəl/ *adj.* 语言的

parlance /ˈpɑːləns/ *n.* 说法；术语；用语

记忆 词根记忆：parl（说）+ance（表状态）→术语

phonemics /fəˈniːmɪks/ *n.* 音位学

sentence /ˈsentəns/ *n.* 句子

sound /saʊnd/ *n.* 音

syllable /ˈsɪləbl/ *n.* 音节

symbol /ˈsɪmbl/ *n.* 符号；代号；记号；象征

同根 symbolic *adj.* 象征的；符号的

tense /tens/ *n.* 时态

Sentence 56

What we've decided to present today is information about just three species—because we felt these gave a good indication of the processes at work in rural and urban settings as a whole.

今天我们决定介绍有关三个物种的信息，因为我们觉得这些信息整体上很好地象征了农村和城市环境中的工作过程。

（剑桥雅思 9）

语法笔记

本句的主干是 What we've decided to present today is information about just three species，句首的 what 引导主语从句。破折号后面是一个由 because 引导的原因状语从句，felt 后是省略 that 的宾语从句。

核心词表

decide /dɪˈsaɪd/ *vt.* 决定；裁决 *vi.* 决定；判决

搭配 decide on/upon 决定，选定

species /ˈspiːʃiːz/ *n.* 种类，类群

记忆 联想记忆：科学家从一些生物种类（species）中选取好的制成标本（specimen）

indication /ˌɪndɪˈkeɪʃn/ *n.* 表明；指示

记忆 词根记忆：in（加以…）+dic（说）+ation（行为）→说出→指示

rural /ˈrʊərəl/ *adj.* 农村的，乡村的

记忆 词根记忆：rur（乡村）+al（…的）→农村的

urban /ˈɜːbən/ *adj.* 都市的；住在都市的

记忆 发音记忆："饿奔"→初到大都市闯荡，饿得狂奔→都市的

搭配 urban areas 城市地区

urban residents 城市居民

同根 urbanization *n.* 都市化

setting /ˈsetɪŋ/ *n.* 环境；背景；安置

记忆 来自 set（*v.* 布置）

主题归纳

表达"展示，表明"的词：

demonstration /ˌdemənˈstreɪʃn/ *n.* 论证，证明；示范；显示；示威游行

记忆 词根记忆：de（加强）+monstr（显示）+ation→显示；示威游行

denote /dɪˈnəʊt/ *v.* 表示，指示

记忆 词根记忆：de（加强）+not（标记）+e→做标记→指示

同义 signify *vt.* 表示，意味

disclose /dɪsˈkləʊz/ *vt.* 揭露；透露；公开

记忆 词根记忆：dis（不）+close（关闭）→
不关闭→透露

反义 conceal *v.* 隐藏，隐瞒

　　hide *v.* 隐藏，掩藏

exhibit /ɪɡ'zɪbɪt/ *vt.* 陈列，展览；显示

记忆 词根记忆：ex（出）+hibit（拿）→拿出
来→显示；展览

同根 exhibition *n.* 展览

expose /ɪk'spəʊz/ *vt.* 使暴露，揭露

记忆 词根记忆：ex（出）+pos（放）+e →
放出来→使暴露

搭配 expose oneself 暴露

　　expose to... 使易受…

exposure /ɪk'spəʊʒə(r)/ *n.* 暴露，曝光

记忆 词根记忆：ex（出）+pos（放）+ure
（行为）→放出来→暴露

manifest /'mænɪfest/ *adj.* 明显的；*v.* 表明，
证明；*n.* 旅客名单；载货清单

记忆 词根记忆：mani（手）+fest（仇恨）→
用手打人，仇恨很明显→明显的

point /pɔɪnt/ *n.* 尖；小数点；目的；得分；
要点，观点；*v.* 指向；表明；瞄准

搭配 come to the point 说到要点，扼要地说

　　on the point of... 即将…的时候

　　point out 指出

presentation /ˌprezn'teɪʃn/ *n.* 赠送；礼物；
授予；提供；显示；介绍，报告；上演

记忆 词根记忆：present（展示）+ation（行为）
→介绍

搭配 make/give a presentation 做报告

　　on presentation of sth. 展示某物

proclaim /prə'kleɪm/ *v.* 宣告，声明；显示；
赞美

记忆 词根记忆：pro（在前）+claim（呼喊）

→在前面大叫→宣告，声明

同义 declare *vt.* 正式宣布；宣称

　　announce *vt.* 宣布

proclamation /ˌprɒklə'meɪʃn/ *n.* 公告，
布告，声明

记忆 词根记忆：pro（在前）+claim（呼喊）+
ation（行为）→在前面大叫→声明

revelation /ˌrevə'leɪʃn/ *n.* 被揭示的真相；
出乎意料的好事；揭露，披露

同义 disclosure *n.* 揭发，败露

反义 concealment *n.* 隐藏

uncover /ʌn'kʌvə(r)/ *vt.* 揭开，揭露

记忆 词根记忆：un（打开）+cover（盖子）
→揭开

unveil /ʌn'veɪl/ *v.* 揭去面纱或覆盖物；
揭幕；首次公开、揭露或展示（某事物）

记忆 词根记忆：un（解开）+veil（面纱）→
揭去面纱

形容"农村环境"的词：

backward /'bækwəd/ *adj.* 落后的；进步缓
慢的

记忆 词根记忆：back（后）+ward（向…）→
落后的

cheap living expenses 低生活成本

economic gap 经济差距

extension /ɪk'stenʃn/ *n.* 伸出；延长部分

搭配 one month extension 延期一个月

　　the extension of vocabulary 词汇的扩展

　　extension to... …的延伸部分

hamlet /'hæmlət/ *n.* 小村

idyllic /ɪ'dɪlɪk/ *adj.* 田园的

搭配 idyllic poem 田园诗

imbalance /ɪm'bæləns/ *n.* 不平衡

记忆 词根记忆：im（不）+balance（平衡）
→不平衡

in the long run 从长远角度而言

infrastructure /'ɪnfrəstrʌktʃə(r)/ *n.* 基础结构，
基础设施

记忆 词根记忆：infra（下）+structure（结构）
→下面的结构→基础结构

locality /ləʊ'kæləti/ *n.* 位置；地区

记忆 来自 local（*adj.* 地方的）

low crime rate 低犯罪率

monotonous /mə'nɒtənəs/ *adj.* 单调的，无
聊的；无变化的

记忆 词根记忆：mono（单个）+ton（声音）+
ous（…的）→一个声音的→单调的

搭配 a monotonous diet 乏味的食物

on the brink of... 处于…边缘

outskirts /'aʊtskɜːts/ *n.* 郊区

记忆 词根记忆：out（出）+skirts（位于…的
边缘）→城市周边→郊区

pastoral /'pɑːstərəl/ *adj.* 田园的

quietness /'kwaɪətnəs/ *n.* 安静

suburb /'sʌbɜːb/ *n.* 郊区

tedious /'tiːdiəs/ *adj.* 冗长乏味的，单调的

搭配 a tedious story 乏味冗长的故事

tranquility /træŋ'kwɪləti/ *n.* 宁静，安静

记忆 词根记忆：tranquil（宁静的）+ity（表
名词）→宁静

uninformed /ˌʌnɪn'fɔːmd/ *adj.* 消息闭塞的

记忆 词根记忆：un（不）+informed（消息灵
通的）→消息闭塞的

形容"城市环境"的词：

booming /'buːmɪŋ/ *adj.* 发展迅速的；激增的

记忆 来自 boom（*n.* 繁荣）

搭配 a booming economy 发展迅速的市场

centralisation /ˌsentrəlaɪ'zeɪʃn/ *n.* 集中化

记忆 词根记忆：central（中心的）+isation
（…化）→集中化

city centre 市中心

city planner 城市规划者

commercialisation /kəˌmɜːʃəlaɪ'zeɪʃn/
n. 商业化

记忆 词根记忆：commercial（商业的）+isation
（…化）→商业化

metropolis /mə'trɒpəlɪs/ *n.* 大都市

记忆 词根记忆：metro（母亲）+polis（城市）
→母亲城→大都市

municipal /mjuː'nɪsɪpl/ *adj.* 市的，市政的；
地区的；内政的

记忆 词根记忆：muni（公共的）+cip（头）+
al（…的）→公众之头→市政的

同根 municipality *n.* 市政当局

real estate 房地产

residential area 居民区，住宅区

residential quarter 居住区

shopping centre 商业区

slum /slʌm/ *n.* 贫民窟，贫民区

traffic congestion 交通拥挤

urban construction 城市建设

urban sprawl 城市扩张

The results of a 14-year study to be announced later this month reveal that the diseases associated with old age are afflicting fewer and fewer people and when they do strike, it is much later in life.

这个月底即将公布的一项长达 14 年的研究结果显示，因老年而受疾病折磨的人越来越少，当老年病真的来袭时，已是生命垂暮之时。

（剑桥雅思 6）

语法笔记

本句的主干是 The results of a 14-year study reveal+that 宾语从句。to be announced later this month 作后置定语；宾语从句中 and 连接两个并列句，过去分词短语 associated with old age 作后置定语修饰 the diseases，when 引导的是一个时间状语从句。

核心词表

result /rɪˈzʌlt/ *n.* 结果，效果

搭配 research result 研究结果

announce /əˈnaʊns/ *vt.* 宣布；郑重地说；广播通知

记忆 词根记忆：an（加强）+nounc（说）+e →反复说→郑重地说

同根 announcement *n.* 宣告；发表

announcer *n.* 播报员

reveal /rɪˈviːl/ *vt.* 揭露；泄露；展现

记忆 联想记忆：re（相反）+veal（看作 veil，面纱）→揭开面纱→揭露，展现

搭配 reveal secret 泄露秘密

disease /dɪˈziːz/ *n.* 疾病

搭配 disease prevention 疾病预防

associate /əˈsəʊʃɪeɪt/ *v.* 把…联系在一起；

使有联系；/əˈsəʊʃɪət/ *n.* 伙伴；同事；*adj.* 副的

记忆 词根记忆：as（加强）+soci（社会）+ate（使…）→成为一个社会→把…联系在一起

搭配 associate with 和…相关，联合

business associate 商业伙伴

associate professor 副教授

同义 combine *vt.* 使结合

join *vi.* 加入，结合

afflict /əˈflɪkt/ *vt.* 使苦恼；折磨

记忆 词根记忆：af（加强）+flict（打击）→一再打击→使苦恼；折磨

搭配 be afflicted with/by... 被…折磨

同义 torment *vt.* 折磨

torture *vt.* 拷问，折磨

主题归纳

与"调查研究"有关的词：

adequate for 胜任…的

assessment /əˈsesmənt/ *n.* 评定，估价

搭配 assessment of 评估⋯

bear through 完成，做完

concentrate on 集中精力于

describe as 描述为

effort /'efət/ *n.* 努力

搭配 make an effort 努力

environmental aspect 环境因素

feedback /'fiːdbæk/ *n.* 反馈

搭配 feedback on... 的反馈

financial strain 资金紧张

fulfill duty 完成任务

go to great lengths to 尽最大的努力，竭尽全力

goal-oriented /gəʊl 'ɔːriˌentɪd/ *adj.* 目标导向的

goal-setting /gəʊl 'setɪŋ/ *n.* 目标确立

high-efficiency /haɪ ɪ'fɪʃnsi/ *n.* 高效

in-depth interview 深度访谈

merit /'merɪt/ *v.* （正式）应获得；值得；*n.* 优点；价值；功绩

搭配 merit pay 绩效工资

merit rating 绩效评定

outward /'aʊtwəd/ *adj./adv.* 公开的（地）；向外的（地）

profitability analysis 可能性分析

questionnaire /ˌkwestʃə'neə(r)/ *n.* 问卷，调查表

搭配 questionnaire survey 问卷调查

risk analysis 风险分析

sampling survey 抽样调查

statistic analysis 统计分析

SWOT analysis SWOT 分析（分析企业自身的竞争优势、竞争劣势、机会和威胁）

target /'tɑːɡɪt/ *n.* 目标

搭配 sales target 销售目标

task-oriented /tæsk 'ɔːriˌentɪd/ *adj.* 以任务为导向的

under investigation 在调查中

与"老年常见疾病"有关的词：

ache /eɪk/ *n.* 疼痛

Alzheimer's /'ælts,haɪməz/ *n.* 阿兹海默症

搭配 Alzheimer's disease 阿兹海默症

amnesia /æm'niːziə/ *n.* 健忘症

搭配 retrograde amnesia 逆行性遗忘

atrophy /'ætrəfi/ *n.* 萎缩

搭配 muscular atrophy 肌肉萎缩

backache /'bækeɪk/ *n.* 背痛

central paralysis 中枢性瘫痪

dehydrate /diː'haɪdreɪt/ *v.* 脱水

dementia /dɪ'menʃə/ *n.* 痴呆

搭配 vascular dementia 血管性痴呆

diagnosable /'daɪəɡ,nəʊsəbl/ *adj.* 可诊断的

disturbance /dɪ'stɜːbəns/ *n.* 干扰

dreaminess /'driːminəs/ *n.* 多梦

dry eyes 双眼干涩

emotional instability 情绪不稳定

endocrine /'endəʊkrɪn/ *n.* 内分泌

enfeeble /ɪn'fiːbl/ *v.* 使⋯衰弱

epilepsy /'epɪlepsi/ *n.* 癫痫

搭配 focal epilepsy 局部性癫痫

fatigue /fə'tiːɡ/ *n.* 疲劳

搭配 mental fatigue 心理疲劳

chronic fatigue 慢性疲劳

get numb 变麻

hemiplegia /ˌhemɪˈpliːdʒɪə/ *n.* 偏瘫，半身麻痹

insomnia /ɪnˈsɒmnɪə/ *n.* 失眠

搭配 intermittent insomnia 间歇失眠

language barrier 语言障碍

lose consciousness 失去知觉

memory deterioration 记忆力下降

migraine /ˈmiːɡreɪn/ *n.* 偏头痛

记忆 词根记忆：migr（迁移）+aine →移来移去的（头痛）→偏头痛

搭配 migraine headache 偏头痛

nerve system 神经系统

搭配 peripheral nervous system 周围神经系统

central nervous system 中枢神经系统

nervousness /ˈnɜːvəsnəs/ *n.* 神经过敏，紧张不安

neuralgia /njʊəˈrældʒə/ *n.* 神经痛

搭配 sciatic neuralgia 坐骨神经痛

neurological /ˌnjʊərəˈlɒdʒɪkl/ *adj.* 神经学的

搭配 neurological disorder 神经障碍

paralysis /pəˈræləsɪs/ *n.* 麻痹

记忆 词根记忆：para（旁边）+lys（裂开，分解）+is（表情况）→旁边分开了→麻痹

搭配 paralysis agitans 震颤性麻痹

paralytic /ˌpærəˈlɪtɪk/ *adj.* 瘫痪的；麻痹的

搭配 paralytic squint 麻痹性斜视

paralyse /ˈpærəˌlaɪz/ *v.* 使瘫痪

记忆 词根记忆：para（旁边）+lys（分开）+e →身体（不听大脑支配）像与自己分开了一样→使瘫痪

Parkinson's disease 帕金森病

sleep disorder 睡眠紊乱

tinnitus /ˈtɪnɪtəs/ *n.* 耳鸣

Review

Memory consolidation, the next step in forming an episodic memory, is the process by which memories of encoded information are strengthened, stabilised and stored to facilitate later retrieval.

记忆巩固是形成情节记忆的下一个步骤，是增强、稳定和储存编码信息的记忆，以便日后检索的过程。

（剑桥雅思 13）

语法笔记

本句的主干是 Memory consolidation is the process。the next step in forming an episodic memory 作插入语，解释说明主语 Memory consolidation，which 引导的定语从句修饰 the process，不定式短语 to facilitate later retrieval 在从句中作目的状语。

核心词表

consolidation /kənˌsɒlɪ'deɪʃn/ *n.* 合并，巩固

同根 consolidate *v.* 巩固

episodic /ˌepɪ'sɒdɪk/ *adj.* 偶然发生的，分散性的

记忆 来自 episode（*n.* 片段）

搭配 episodic memory 情节记忆

process /'prəʊses/ *n.* 过程；制作法；*vt.* 加工；办理

记忆 词根记忆：pro（向前）+cess（行走）→向前走的（历程）→过程

搭配 a peaceful process 一个平静的流程

in the process of doing 在做某事的过程中

同义 course *n.* 过程

procedure *n.* 方法

encode /ɪn'kəʊd/ *v.* 编码

记忆 词根记忆：en（使…）+code（电码，密码）→编码

反义 decode *v.* 解码

information /ˌɪnfə'meɪʃn/ *n.* 信息，资料

搭配 additional information 详情

information desk 咨询处

strengthen /'streŋθn/ *vt.* 加强，巩固

记忆 词根记忆：strength（力量）+en（使…）→（使）有力量→加强

stabilise /'steɪbəˌlaɪz/ *v.* （使）稳定；（使）安定

同根 stabilisation *n.* 稳定装置

stability *n.* 稳定性

store /stɔ:(r)/ *v.* 储藏；储存

facilitate /fə'sɪlɪteɪt/ *vt.* 使便利，使容易，推动，帮助

记忆 词根记忆：facil（e）（容易做的）+it+ate（使…）→使容易，使便利

retrieval /rɪ'tri:vl/ *n.* 检索；找回

同根 retrieve *v.* 重新得到

有"促进，加强"含义的词：

arouse /əˈraʊz/ *v.* 引起；鼓励；激发；醒来

同义 cause *v.* 引起

elicit /iˈlɪsɪt/ *v.* 抽出；引起

同根 elicitation *n.* 引出，诱出

foment /fəʊˈment/ *vt.* 助长，煽动

搭配 foment dissension 挑拨离间

fortify /ˈfɔːtɪfaɪ/ *vt.* 激励；加强

记忆 词根记忆：fort（要塞）+ify（使…）→使成为要塞→加强

hasten /ˈheɪsn/ *v.* 加速，加紧

参考 haste *n.* 匆忙

impel /ɪmˈpel/ *vt.* 驱使，推进

同根 compel *v.* 强迫

dispel *v.* 驱散

impetus /ˈɪmpɪtəs/ *n.* 促进；推动力

记忆 词根记忆：im（向内）+pet（寻求）+us →内在的追求→推动力

incite /ɪnˈsaɪt/ *vt.* 煽动，鼓动，激起

记忆 词根记忆：in（使…）+cit（唤起，激起）+e →唤起情绪→激起

搭配 incite sb. to do sth. 鼓动某人做某事

instigate /ˈɪnstɪɡeɪt/ *vt.* 煽动，鼓动

搭配 instigate sb. to do sth. 教唆某人做某事

intensify /ɪnˈtensɪfaɪ/ *v.*（使）增强，（使）加剧

同义 rise *v.* 增强

kindle /ˈkɪndl/ *v.* 点燃；激起

promote /prəˈməʊt/ *v.* 促进；提升；宣传

同根 promotion *n.* 提升；促进；宣传

prompt /prɒmpt/ *v.* 激励；引起

同根 promptly *adv.* 迅速地；立即地

propel /prəˈpel/ *vt.* 推进，推动；激励

记忆 词根记忆：pro（向前）+pel（推）→推进

stimulate /ˈstɪmjuleɪt/ *v.* 刺激；激励

同根 stimulus *n.* 刺激物

urge /ɜːdʒ/ *vt.* 鼓励；竭力主张；推进

形容"稳定"的词：

balance /ˈbæləns/ *n.*/*vt.* 平衡

记忆 联想记忆：bal（看作 ball，球）+ance →球操选手需要很好的平衡能力→平衡

erratic /ɪˈrætɪk/ *adj.* 不稳定的；不规则的

immobile /ɪˈməʊbaɪl/ *adj.* 固定的

反义 mobile *adj.* 移动的

immobility /ˌɪməˈbɪləti/ *n.* 不动；固定

记忆 词根记忆：immobil（e）（固定的）+ity（性质）→不动；固定

immutable /ɪˈmjuːtəbl/ *adj.* 不变的；不可变的

搭配 immutable truth 永远不变的真理

inactive /ɪnˈæktɪv/ *adj.* 不活动的，停止的

同根 active *adj.* 积极的，活动的

poise /pɔɪz/ *n.* 镇定；*vt.* 使平稳

stable /ˈsteɪbl/ *adj.* 稳定的；镇静的，稳重的

反义 unstable *adj.*（情绪）不稳定的，反复无常的

static /'stætɪk/ *adj.* 静态的，静力的

反义 dynamic *adj.* 动力的，活跃的

stationary /'steɪʃənri/ *adj.* 静止的，不动的；固定的

记忆 联想记忆：station（位置）+ary → 总在一个地方的 → 静止的

steady /'stedi/ *adj.* 稳的；稳定的；*v.*（使）稳定

同根 steadily *adv.* 稳定地

variable /'veəriəbl/ *adj.* 易变的；*n.* 变量

同根 variability *n.* 可变性，易变性

表示"处理"的词：

deal /diːl/ *v.* 处理

搭配 deal with 处理

dispose /dɪ'spəʊz/ *v.* 处理；安排；*n.* 处置；性情

记忆 词根记忆：dis（分开）+pos（放）+e → 分开（排好）→ 安排

handle /'hændl/ *v.* 处理

tackle /'tækl/ *v.* 处理，对付

记忆 词根记忆：tack（钉）+le → 除去眼中钉 → 处理，对付

treat /triːt/ *v.* 对待；处理；治疗

搭配 treat unequally 不平等地对待

Review

In the course of conducting research in a number of industries and working directly with companies, we have discovered that managers often fail to recognize the less obvious but profound ways these trends are influencing consumers' aspirations, attitudes, and behaviours.

在对一些行业进行研究并与公司直接合作的过程中，我们发现，经理们往往没有认识到这些趋势正影响着消费者的期望、态度和行为，虽不明显但影响极大。

（剑桥雅思 13）

语法笔记

本句的主干是 we have discovered that。句首的介词短语 in the course of ... with companies 作状语，that 引导的宾语从句作 discovered 的宾语，这个宾语从句又含有一个定语从句 these trends ... and behaviors，修饰前面的名词 ways。

核心词表

in the course of 在…的过程中

conduct /'kɒndʌkt/ *n.* 举止；指导；管理；/kən'dʌkt/ *vt.* 指导；管理，实施

记忆 词根记忆：con（加强）+duct（引导）→指导

搭配 conduct oneself 控制自己

a number of 很多，许多

discover /dɪ'skʌvə(r)/ *v.* 发现，找到；发觉

记忆 词根记忆：dis（除去）+cover（盖）→除去覆盖物→发现

同根 discovery *n.* 发现

fail to 未能

obvious /'ɒbviəs/ *adj.* 明显的，显而易见的

记忆 词根记忆：ob（加强）+vi（道路）+ous（…的）→就在路上的→明显的

搭配 obvious choice 明显的选择

profound /prə'faʊnd/ *adj.* 深切的，深远的；知识渊博的，见解深刻的；深奥的

记忆 词根记忆：pro（前面）+found（基础）→有基础在前面→深远的

搭配 a profound sleep 酣睡

a profound idea 深刻的思想

同义 abstruse *adj.* 深奥的

esoteric *adj.* 深奥的，难以理解的

trend /trend/ *n.* 倾向；趋势；流行，时尚；*v.* 伸向，倾向

记忆 联想记忆：tend（倾向）加 r 还是倾向（trend）

搭配 a downward trend 向下的趋势

an upward trend 向上的趋势

economic trend 经济趋势

recent trend 最近的趋势

sweeping trends 席卷一切的潮流

influence /'ɪnfluəns/ *n.* 影响力；产生影响力的人；*vt.* 影响

搭配 have an influence on/upon sth. 对某事产生影响

同义 impact *n.* 影响

effect *n.* 影响；效果 *v.* 招致

consumer /kən'sju:mə(r)/ *n.* 消费者；用户

搭配 consumer price index 消费者物价指数

consumer psychology 消费心理

同根 consumerism *n.* 消费，消费主义

aspiration /ˌæspə'reɪʃn/ *n.* 强烈的愿望；志向；渴望达到的目的

记忆 词根记忆：a（加强）+spir（呼吸）+ation→看到渴望的东西就呼吸急促→强烈的愿望

同根 aspire *v.* 向往，有志于

attitude /'ætɪtju:d/ *n.* 态度，看法；姿势；意见

记忆 发音记忆："爱踢球的"→尽管人们对国足态度不一，但青少年踢球的热情无法阻挡→态度

搭配 attitude to/towards... 对…的态度

the attitude to smoking 对待吸烟的态度

behaviour /bɪ'heɪvjə(r)/ *n.* 行为，表现；（机器等）运转情况

同义 manner *n.* 行为

conduct *n.* 行为

主题归纳

形容"多"的词：

abundant /ə'bʌndənt/ *adj.* 丰富的；充裕的；盛产

记忆 词根记忆：ab（加强）+und（溢出）+ant（…的）→（多得）溢出来→丰富的

同根 abundance *n.* 大量，丰富

ample /'æmpl/ *adj.* 足够的；充足的

搭配 ample time 足够的时间

copious /'kəʊpiəs/ *adj.* 丰富的，大量的

记忆 词根记忆：cop（丰富）+ious（…的）→丰富的

excessive /ɪk'sesɪv/ *adj.* 过多的，极度的，过分的

同根 excess *n.* 超越；过量 *adj.* 过量的，额外的

lavish /'lævɪʃ/ *adj.* 过分慷慨的，浪费的；*v.* 滥花，浪费

记忆 词根记忆：lav（洗，冲洗）+ish（使…）→冲洗掉→浪费

同义 extravagant *adj.* 奢侈的；过分的

mass /mæs/ *n.* 团，众多；*adj.* 大量的

搭配 mass production 大规模生产

miscellaneous /ˌmɪsə'leɪniəs/ *adj.* 各种各样的，不同种类的；多才多艺的

记忆 词根记忆：misc（混淆）+ellan+eous（…的）→混淆的→各种各样的

搭配 miscellaneous costs 杂费

multitude /'mʌltɪtju:d/ *n.* 众多，大量；民众

numerous /'nju:mərəs/ *adj.* 众多的

記憶 词根记忆：numer（数）+ous（…的）→ 数目很多的→众多的

plenteous /'plentiəs/ *adj.* 丰富的，充足的

plentiful /'plentɪfl/ *adj.* 丰富的

搭配 plentiful supply 大量供应

plethora /'pleθərə/ *n.* 过剩，过多

profuse /prə'fjuːs/ *adj.* 丰富的；大量的

同根 profusion *n.* 丰富

prolific /prə'lɪfɪk/ *adj.* 多产的

搭配 prolific author 多产作家

同义 productive *adj.* 多产的

substantial /səb'stænʃl/ *adj.* 大量的；价值 巨大的；结实的；实质的

同义 plentiful *adj.* 丰富的

同根 substantially *adv.* 可观地；实质上

substance *n.* 物质；实质

sufficient /sə'fɪʃnt/ *adj.* 足够的，充分的

反义 insufficient *adj.* 不足的

swarm /swɔːm/ *v.* 挤满；云集；*n.* 一大群

搭配 swarm with 挤满，充满的

wealth /welθ/ *n.* 大量

与"销售方案中的目标消费者"有关的词：

bundling /'bʌndlɪŋ/ *n.* 捆绑销售

同根 bundle *vt.* 捆；束

client /'klaɪənt/ *n.* 顾客

搭配 client service 客户服务

gender /'dʒendə(r)/ *n.* 性别

搭配 gender discrimination 性别歧视

low-income /ˌləʊ 'ɪnkʌm/ *adj.* 低收入的

记忆 合成词：low（低）+income（收入）→ 低收入的

passivity /pæ'sɪvəti/ *n.* 被动性

同根 passive *adj.* 被动的

propensity /prə'pensəti/ *n.* 倾向，癖好

记忆 词根记忆：pro（向前）+pens（称重量）+ ity →重量偏向一边→倾向

搭配 consumption propensity 消费倾向

purchasing power 购买力

target audience 目标受众

targeted /'tɑːgɪtɪd/ *adj.* 定向的

同根 target *n.* 目标；对象 *vt.* 把…作为目标

temptation /temp'teɪʃn/ *n.* 诱惑

搭配 resist temptation 抵制诱惑

upscale /ʌp'skeɪl/ *adj.* 高消费阶层的

搭配 upscale clientele 高层次的顾客

The conviction that historical relics provide infallible testimony about the past is rooted in the nineteenth and early twentieth centuries, when science was regarded as objective and value free.

坚信历史遗迹可以准确无误地证明过去这一信念起源于 19 世纪和 20 世纪初期，当时人们认为科学是客观的并且不受价值观左右。

（剑桥雅思 9）

语法笔记

本句的主干是 The conviction is rooted in the nineteenth and early twentieth centuries。其中 that 引导同位语从句，解释说明抽象名词 conviction。此外，when 引导的是非限制性定语从句，对 the nineteenth and early twentieth centuries 进行解释说明。

核心词表

conviction /kən'vɪkʃn/ *n.* 判罪；坚信，确信

historical /hɪ'stɒrɪkl/ *adj.* 历史的；史学的

搭配 historical data 史料，历史资料

　　　historical change 历史变迁

relic /'relɪk/ *n.* 遗物；遗迹

搭配 cultural relic 文物；文化遗产

　　　grade-one cultural relic 一级文物

infallible /ɪn'fæləbl/ *adj.* 绝对可靠的；万无一失的

记忆 词根记忆：in（无）+fall（错误）+ible（…的）→无错误的→万无一失的

testimony /'testɪməni/ *n.* 证据；证明

regard /rɪ'gɑːd/ *v.* 把…看作，把…认为；注视；*n.* 敬意，问候

搭配 as regards 关于，至于

　　　with/in regard to 对于；就…而论

objective /əb'dʒektɪv/ *n.* 目标，目的；*adj.* 客观的；真实的

搭配 strategic objective 战略目标

　　　be objective about sth. 客观看待某事

同义 goal *n.* 目标

　　　aim *n.* 目的，目标

value /'væljuː/ *n.* 价值；价值观

主题归纳

表示"文物，遗迹"的词：

bequest /bɪ'kwest/ *n.* 遗产；遗赠

heritage /'herɪtɪdʒ/ *n.* 遗产；传统

记忆 词根记忆：herit（继承）+age（集合名词）→继承的东西→遗产

同义 inheritance *n.* 遗产，遗赠

legacy /'legəsi/ *n.* 遗产；遗赠

形容"对事物的负面态度"的词：

begrudge /bɪ'grʌdʒ/ *v.* 对…不满；嫉妒

desperate /'despərət/ *adj.* 拼命的，极度渴望的，绝望的

记忆 词根记忆：de（否定）+sper（希望）+ate（具有…的）→没有希望→拼命的

flatter /'flætə(r)/ v. 奉承；使高兴

搭配 flatter oneself that... 自以为…

同根 flatterer n. 谄媚者

flattery n. 恭维的话

hesitate /'hezɪteɪt/ vi. 犹豫；不情愿

记忆 词根记忆：hes（粘附）+itate→脚像粘住了一样→犹豫

同根 hesitation n. 犹豫

indecision /ˌɪndɪ'sɪʒn/ n. 无决断力；优柔寡断

indifferent /ɪn'dɪfrənt/ adj. 漠不关心的；质量差的

搭配 an indifferent book 质量低劣的书

jealous /'dʒeləs/ adj. 妒忌的；猜疑的

scruple /'skruːpl/ n. 踌躇；有顾忌

vacillate /'væsəleɪt/ v. 观点（或立场等）摇摆；动摇

表示"肯定，确定"的词：

ascertain /ˌæsə'teɪn/ v. 弄清，查明；确定

记忆 词根记忆：as（加强）+certain（确定）→一再区别→确定

同义 clarify vt. 澄清

反义 conceal vt. 隐瞒

cover vt. 掩盖

confident /'kɒnfɪdənt/ adj. 肯定的；确信的

记忆 词根记忆：con（加强）+fid（相信）+ent（…的）→加强相信的→确信的

definite /'defɪnət/ adj. 明确的，肯定的

记忆 词根记忆：de+fin（范围）+ite→划定范围的→明确的

undoubtedly /ʌn'daʊtɪdli/ adv. 毋庸置疑地，确凿地

与"科学"相关的词：

doctrine /'dɒktrɪn/ n. 教义；主义；学说

记忆 词根记忆：doctr（=doct 教导）+ine（表抽象名词）→教义

exact /ɪg'zækt/ adj. 精确的；准确的

同根 exactly adv. 正确地；完全地

institute /'ɪnstɪtjuːt/ n. 研究所，学院；vt. 建立，设立

记忆 词根记忆：in（使…）+stitut（建立）+e→建立，设立

scale /skeɪl/ n. 规模；[pl.] 天平；刻度；等级；比例（尺）；v. 攀登

搭配 on a large scale 大规模地

in scale 成比例，相称

out of scale 不成比例，不相称

scale down 按比例缩小，按比例缩减

symbolic /sɪmˈbɒlɪk/ *adj.* 象征的；符号的

tentative /ˈtentətɪv/ *adj.* 试探性的；试验的；暂时的

theoretical /ˌθɪəˈretɪkl/ *adj.* 理论（上）的

搭配 theoretical background 理论背景

同根 theoretically *adv.* 理论上

Review

After this, many researchers switched to autoganzfeld tests—an automated variant of the technique which used computers to perform many of the key tasks such as the random selection of images.

此后，很多研究人员转而进行自动超感知觉全域测试——使用自动化技术，利用电脑完成诸如随机选择图像等许多重要任务。 （剑桥雅思8）

语法笔记

本句的主干是 many researchers switched to autoganzfeld tests。破折号后的内容是对 autoganzfeld tests 的解释说明，which 引导一个定语从句，修饰 an automated variant of the technique。

核心词表

switch /swɪtʃ/ *n.* 开关；转换器；*v.* 转变，转换

搭配 switch off 切断

　　switch to 转到，转变成

同义 swap *v.* 转换

autoganzfeld /ˌaʊtəʊˈɡɑːnsfelt/ *n.* 超感知觉全域测试法

automate /ˈɔːtəmeɪt/ *v.* （使）自动化，（使）自动操作

同根 automation *n.* 自动化

variant /ˈveəriənt/ *n.* 变体，变化形式

technique /tekˈniːk/ *n.* 技术；技能

记忆 词根记忆：techn（技艺，技术）+ique →技术

perform /pəˈfɔːm/ *v.* 履行，执行，做，完全；表演，演出

记忆 词根记忆：per（每）+form（形式）→表演是各种艺术形式的综合→表演

搭配 perform on 演奏

performance /pəˈfɔːməns/ *n.* 演出，表演；履行，执行；工作情况，性能

搭配 peak performance 最佳性能，最佳表现

random /ˈrændəm/ *adj.* 任意的，随机的，随意的；*n.* 随机，随意

记忆 联想记忆：ran（跑）+dom（领域）→可以在各种领域跑的→任意的

搭配 at random 胡乱地，随机地，任意地

　　random selection 随机选择

　　random sampling 随机取样

　　random access 随机存取

同义 irregular *adj.* 不规则的，无规律的

　　arbitrary *adj.* 任意的

反义 designed *adj.* 有计划的

　　arranged *adj.* 安排好的

selection /sɪˈlekʃn/ *n.* 挑选，精选；选集

搭配 selection check 抽查

　　natural selection 自然选择

同义 choice *n.* 选择

与"电脑配件"有关的词：

bluetooth /'bluːtuːθ/ *n.* 蓝牙

搭配 bluetooth telephone 蓝牙电话

card reader 读卡器

CD (compact disc) /ˌsiː 'diː/ *abbr.* 光盘；激光唱片

CD-ROM (compact disc read-only memory) /ˌsiː diː 'rɒm/ *abbr.* 光驱（只读光盘驱动器）

copycat /'kɒpikæt/ *n.* 抄袭者

cord /kɔːd/ *n.* 细线，带

搭配 telephone cord 电话线

CPU (central processing unit) /ˌsiː piː 'juː/ *abbr.* 中央处理器

搭配 CPU cooling fan 中央处理器散热风扇

expandable /ɪk'spændəbl/ *adj.* 可扩展的

搭配 expandable memory 扩充内存

film /fɪlm/ *n.* 薄膜

搭配 mobile phone film 手机膜

headset /'hedset/ *n.* 头戴式耳机

搭配 bluetooth headset 蓝牙耳机

hub USB 集线器

ink box 墨盒

keyboard /'kiːbɔːd/ *n.* 键盘

搭配 keyboard shortcut 快捷键

lens /lenz/ *n.* 镜头

搭配 zoom lens 变焦镜头

memory card 存储卡

memory-chip /'meməri tʃɪp/ *n.* 内存条

microphone /'maɪkrəfəʊn/ *n.* 麦克风

搭配 wireless microphone 无线话筒

modem /'məʊdem/ *n.* 调制解调器

monitor /'mɒnɪtə(r)/ *n.* 显示器；监视器；班长；*vt.* 监视；监测

记忆 词根记忆：mon（警告）+itor →给你警告的人→班长

搭配 computer monitor 计算机显示器

motherboard /'mʌðəbɔːd/ *n.* 主板，母板

mouse /maʊs/ *n.* 鼠标

搭配 wireless mouse 无线鼠标

plug in 插入；接通电源；联网

power adapter 电源适配器

power supply 电源

router /'ruːtə(r)/ *n.* 路由器

记忆 来自 route（*n.* 路线；途径）

slot /slɒt/ *n.* 插槽

搭配 coin slot 投币口

solid state disk 固态硬盘

trial version 试用版

USB cable 数据线

webcam /'webkæm/ *n.* 网络摄像头

与"任务"有关的词：

accomplish /ə'kʌmplɪʃ/ *vt.* 达到（目的），完成（任务），实现（计划、诺言等）

记忆 联想记忆：ac+compl（看作 complete，完成）+ish（使…）→完成

搭配 accomplish one's object 达到了某人的目的

accomplish one's mission 完成了某人的任务

assign /ə'saɪn/ *vt.* 指派，分配；指定

记忆 词根记忆：as（加强）+sign（信号）→一再给人信号→指定

搭配 assign sth. to sb. 给某人指派某事

assignment /ə'saɪnmənt/ *n.* 任务

记忆 词根记忆：assign（分配，指派）+ment→指派别人去做→任务

mission /'mɪʃn/ *n.* 使命，任务；代表团，使团；天职

记忆 电影《碟中碟》*Mission Impossible*，直译为《不可能完成的任务》

responsibility /rɪˌspɒnsə'bɪləti/ *n.* 责任，责任心；职责，任务

记忆 来自 responsible（*adj.* 应负责的，有责任的）

搭配 perform one's responsibilities 履行或行使职责

assume the responsibility 承担责任

Review

Sentence 62

Unless there are no purchase facilities available at the station where you began your journey, you will be required to pay the full fare if you are unable to produce a valid ticket for inspection during a journey.
除非出发地的车站没有可用的售票设施，否则一旦在旅途中检查时你无法出示有效车票，你将被要求支付全额票款。

（剑桥雅思9）

语法笔记

本句的主干是 you will be required to pay the full fare。unless 引导条件状语从句；where 引导定语从句，修饰先行词 station；if 引导的是条件状语从句。

核心词表

facility /fə'sɪləti/ *n.* [pl.] 设备，设施；便利条件

记忆 词根记忆：fac（做）+ility（表性质）→设备都是靠人做出来的→设备

搭配 communication facilities 通讯设施

available /ə'veɪləbl/ *adj.* 可获得的；可用的，可得到的；可以见到的，随时可来的

记忆 词根记忆：avail（价值）+able（能…的）→有价值的→可用的

搭配 be available to 可用于

available facilities 可用的器械

station /'steɪʃn/ *n.* 火车站

journey /'dʒɜːni/ *n.* 旅行；行程

同义 voyage *n.* 航海；旅行；航行

require /rɪ'kwaɪə(r)/ *vt.* 需要；要求，命令；规定

记忆 词根记忆：re（一再）+quir（寻求，获得）+e→一再要获得→要求

同义 need *v.* 需要

同根 requirement *n.* 要求；命令

full fare 全票价

produce /prə'djuːs/ *v.* 出示；展现；使出现

valid /'vælɪd/ *adj.* 有效的，具有法律效力的；正当的；有根据的，有理的

记忆 词根记忆：val（强壮）+id（…的）→有力的→具有法律效力的

反义 invalid *adj.* 无效的

inspection /ɪn'spekʃn/ *n.* 检查，审查

同义 inquiry *n.* 调查，审查

scrutiny *n.* 细察，详细检查

主题归纳

与 "乘坐交通工具" 有关的词：

airliner /'eəlaɪnə(r)/ *n.* 大型客机；班机

airplane /'eəpleɪn/ *n.* 飞机

automobile /'ɔːtəməbiːl/ *n.* 汽车

bunk /bʌŋk/ *n.* 铺位，卧铺；*v.* 为…提供铺位

搭配 lower bunk 下铺

by tube 乘地铁

carriage /ˈkærɪdʒ/ *n.* 火车车厢

compartment /kəmˈpɑːtmənt/ *n.* 隔间，车厢

搭配 luggage compartment 行李舱

cruise ship 游艇

destination /ˌdestɪˈneɪʃn/ *n.* 目的地

electric tram 电车

escalator /ˈeskəleɪtə(r)/ *n.* 电动扶梯

记忆 词根记忆：escal（梯子）+ator（表名词，器物）→电动扶梯

搭配 subway escalator 地铁扶梯

ferryboat /ˈferi bəʊt/ *n.* 渡船，渡轮

light rail 轻轨

platform /ˈplætfɔːm/ *n.* 站台，月台

搭配 platform ticket 站台票

service platform 工作台；操作平台

subway station 地铁站

terminus /ˈtɜːmɪnəs/ *n.* 终点站

记忆 词根记忆：termin（界限）+us →界限点→终点站

搭配 terminus station 终点站

transportation /ˌtrænspɔːˈteɪʃn/ *n.* 运输工具

搭配 transportation expense 交通费用

vessel /ˈvesl/ *n.* 大船；轮船

搭配 ocean-going vessel 远洋轮船

yacht /jɒt/ *n.* 快艇，游艇；*v.* 驾游艇

与"设施，设备，仪器"有关的词：

amenity /əˈmiːnəti/ *n.* 舒适；便利设施

apparatus /ˌæpəˈreɪtəs/ *n.* 仪器；设备

记忆 词根记忆：ap（加强）+par（准备）+atus →准备好用的东西→设备

appliance /əˈplaɪəns/ *n.* 器具；装置

axis /ˈæksɪs/ *n.* 轴

device /dɪˈvaɪs/ *n.* 装置，设备，仪表；方法，设计；手段，策略

记忆 词根记忆：de+vice（代替）→代替人力的（东西）→装置

fixture /ˈfɪkstʃə(r)/ *n.* （房间等建筑物内的）固定装置，固定设施

记忆 词根记忆：fix（固定）+ture →固定装置

gadget /ˈgædʒɪt/ *n.* 小巧的器械，精巧的装置；小玩意儿

gear /gɪə(r)/ *n.* 齿轮，传动装置，（排）档；（从事某项活动所需的）用具、设备、衣服等；*vt.* 调节，调整，使适应

搭配 gear change 变速杆，变速装置

gear to/towards 调整，使合适

gear the plan 调整计划

handle /ˈhændl/ *vt.* 操作，操纵

instrument /ˈɪnstrəmənt/ *n.* 仪器；手段；工具；乐器

搭配 strategic instrument 战略工具

measuring instrument 测量工具

musical instrument 乐器

同根 instrumental *adj.* 起作用的；用乐器演奏的

maneuver /məˈnuːvə(r)/ *vt.* 操纵

outfit /ˈaʊtfɪt/ *n.* 用具，全套装备；*vt.* 配备；供应

pivot /ˈpɪvət/ *n.* 支点；枢轴；*v.* （使）在枢轴上旋转（或转动）

practical /ˈpræktɪkl/ *adj.* 实际的，实用的；实践的，应用的

记忆 词根记忆：practic(e)（实践）+al（…的）
→实践的

rig /rɪg/ *v.* 操纵，垄断；*n.* 船桅（或船帆等）
的装置；成套器械

sanitation /ˌsænɪ'teɪʃn/ *n.* （公共）卫生，
卫生设施

记忆 词根记忆：sanit（健康的）+ation（表名
词）→（公共）卫生

Review

Although population, industrial output and economic productivity have continued to soar in developed nations, the rate at which people withdraw water from aquifers, rivers and lakes has slowed.

尽管发达国家的人口、工业产出和经济生产力持续飞涨，但人们从含水层、河流和湖泊中抽取水的速度已经放缓。 （剑桥雅思7）

语法笔记

本句的主干是 the rate has slowed。其中 at which 引导一个定语从句，修饰 rate，句首的 although 引导让步状语从句。

核心词表

industrial /ɪnˈdʌstriəl/ *adj.* 工业的，产业的

记忆 来自 industry（*n.* 工业）

搭配 industrial base 工业基地

output /ˈaʊtpʊt/ *n.* 产量；输出

搭配 industrial output 工业产出

productivity /ˌprɒdʌkˈtɪvəti/ *n.* 生产力；生产率

记忆 来自 product（*n.* 产品）

同义 capacity *n.* 容量；生产力

output *n.* 产量；输出量

soar /sɔː(r)/ *n.* 猛增；急升

withdraw /wɪðˈdrɔː/ *v.* 收回；撤退；缩回，退出；提取（钱）

记忆 词根记忆：with（向后）+draw（拉）→向后拉扯→撤退

搭配 withdraw one's promise 收回诺言

a withdrawn letter 撤回的信函

withdraw money from the bank 从银行取钱

aquifer /ˈækwɪfə(r)/ *n.* 含水层

主题归纳

与"生活用水"相关的词：

distilled water 蒸馏水

drain /dreɪn/ *n.* 排水道

drainage /ˈdreɪnɪdʒ/ *n.* 排水；污水

搭配 drainage ditch 排水沟

drainage hole 排水孔

drainage system 排水系统

drinking water 饮用水

fresh water 淡水

groundwater /ˈɡraʊndwɔːtə(r)/ *n.* 地下水

搭配 groundwater exploration 地下水勘探

confined groundwater 承压地下水

hard water 硬质水

running water 流水

salt water 盐水

sea water 海水

sewage /'suːɪdʒ/ n. 污水；下水道

搭配 sewage disposal 污水处理

　　　sewage engineering 污水排放工程

surface water 地表水

tap water 自来水

waste water 污水

表示"增长，升高"的词：

ascend /ə'send/ v. 攀登；升高

同根 ascending adj. 上升的，向上的

boost /buːst/ vt. 促进，增加

搭配 boost the economy 促进经济发展

burgeon /'bɜːdʒən/ vi.（正式）急速增长（发展）

enhance /ɪn'hɑːns/ vt. 提高；增强

同根 enhancement n. 增加

　　　enhanced adj. 增强的；提高的

hoist /hɔɪst/ n. 起重机；升起；v.（使）升起，吊起

raise /reɪz/ v. 举起；增加；n. 提升；加薪

skyrocket /'skaɪrɒkɪt/ vi. 火箭式上升；猛升

记忆 合成词：sky（天空）+rocket（火箭）→火箭升空；猛升

spiral /'spaɪrəl/ adj. 螺旋形的；v. 盘旋；盘旋上升（或下降）

表示"减缓，降低"的词：

abate /ə'beɪt/ v.（指风力、声音、痛苦等的）减少；减（税），降价

depress /dɪ'pres/ vt. 降低（价格）

同根 depression n. 压抑；萧条

descend /dɪ'send/ v. 下降；起源（于）

记忆 词根记忆：de（向下）+scend（爬）→向下爬→下降

drop /drɒp/ n. 滴；落下；v. 下降；落下

fall /fɔːl/ v. 跌倒；下降；减弱

reduction /rɪ'dʌkʃn/ n. 减少，下降

同根 reduce v. 减少

slip /slɪp/ n. 滑倒；v. 滑倒；下降，跌落

记忆 联想记忆：s+lip（嘴唇）→从唇边滑落→滑落

与"人口分布、结构"相关的词：

age structure 年龄结构

birth rate 出生率

census /'sensəs/ n. 人口普查

搭配 census register 户籍登记簿

family planning 计划生育

mobile population 流动人口

natural growth 自然增长

populate /'pɒpjuleɪt/ vt.（大批地）居住于；构成…的人口

同根 population n. 人口

populous /'pɒpjuləs/ adj. 人口稠密的

记忆 词根记忆：popul（人民）+ous（…的）→人（多）的→人口稠密的

rural population 农村人口

sex ratio 性别比率

uneven /ʌn'iːvn/ adj. 不均衡的，不平坦的

搭配 uneven distribution 分布不均

urban population 城镇人口

与"发达国家工厂生产"有关的词：

assembly line 装配线

automated production 自动化生产

automatic /ˌɔːtəˈmætɪk/ *adj.* 自动的；机械的

搭配 automatic control 自动控制

current production 流水作业，流水生产

industrialisation process 工业化进程

maintenance /ˈmeɪntənəns/ *n.* 维修；保持

搭配 vehicle maintenance 车辆的保养

manual /ˈmænjuəl/ *adj.* 手工的；体力的

记忆 词根记忆：man（手）+ual（…的）→用手做的→手工的

workshop /ˈwɜːkʃɒp/ *n.* 车间，工场

搭配 workshop director 车间主任

Review

High achievers have been found to use self-regulatory learning strategies more often and more effectively than lower achievers, and are better able to transfer these strategies to deal with unfamiliar tasks.

我们发现成绩优异的学生比成绩差的学生更经常、更有效地使用自我调节的学习策略，并且能够更好地变换这些策略来处理不熟悉的任务。

（剑桥雅思 10）

语法笔记

本句的主干是 High achievers have been found and are better able to transfer these strategies。to use ... lower achievers 作主语补足语；此句中运用了比较句型。

核心词表

achiever /ə'tʃiːvə(r)/ *n.* 成功者

搭配 high achiever 成功人士

self-regulatory /self 'regjulətəri/ *adj.* 自我调节的，自我控制的

记忆 词根记忆：self（自己）+regulatory（控制的）→自我控制的

regulate /'regjuleɪt/ *v.* 管制，控制；校准；调整

记忆 词根记忆：reg（统治）+ul+ate（做）→统治并加以管理→管制

搭配 regulate the traffic 交通管制

regulate one's spending 控制开支

同根 regulation *n.* 规章；调节

strategy /'strætədʒi/ *n.* 战略，策略

记忆 联想记忆：str（看作 strange，奇怪的）+ ate（吃）+gy →用奇怪的方法吃掉对手→策略

搭配 marketing strategies 营销策略

reading strategy 阅读策略

research strategy 研究策略

transfer /træns'fɜː(r)/ *v.* 转移；调动，转学；转让；换乘；*n.* 转移，调动；换乘

记忆 词根记忆：trans（转移）+fer（带来）→转移

搭配 transfer property to sb. 把财产转让给某人

transfer from... to... 从…转换成…

bank transfer 银行转账

同根 transference *n.* 转移；转让

transferable *adj.* 可转移的

unfamiliar /ˌʌnfə'mɪliə(r)/ *adj.* 不熟悉的，不了解的

主题归纳

形容"使用，运用"的词：

access /'ækses/ *n.* 接近；进入；通道；*vt.* 进入；使用

记忆 词根记忆：ac（加强）+cess（行走）→一再向前走→接近

application /ˌæplɪˈkeɪʃn/ *n.* 请求；申请；申请书；应用；敷用

搭配 application for 申请…

application form 申请表

application process 申请过程

job application 应聘

deploy /dɪˈplɔɪ/ *v.* 部署；使用，运用

记忆 联想记忆：de（使…）+ploy（用）→使用，运用

employ /ɪmˈplɔɪ/ *n./v.* 雇用；使用

同根 employee *n.* 雇员

employer *n.* 雇主

employment *n.* 雇佣

employable *adj.* 可利用的

revival /rɪˈvaɪvl/ *n.* （健康、力量或知觉的）恢复；苏醒；复兴；重新使用；重新流行

记忆 词根记忆：re（重新）+viv（生命）+al（表行为）→生命重现→苏醒

utilize /ˈjuːtəlaɪz/ *v.* 利用，运用

同根 utilization *n.* 利用

与"学习"有关的词：

academic /ˌækəˈdemɪk/ *adj.* 学院的；学术的；不切实际的；*n.* 学者，大学教师

搭配 academic achievement 学术成就

academic study 学术研究

academic problem 学术问题

academic teaching staff 师资力量

同根 academia *n.* 学术界；学术生涯

academically *adv.* 学术地

discipline /ˈdɪsəplɪn/ *v.* 训练，训导；学科；*n.* 纪律，处分；学科

记忆 联想记忆：dis（不）+cip（拿）+line（线）→不站成一条线就要受惩罚→必须遵守纪律

dissertation /ˌdɪsəˈteɪʃn/ *n.* 专题论文

记忆 来自 dissert（*v.* 论述，写论文）

essay /ˈeseɪ/ *n.* 短文，评论；散文

literate /ˈlɪtərət/ *adj.* 有读写能力的；有文化的；博学的

记忆 词根记忆：liter（文字）+ate（具有…的）→有读写能力的；有文化的

margin /ˈmɑːdʒɪn/ *n.* 差额；页边空白；边缘；余地；幅度；*v.* 加旁注于，加边于

记忆 词根记忆：marg（边界）+in→书页的边界→页边空白

搭配 by a small margin 以极小优势

pamphlet /ˈpæmflət/ *n.* 小册子

thesis /ˈθiːsɪs/ *n.* 论文

transcript /ˈtrænskrɪpt/ *n.* 成绩单

表示"转换，转变"的词：

conversion /kənˈvɜːʃn/ *n.* 转化；转变，变换；兑换；改变信仰，皈依

记忆 词根记忆：con+vers（转）+ion→转化，转变

diversion /daɪˈvɜːʃn/ *n.* 转向，转移；（修路时的）临时绕行路；分散注意力的事；娱乐

记忆 词根记忆：di（离开）+vers（转）+ion→转向，转移

搭配 create a diversion 转移别人的注意力

shift /ʃɪft/ *v.* 移动，转移；改变，转变；*n.* 转换，转变；（轮或换）班

记忆 联想记忆：电脑键盘上的切换键即 shift 键

同根 shifting *adj.* 运动的；*n.* 移位

transform /træns'fɔːm/ *v.* 使改观，改革，改善；变换，把…转换成，使变形

记忆 词根记忆：trans（改变）+form（形状）→改变形状，以使改观→使改观

同根 transformation *n.* 变形；转变

transformer *n.* 变压器

transition /træn'zɪʃn/ *n.* 过渡，过渡时期；转变，转换

记忆 词根记忆：trans（变换，改变）+ition →转变

搭配 in transition 转变中

同义 transformation *n.* 转化

change *n.* 转变，改变

同根 transitional *adj.* 变迁的，过渡期的

形容"优异，优秀"的词：

awesome /'ɔːsəm/ *adj.* 棒极了的（常用于口语）

cool /kuːl/ *adj.* 出色的

excellence /'eksələns/ *n.* 优秀，卓越；[常 pl.] 美德；优点

搭配 professional excellence 专业求精

excellent /'eksələnt/ *adj.* 极好的；杰出的

记忆 联想记忆：excel（胜过他人）+lent → 杰出的

fantastic /fæn'tæstɪk/ *adj.* 极好的

搭配 a fantastic achievement 了不起的成就

first-class /'fɜːst'klɑːs/ *adj.* 优秀的，一流的

搭配 first-class service 一流服务

super /'suːpə(r)/ *adj.* 超好的

terrific /tə'rɪfɪk/ *adj.* 极好的，了不起的

wonderful /'wʌndəfl/ *adj.* 极好的

Review

Research also indicates that bilingual experience may help to keep the cognitive mechanisms sharp by recruiting alternate brain networks to compensate for those that become damaged during aging.

研究还表明，双语经历可能有助于保持认知机制的敏锐性，通过运用替代的大脑网络，弥补那些在衰老过程中受到损害的大脑网络。

（剑桥雅思 12）

语法笔记

本句的主干是 Research also indicates+that 宾语从句，其中 that 引导的宾语从句作 indicate 的宾语。by recruiting... during aging 作方式状语，第二个 that 引导定语从句，修饰前面的 those。

核心词表

indicate /'ɪndɪkeɪt/ *vt.* 标示；表示，表明

记忆 词根记忆：in（加以…）+dic（说）+ate（做）→说出→表示，表明

同根 indicator *n.* 指示器

indication *n.* 指示，标示

bilingual /ˌbaɪ'lɪŋgwəl/ *adj.* 会说两种语言的

记忆 词根记忆：bi（两个）+lingu（语言）+al（…的）→（说）两种语言的

搭配 bilingual education 双语教育

cognitive /'kɒgnətɪv/ *adj.* 认知的，认识的

搭配 cognitive linguistics 认知语言学

mechanism /'mekənɪzəm/ *n.* 机械装置；机制，机理；办法

recruit /rɪ'kruːt/ *v.* 招募（新兵），招收（新成员）；恢复；*n.* 新兵，新成员

记忆 词根记忆：re（重新）+cruit（=cre，增长）→使部队成长壮大→招募（新兵）

搭配 recruit to 招募，征募

recruit method 招聘方法

同根 recruitment *n.* 招聘；吸收新成员

recruiter *n.* 征兵人员；为学校招生的人

alternate /'ɔːl'tɜːnət/ *adj.* 轮流的，交替的；间隔的；/'ɔːltəneɪt/ *v.*（使）轮流，交替

记忆 词根记忆：altern（改变状态）+ate（…的）→交替改变的→轮流的

compensate /'kɒmpenseɪt/ *v.* 补偿，赔偿；抵消；付报酬

记忆 词根记忆：com（全部）+pens（花费）+ate（做）→花费的钱全部（拿回来）→补偿

搭配 compensate for 弥补；补偿

compensate the consumer for the loss 弥补消费者的损失

同义 pay *vt.* 赔偿；受报应

damage /'dæmɪdʒ/ *n.* 损害，[pl.] 损害赔偿（金）；*vt.* 损害

主题归纳

与"语言学分科"有关的词：

diction /'dɪkʃn/ *n.* 措辞，用语

搭配 poetic diction 辞藻

lexicology /ˌleksɪ'kɒlədʒi/ *n.* 词汇学

linguistic /lɪŋ'gwɪstɪk/ *adj.* 语言的，语言学的

记忆 词根记忆：lingu（语言）+istic →语言的

morphology /mɔː'fɒlədʒi/ *n.* 形态学

同根 morphological *adj.* 形态学的

phonology /fə'nɒlədʒi/ *n.* 音韵学

semantics /sɪ'mæntɪks/ *n.* 语义学

syntax /'sɪntæks/ *n.* 句法

与"双语教育"有关的词：

consistency /kən'sɪstənsi/ *n.* 协调；一致性

同根 consistent *adj.* 一致的

dominance /'dɒmɪnəns/ *n.* 优势，突出；支配，控制

fluent /'fluːənt/ *adj.* 流利的

identity /aɪ'dentəti/ *n.* 身份

搭配 identity certificate 身份证

immersion /ɪ'mɜːʃn/ *n.* 沉浸；专心

搭配 immersion in 全身心投入

interpreter /ɪn'tɜːprɪtə(r)/ *n.* 口译者，讲解员

literate /'lɪtərət/ *n.* 学者

proficient /prə'fɪʃnt/ *adj.* 熟练的，精通的

搭配 proficient in... 精通…

形容"敏锐机智"的词：

acumen /'ækjəmən/ *n.* 敏锐；精明

记忆 词根记忆：acu（尖，锐利）+men（表抽象名词）→敏锐

canny /'kæni/ *adj.* 精明的，谨慎的

dexterous /'dekstrəs/ *adj.* 机敏，聪明

discerning /dɪ'sɜːnɪŋ/ *adj.* 有识别力的，眼光敏锐的

记忆 词根记忆：dis（加强）+cern（搞清）+ing →能搞清楚的→有识别力的

keen /kiːn/ *adj.* 喜爱…的；渴望的；敏锐的；强烈的；锋利的，刺人的

搭配 be keen on 渴望，对…有爱好

a man of keen perception 知觉敏锐的人

penetrating /'penəˌtreɪtɪŋ/ *adj.* 敏锐的，明察秋毫的

perspicacious /ˌpɜːspɪ'keɪʃəs/ *adj.* 颖悟的；敏锐的

sharpen /'ʃɑːpən/ *v.* 削尖，磨快；使敏捷；陡峭；清晰

记忆 词根记忆：sharp（锋利的）+en（使…）→使锋利的→削尖

shrewd /ʃruːd/ *adj.* 机灵的；精明的

反义 dull *adj.* 迟钝的

smart /smɑːt/ *adj.* 聪明的；漂亮的

搭配 smart answer 巧妙回答

与"神经网络"有关的词：

brain stem 脑干

central nervous system 中枢神经系统

centralis /sen'trɑːlɪs/ *n.* 中央

搭配 sulcus centralis 中央沟

gray matter 灰质

nerve /nɜːv/ *n.* 神经

nerve system 神经系统

neuron /ˈnjʊərɒn/ *n.* 神经元

词根记忆：neur（神经）+on（表物）→
  神经元

sensory neuron 感觉神经元

peripheral /pəˈrɪfərəl/ *adj.* 神经末梢的；
  外围的

periphery *n.* 外围；边缘

spinal cord 脊髓

spinal nerve 脊神经

tract /trækt/ *n.* 神经束；小册子

traction *n.* 牵引

  tractor *n.* 拖拉机

white matter 白质（脑及脊髓的）

Review

Not only was a monopoly of cinnamon becoming impossible, but the spice trade overall was diminishing in economic potential, and was eventually superseded by the rise of trade in coffee, tea, chocolate, and sugar.

不仅肉桂的垄断变得不可能，而且香料贸易的整体经济潜力也在缩减，并最终被咖啡、茶、巧克力和糖的贸易增长所取代。 （剑桥雅思 13）

语法笔记

本句是由 not only...but also 连接的一个并列句。因为 not only 位于句首，所以第一个分句进行了倒装，其主干是 a monopoly of cinnamon was becoming impossible。第二分句的主干是 the spice trade was diminishing and was eventually superseded，谓语动词 was diminishing 和 was superseded 构成并列谓语结构。

核心词表

monopoly /məˈnɒpəli/ *n.* 垄断；垄断商品

记忆 词根记忆：mono（单个）+poly（多）→独占某商品绝大多数的市场份额→垄断

搭配 capital monopoly 资本垄断

cinnamon /ˈsɪnəmən/ *n.* 肉桂

impossible /ɪmˈpɒsəbl/ *adj.* 不可能的，办不到的

记忆 联想记忆：汤姆·克鲁斯主演的电影《碟中谍》（直译为《不可能的任务》）就是 *Mission Impossible*

spice /spaɪs/ *n.* 香料，调味品；情趣；*v.* 使增添趣味；给…加香料

记忆 联想记忆：曾经风靡一时的 Spice Girls 辣妹组合

trade /treɪd/ *n.* 贸易

搭配 retail trade 零售贸易

trade barrier 贸易壁垒

overall /ˌəʊvərˈɔːl/ *adj.* 全面的；全部的

搭配 overall checkup 全面检查

diminish /dɪˈmɪnɪʃ/ *v.* 减少；降低

记忆 词根记忆：di（分开）+min（小）+ish→小下去→减少

同义 curtail *vt.* 缩减，减少（经费等）

decrease *v.* 减少

反义 increase *v.* 增加，加大

potential /pəˈtenʃl/ *adj.* 潜在的；可能的；*n.* 潜力，潜能

记忆 词根记忆：pot（能力）+ent+ial（具有…的）→能力，引申为潜力

搭配 potential customer/client 潜在顾客 / 客户

potential threat 潜在威胁

potential abilities 潜能

同义 possible *adj.* 可能的

同根 potentiality *n.* 潜力

supersede /ˌsuːpəˈsiːd/ *v.* 代替，取代

记忆 词根记忆：super（在…上面）+sede（坐）→坐在别人的位置上→取代

与"贸易中的个体"有关的词：

entrepreneur /ˌɒntrəprə'nɜː(r)/ *n.* 企业家；承包人

记忆 来自 enterprise（*n.* 企业）

exporter /ek'spɔːtə(r)/ *n.* 出口商

同根 export *v.* 出口

importer /ɪm'pɔːtə(r)/ *n.* 进口商

同根 import *v.* 进口

transnational /ˌtrænz'næʃnəl/ *adj.* 跨国的

搭配 transnational corporations 跨国公司

形容"贸易活动"的词：

allocation /ˌæləˈkeɪʃn/ *n.* 分配

同根 allocate *vt.* 分配；分派

channel /'tʃænl/ *n.* 渠道，途径

搭配 legal channel 合法渠道

commerce /'kɒmɜːs/ *n.* 贸易，商业

同根 commercial *adj.* 商业的；贸易的
commercialise *vt.* 使商业化

consume /kən'sjuːm/ *v.* 消费

记忆 词根记忆：con（加强）+sum（拿）+e →拿完→消费

cooperation /kəʊˌɒpə'reɪʃn/ *n.* 合作

搭配 cooperation partner 合作伙伴

depression /dɪ'preʃn/ *n.* 消沉；低压；萧条

记忆 来自 depress（*v.* 消沉，沮丧）

equilibrium /ˌiːkwɪ'lɪbriəm/ *n.* 平衡；均势

记忆 词根记忆：equi（平等）+libr（自由）+ium→同样自由→平衡

establish /ɪ'stæblɪʃ/ *vt.* 建立（关系）

同根 establishment *n.* 建立

expansion /ɪk'spænʃn/ *n.* 扩张，扩展

搭配 expansion project 扩建计划

externality /ˌekstɜː'nælɪti/ *n.* 外部因素；可能影响行动进程的偶然条件

同根 external *adj.* 外面的，表面的

fluctuate /'flʌktʃueɪt/ *v.* （使）涨落，（使）起伏；（使）变化

记忆 词根记忆：fluctu（波浪）+ate（使…）→（使）起波浪→起伏，涨落

同义 waver *vi.* 摇摆，摆动
vary *vi.* 变化

inflation /ɪn'fleɪʃn/ *n.* 通货膨胀；充气

记忆 词根记忆：in（使…）+flat（吹）+ion（表动作）→吹气→充气

investment /ɪn'vestmənt/ *n.* 投资；投入；封锁

同根 invest *v.* 投资；投入（时间、精力等）

loyalty /'lɔɪəlti/ *n.* 忠诚

搭配 brand loyalty 品牌忠诚度

lucrative /'luːkrətɪv/ *adj.* 赚钱的；有利可图的

搭配 lucrative market 赚钱的市场

macroeconomics /ˌmækrəʊˌiːkə'nɒmɪks/ *n.* 宏观经济学

记忆 词根记忆：macro（宏大）+economics（经济学）→宏观经济学

microeconomics /maɪkrəʊiːkənɒmɪks/ *n.* 微观经济学

记忆 词根记忆：micro（微小）+economics（经济学）→微观经济学

mutual benefit 互惠互利

negotiation /nɪˌɡəʊʃiˈeɪʃn/ *n.* 谈判，协商

搭配 business negotiation 商务谈判

predictability /prɪˌdɪktəˈbɪləti/ *n.* 可预见性

记忆 合成词：predict（预见）+ability（能力）→可预见性

transaction /trænˈzækʃn/ *n.* 交易，事务

同义 deal *n.* 交易

exchange *n.* 交换；交易

与"贸易中的资金"有关的词：

appreciation /əˌpriːʃiˈeɪʃn/ *n.* 增值

搭配 currency appreciation 货币升值

capital /ˈkæpɪtl/ *n.* 资金

同义 fund *n.* 资金，基金 *v.* 拨款

depreciation /dɪˌpriːʃiˈeɪʃn/ *n.* 贬值

fiscal /ˈfɪskl/ *adj.* 财政的

搭配 fiscal deficit 财政赤字

hyperinflation /ˌhaɪpərɪnˈfleɪʃn/ *n.* 恶性通货膨胀

tariff /ˈtærɪf/ *n.* 关税

搭配 import tariff 进口关税

taxation /tækˈseɪʃn/ *n.* 征税

同根 tax *n.* 税

trade price 贸易价格

与"贸易中的商品"有关的词：

commodity /kəˈmɒdəti/ *n.* 商品，货物；日用品

同义 goods *n.* 货物

inventory /ˈɪnvəntri/ *n.* 目录；存货

记忆 词根记忆：in（进来）+vent（来）+ory（表物）→进来清查货物→目录

merchandise /ˈmɜːtʃəndaɪs/ *n.* 商品

搭配 merchandise inventory 商品库存

merchandise export 商品出口

production /prəˈdʌkʃn/ *n.* 产品

trademark /ˈtreɪdmɑːk/ *n.* 商标，牌号

搭配 registered trademark 注册商标

Another feature that attracted a lot of attention was an interactive journey through a number of the locations chosen for blockbuster films which had made use of New Zealand's stunning scenery as a backdrop.

另一个吸引了众多关注的特点是一趟互动之旅，这趟旅行穿越了电影大片的若干取景地，这些大片充分利用了新西兰令人叹为观止的风景作为背景。

（剑桥雅思 13）

语法笔记

本句的主干是 Another feature was an interactive journey。that 引导一个定语从句，修饰先行词 feature，which 同样也引导了一个定语从句，修饰 blockbuster films；过去分词短语 chosen for blockbuster films 作后置定语修饰 a number of the locations。

核心词表

feature /ˈfiːtʃə(r)/ n. 特征，特色；[pl.] 面貌；特写，专题节目；故事片；v. 给…以显著地位，由…主演

记忆 联想记忆：我的未来（future）由我主演（feature）

搭配 distinguishing feature 显著特色

attract /əˈtrækt/ v. 吸引，引起（注意等）

记忆 词根记忆：at（加强）+tract（拉）→把注意力拉过来→吸引

搭配 attract sb.'s attention 引起…注意

attract people's interest 吸引某人的兴趣

同义 lure vt. 吸引，诱惑

同根 attractive adj. 吸引人的

attraction n. 吸引，诱惑

attractant n. 引诱物

attention /əˈtenʃn/ n. 注意（力），留心；立正

记忆 词根记忆：at（加强）+tent（伸展）+ion（表名词）→伸展出去（听别人讲）→专心

搭配 attract/draw (sb's) attention to 吸引注意力

divert attention from 转移注意力

pay attention to 注意

catch the attention of 引起注意

interactive /ˌɪntərˈæktɪv/ adj. 互动的；交互式的

搭配 interactive media 交互式媒体

blockbuster /ˈblɒkbʌstə(r)/ n. 轰动；巨型炸弹；电影大片

stunning /ˈstʌnɪŋ/ adj. 极好的；令人震惊的

同根 stun vt. 使震惊；打昏 n. 昏倒

scenery /ˈsiːnəri/ n. 风景，景色；舞台布景

记忆 词根记忆：scen(e)（景色）+ery（场所）→景色；舞台布景

搭配 natural scenery 自然风景

magnificent scenery 壮丽的风景

impressive scenery 令人难忘的风景

backdrop /ˈbækdrɒp/ n. 背景幕布

记忆 合成词：back（后）+drop（垂下）→舞台后面垂下的→背景幕布

与"电影影片"有关的词：

commentator /ˈkɒmənteɪtə(r)/ *n.* 评论员

同根 comment *n./v.* 注释，评论

copyright /ˈkɒpiraɪt/ *n.* 版权

correspondent /ˌkɒrəˈspɒndənt/ *n.* 记者

edition /ɪˈdɪʃn/ *n.* 版本

搭配 the first edition 初版

the second edition 再版

editorial /ˌedɪˈtɔːriəl/ *n.* 社论

montage /ˌmɒnˈtɑːʒ/ *n.* 蒙太奇，文学音乐或美术的组合体

post-synchronization /pəʊst ˌsɪŋkrənaɪˈzeɪʃn/ *n.* 后期录音合成

premiere /ˈpremieə(r)/ *n.* 首演，首映

romance /rəʊˈmæns/ *n.* 爱情电影；浪漫

记忆 发音记忆："罗曼史"→浪漫爱情

subtitle /ˈsʌbtaɪtl/ *n.* 字幕

title /ˈtaɪtl/ *n.* 片名

trailer /ˈtreɪlə(r)/ *n.* 预告片

形容"自然景观"的词：

canyon /ˈkænjən/ *n.* 峡谷

搭配 The Grand Canyon 科罗拉多大峡谷

creek /kriːk/ *n.* 小溪

crystal /ˈkrɪstl/ *n.* 结晶；水晶；晶体

搭配 crystal ball 水晶球

crystal clear 完全透明的

estuary /ˈestʃuəri/ *n.* （江河入海的）河口湾

搭配 estuary deposit 河口沉积，港湾沉积

gorge /ɡɔːdʒ/ *n.* 咽喉；山峡，峡谷；*v.* 狼吞虎咽，贪婪地吃

jungle /ˈdʒʌŋɡl/ *n.* 丛林

landscape /ˈlændskeɪp/ *n.* （陆上）风景，风景画；地形；*v.* 美化

搭配 Landscape Architecture 园林建筑学；景观建筑学

lawn /lɔːn/ *n.* 草坪，草地

limpid /ˈlɪmpɪd/ *adj.* 清澈的

meadow /ˈmedəʊ/ *n.* 草地

mirage /ˈmɪrɑːʒ/ *n.* 海市蜃楼

记忆 词根记忆：mir（惊奇）+age（场所）→让人惊奇的场所→海市蜃楼

natural /ˈnætʃrəl/ *adj.* 自然的

搭配 natural landscape 自然景观

panorama /ˌpænəˈrɑːmə/ *n.* 全景

记忆 词根记忆：pan（全）+oram（观看）+a →全部看得到→全景

picturesque /ˌpɪktʃəˈresk/ *adj.* 美丽如画的；（语言）生动的

搭配 a picturesque village 风景如画的村庄

plain /pleɪn/ *n.* 平原

plateau /ˈplætəʊ/ *n.* 高原

搭配 plateau phenomenon 高原现象

同义 highland *n.* 高地

tableland *n.* 高原

puddle /'pʌdl/ *n.* 小水坑

scenic /'siːnɪk/ *adj.* 风景优美的

搭配 scenic spot 旅游景点

shade /ʃeɪd/ *n.* 阴凉处；遮光物；阴暗部；
色度；细微差别；*v.* 遮蔽，遮光

spectacle /'spektəkl/ *n.* 奇观

记忆 词根记忆：spect（看）+acle（物）→让
你看到幻觉→奇观

spring /sprɪŋ/ *n.* 泉，泉水

搭配 hot spring 温泉

summit /'sʌmɪt/ *n.*（山等的）最高点，峰顶；
峰会

同义 peak *n.* 顶点

trickle /'trɪkl/ *vi.* 滴，淌，涓涓地流；*n.* 涓涓
细流

搭配 trickle down 向下流

tundra /'tʌndrə/ *n.* 冻原，苔原

形容"建筑宏伟壮丽"的词：

glorious /'ɡlɔːriəs/ *adj.* 光荣的；壮丽的；
令人愉快的

记忆 词根记忆：glor(y)i（荣誉）→+ous →光荣的

gorgeous /'ɡɔːdʒəs/ *adj.* 华丽的；极好的

记忆 联想记忆：gorge（峡谷）+ous →峡谷很
美丽→华丽的

grand /ɡrænd/ *adj.* 宏伟的；全部的

magnificent /mæɡ'nɪfɪsnt/ *adj.* 壮丽的，
宏伟的，华丽的；高尚的

同根 magnificently *adv.* 壮观地，宏伟地

magnificence *n.* 壮丽，宏伟

radiant /'reɪdiənt/ *adj.* 绚丽的，容光焕发的

solemn /'sɒləm/ *adj.* 庄严的；严肃的，认真的

记忆 联想记忆：sol（太阳）+emn →古时把
太阳看作是神圣庄严的

spectacular /spek'tækjələ(r)/ *adj.* 壮观的；
n. 壮观的演出；惊人之举

搭配 spectacular success 巨大成功

make a spectacular of oneself（因行为、
穿着）出丑，出洋相

splendid /'splendɪd/ *adj.* 壮观的，壮丽的，
辉煌的；极好的

记忆 词根记忆：splend（发光）+id（具有…
性质的）→辉煌的

形容"精巧精致"的词：

delicate /'delɪkət/ *adj.* 纤细的；精巧的；微妙的

elaborate /ɪ'læbərət/ *adj.* 详尽的；复杂的；精
心制作的；/ɪ'læbəreɪt/ *v.* 详述，详细制定

记忆 词根记忆：e（加强）+labor（劳动）+ate
（做）→精细化工作→精心制作的

elegant /'elɪɡənt/ *adj.* 高雅的，优雅的；讲究的

同根 elegance *n.* 优雅

inelegant *adj.* 不雅的

exquisite /ɪk'skwɪzɪt/ *adj.* 精致的；高雅的；
剧烈的；优美的

graceful /'ɡreɪsfl/ *adj.* 优雅的

polished /'pɒlɪʃt/ *adj.* 优美的，文雅的

同根 polish *v.* 擦亮；润饰

refined /rɪ'faɪnd/ *adj.* 精炼的，精致的

As researchers on aging noted recently, no treatment on the market today has been proved to slow human aging—the build-up of molecular and cellular damage that increase vulnerability to infirmity as we grow older.

就像老龄化研究者最近所指出的那样，目前市面上没有一种疗法被证实可以减缓人体衰老——随着我们慢慢变老，分子与细胞损坏也逐渐增加，这就增加了我们体弱多病的几率。

（剑桥雅思6）

语法笔记

本句主干是 no treatment has been proved to slow human aging。句首 as 引导定语从句，修饰后面整个主句。破折号后面 the build-up ... grow older 是 human aging 的同位语，进一步解释 human aging。that 引导定语从句 that increase ... grow older 修饰 the build-up of molecular and cellular damage；句末的 as 引导时间状语从句，表示"当…时候，随着"。

核心词表

researcher /rɪ'sɜ:tʃə(r)/ *n.* 研究者

记忆 词根记忆：research（研究）+er（表人）→研究者

aging /'eɪdʒɪŋ/ *n.* 老化

搭配 human aging 人体衰老

note /nəʊt/ *v.* 指出；提到

treatment /'tri:tmənt/ *n.* 治疗；对待

记忆 来自 treat（*v.* 对待；治疗）

搭配 treatment effect 疗效

on the market 上市；出售

prove /pru:v/ *v.* 证实，证明；结果是

build-up /'bɪld ʌp/ *n.* 逐渐增加

molecular /mə'lekjələ(r)/ *adj.* 分子的；分子组成的

记忆 词根记忆：molecul(e)（分子）+ar（…的）→分子的

cellular /'seljələ(r)/ *adj.* 细胞的

记忆 词根记忆：cell（细胞）+ular（属于…的）→细胞的

infirmity /ɪn'fɜ:məti/ *n.* 虚弱，衰弱

记忆 词根记忆：in（不）+firm（坚定）+ity→不坚强→虚弱

主题归纳

与"分子，细胞"有关的词：

cell biologist 细胞生物学家

cell division 细胞分裂

cell /sel/ *n.* 细胞；基层组织

搭配 blood cell 血细胞

同根 cellular *adj.* 细胞的

marrow cell 骨髓细胞

molecular engineering 分子工程

organic molecule 有机分子

organism /'ɔːgənɪzəm/ n. 有机体

搭配 multicellular organism 多细胞生物

同根 organic adj. 有机的

stem cell 干细胞

表示"损坏，破坏"的词：

demolish /dɪ'mɒlɪʃ/ v. 破坏，拆除；驳倒（论点等）

记忆 词根记忆：de（相反）+mol（堆）+ish（做）→不成堆→破坏

demolition /ˌdeməˈlɪʃn/ n. 破坏，毁坏

记忆 词根记忆：de（相反）+mol（堆）+ition（行为）→不成堆→破坏

destruction /dɪ'strʌkʃn/ n. 破坏，毁灭

记忆 词根记忆：de（相反）+struct（建造）+ion（表名词）→不建造反而破坏→破坏

搭配 environmental destruction 环境破坏

destructive /dɪ'strʌktɪv/ adj. 破坏（性）的

记忆 词根记忆：de（相反）+struct（建造）+ive（…的）→破坏的

devastate /'devəsteɪt/ v. 毁坏

记忆 联想记忆：de（变坏）+vast（大量）+ate（表动词）→大量弄坏→毁坏

搭配 be devastated by 被…破坏

disruption /dɪs'rʌpʃn/ n. 动乱；打乱；破坏

同根 disrupt v. 使中断；扰乱

impair /ɪm'peə(r)/ vt. 损害；减少

搭配 impair one's health 损害健康

反义 strengthen vt. 加强，巩固

improve v. 改进，改善

injure /'ɪndʒə(r)/ vt. 伤害，损害，损伤

同根 injury n. 伤害

spoil /spɔɪl/ v. 损坏，破坏；溺爱；（食物）变质；n. [pl.] 战利品，掠夺物

记忆 联想记忆：破坏（spoil）土地（soil），损人利己

搭配 the spoils of office 利用官职捞取的私利

undermine /ˌʌndə'maɪn/ v. 削弱，破坏

记忆 合成词：under（下面）+mine（挖）→在下面挖→削弱，破坏

搭配 undermine one's position 削弱某人的地位

undermine one's credibility 破坏某人的信用

与"衰老，体弱"有关的词：

accompany /ə'kʌmpəni/ v. 陪伴，伴随

搭配 accompany with 伴随着

accompany by 随行

aging of population 人口老龄化

decrepit /dɪ'krepɪt/ adj. 破旧的；衰老的

记忆 词根记忆：de（加强）+crepit（爆裂）→破裂不堪→破旧的

delicate /'delɪkət/ adj. 易碎的，脆弱的；病弱的

同义 exquisite adj. 精致的

elderly /'eldəli/ adj. 上了年纪的

搭配 elderly population 老年人口

emaciate /ɪˈmeɪʃɪˌeɪt/ v. 使憔悴；瘦弱

记忆 词根记忆：e（使…）+maci（瘦）+ate →
瘦弱

同根 emaciated adj. 瘦弱的，憔悴的

frail /freɪl/ adj. 体弱的；易破碎的，易损的

搭配 the frail elderly 年老体衰者

later /ˈleɪtə(r)/ adj. 晚年的

搭配 later years 晚年

life /laɪf/ n. 生命；一生，寿命

搭配 for life 终身

all one's life 一生

lifetime /ˈlaɪftaɪm/ n. 一生，终身

搭配 lifetime achievement 终身成就

moribund /ˈmɒrɪbʌnd/ adj. 垂死的

搭配 moribund condition 垂死状态

regressive /rɪˈgresɪv/ adj. 退化的

记忆 词根记忆：re（向后）+gress（走）+ive
（…的）→向后走→退化的

senior citizen 老年人

slender /ˈslendə(r)/ adj. 修长的，细长的，
苗条的；微小的，微薄的

搭配 slender figure 苗条的身材

support /səˈpɔːt/ v. 赡养，供养

take care of 照顾

wrinkle /ˈrɪŋkl/ n. 皱纹；v.（使）起皱纹

记忆 联想记忆：眨眼（twinkle）容易起皱纹
（wrinkle）

Review

Sentence 69

We tend to think of climate—as opposed to weather—as something unchanging, yet humanity has been at the mercy of climate change for its entire existence, with at least eight glacial episodes in the past 730,000 years.

我们往往认为气候相对于天气而言是不变的，然而，人类的存在却一直受制于气候的变化，在过去的 73 万年里至少经历了 8 个冰河时期。

（剑桥雅思 8）

语法笔记

本句是一个 yet 连接的并列句，yet 在此处作并列连词，表示"然而"，前一分句的主干是 We tend to think of climate as something unchanging，后一分句的主干是 humanity has been at the mercy of climate change。破折号之间 as opposed to weather 作插入语，解释说明 climate。as opposed to sth. 是一个固定搭配，意为"与某事物相反"。句末的 with... in the past 730,000 years 作伴随状语。

核心词表

tend /tend/ *vi.* 倾向于…；*vt.* 照料

humanity /hjuːˈmænəti/ *n.* 人类，人；人性；人道，仁慈；[pl.] 人文学科

记忆 词根记忆：human（人，人类）+ity（具备某种性质）→人类，人

同义 humankind *n.* 人类（总称）

mercy /ˈmɜːsi/ *n.* 仁慈，善行

搭配 beg for mercy 乞求怜悯

without mercy 残忍地

glacial /ˈgleɪʃl/ *adj.* 冰期的，冰川期的；寒冷的，冰冷的；冷若冰霜的

记忆 词根记忆：glaci（冰）+al（…的）→冰期的

搭配 glacial period 冰川期，冰河时代

episode /ˈepɪsəʊd/ *n.* 一段情节；一集

搭配 episode analysis 事例分析

同根 episodic *adj.* 偶然发生的

主题归纳

与"气候，气压"有关的词：

anticyclone /ˌænti'saɪkləʊn/ *n.* 反气旋；高（气）压

记忆 词根记忆：anti（反）+cyclone（气旋）→反气旋

atmospheric /ˌætməs'ferɪk/ *adj.* 大气的，大气层的

搭配 atmospheric temperature 大气温度

density /ˈdensəti/ *n.* 密度

搭配 atmospheric density 大气密度

direct sunlight 日光直射

element /ˈelɪmənt/ *n.* [pl.] 天气等（尤指风雨）；元素；组成

同根 elemental *adj.* 基本的；元素的

evaporated /ɪ'væpəreɪtɪd/ *adj.* 脱水的；蒸发干燥的

记忆 词根记忆：e（出）+vapor（蒸汽）+ate（使…）+(e)d（…的）→使蒸汽出来的→蒸发干燥的

同根 evaporation *n.* 蒸发

hectopascal /'hektəʊ'pæskl/ *n.* 百帕斯卡

moist /mɔɪst/ *adj.* 潮湿的

同根 moisture *n.* 潮湿

mysterious /mɪ'stɪəriəs/ *adj.* 神秘的

搭配 the mysterious universe 神秘的宇宙

seasonal demand 季节性需求

subtropical /ˌsʌb'trɒpɪkl/ *adj.* 亚热带的

搭配 subtropical climate 亚热带气候

sunrise /'sʌnraɪz/ *n.* 日出

搭配 at sunrise 日出时

sunset /'sʌnset/ *n.* 日落

搭配 at sunset 日落时

tropical cyclone 热带气旋

uncontaminated /ˌʌnkən'tæmɪneɪtɪd/ *adj.* 未被污染的

搭配 uncontaminated soil 未污染土壤

与"天气"有关的词：

balmy /'bɑːmi/ *adj.* 温和的，宜人的

breeze /briːz/ *n.* 微风，和风

搭配 icy breeze 寒风

brisk /brɪsk/ *adj.* 凛冽的；敏捷的，活泼的

记忆 联想记忆：b+risk（冒险）→喜欢冒险的人→敏捷的，活泼的

centigrade /'sentɪɡreɪd/ *n./adj.* 摄氏度（的）；百分度（的）

记忆 词根记忆：centi（百）+grad（度）+e →百分度的

搭配 centigrade thermometer 摄氏温度计

chilly /'tʃɪli/ *adj.* 寒冷的

同根 chill *n.* 寒冷

damp /dæmp/ *adj.* 有湿气的，潮湿的

搭配 damp course 防水层；防湿层

同义 moist *adj.* 潮湿的

dank /dæŋk/ *adj.* 湿冷的，阴冷的

dew /djuː/ *n.* 露水

同根 dewdrop *n.* 露珠

downfall /'daʊnfɔːl/ *n.* 大雨

记忆 联想记忆：down（下）+fall（掉下）→大雨落下→大雨

downpour /'daʊnpɔː(r)/ *n.* 倾盆大雨

搭配 a sudden downpour 一场突如其来的暴雨

drizzle /'drɪzl/ *n.* 毛毛雨；*vi.* 下毛毛雨

搭配 thin drizzle 细毛毛雨

fahrenheit /'færənhaɪt/ *n.* 华氏温度计；*adj.* 华氏温度计的，华氏的

foggy /'fɒɡi/ *adj.* 有雾的

搭配 foggy morning 雾蒙蒙的早晨

freezing /'friːzɪŋ/ *adj.* 冰冷的

同根 freeze *v.* 冰冻

frigid /'frɪdʒɪd/ *adj.* 寒冷的，严寒的

同根 frigidity *n.* 冷淡

frost /frɒst/ *n.* 霜

同根 frosty *adj.* 结霜的

hail /heɪl/ *n.* 冰雹

搭配 hail storm 冰雹风暴

haze /heɪz/ *n.* 阴霾

同根 hazy *adj.* 朦胧的；模糊的

humid /'hjuːmɪd/ *adj.* 湿的，潮湿的，湿润的

搭配 humid air 潮湿的空气

humid climate 湿润的气候

light air 一级风，软风

mist /mɪst/ *n.* 薄雾

搭配 in mist 在薄雾之中

misty /'mɪsti/ *adj.* 充满雾气的，薄雾笼罩的

搭配 misty morning 薄雾弥漫的早晨

moderate rain 中雨

nippy /'nɪpi/ *adj.* 刺骨的；凛冽的

overcast /ˌəʊvə'kɑːst/ *adj.* （被云、雾等）遮蔽的；阴天的；*n.* 阴天

搭配 overcast sky 阴天

rain cats and dogs 下倾盆大雨

serene /sə'riːn/ *adj.* 宁静的；晴朗的，无云的

shower /'ʃaʊə(r)/ *n.* 阵雨

搭配 heavy shower 一阵大雨

sleet /sliːt/ *n.* 雨夹雪；*vi.* 下雨夹雪

smog /smɒg/ *n.* 烟雾

同根 smoggy *adj.* 烟雾弥漫的

snowflake /'snəʊfleɪk/ *n.* 雪花，雪片

记忆 词根记忆：snow（雪）+flake（小片）→雪花

storm /stɔːm/ *n.* 暴风雨

stuffy /'stʌfi/ *adj.* 不透气的；闷热的

搭配 hot and stuffy 闷热

swelter /'sweltə(r)/ *vi.* 热得难受；*n.* 闷热

同根 sweltering *adj.* 酷热的

tepid /'tepɪd/ *adj.* 微温的

形容"反对"的词：

averse /ə'vɜːs/ *v.* 不赞成，反对

disapprove /ˌdɪsə'pruːv/ *v.* 不赞成，反对；不批准，不同意

记忆 词根记忆：dis（不）+approve（赞成）→不赞成

frown /fraʊn/ *v.* 皱眉；反对

记忆 联想记忆：f（音似：翻）+row（看作brow 眉毛，额头）+n→翻眉毛→皱眉

hostility /hɒ'stɪləti/ *n.* 敌意，敌对，对抗；抵制，反对，否决；[pl.] 交战，战争

记忆 词根记忆：host（敌人）+ility→敌意，敌对

object /'ɒbdʒekt/ *n.* 物体；对象；目标；宾语；/əb'dʒekt/ *v.* 反对，不赞成

记忆 词根记忆：ob（反）+ject（扔）→反向扔→反对

objection /əb'dʒekʃn/ *n.* 反对；反对的理由

opponent /ə'pəʊnənt/ *n.* 敌手，对手；反对者；*adj.* 对立的；对抗的

记忆 词根记忆：op（相反）+pon（放置）+ent（人）→反着站的人→对手，敌手

形容"思考"的词：

agonize /'ægənaɪz/ *vi.* 苦苦思索

记忆 词根记忆：agon（挣扎）+ize →苦苦挣扎→苦苦思索

chew /tʃuː/ *v.* 咀嚼；思量

搭配 chew over 深思熟虑；详细讨论

considerate /kən'sɪdərət/ *adj.* 考虑周到的

同根 inconsiderate *adj.* 不体贴的；轻率的

contemplate /'kɒntəmpleɪt/ *v.* 盘算；沉思

同根 contemplation *n.* 沉思，思考

contemplative *adj.* 爱思考的

haunt /hɔːnt/ *vt.*（思想，回忆等）萦绕在心头

recall /rɪ'kɔːl/ *v.* 回忆起

记忆 词根记忆：re（向后）+call（想）→回忆起

meditate /'medɪteɪt/ *v.* 沉思，冥想

同根 meditation *n.* 冥想，沉思

muse /mjuːz/ *vi./n.* 沉思，冥想

记忆 Muse（希腊神话中的缪斯女神）

nostalgic /nɒ'stældʒɪk/ *adj.* 思乡的；怀旧的

同根 nostalgia *n.* 乡愁；怀旧之情

pensive /'pensɪv/ *adj.* 沉思的

记忆 词根记忆：pens（悬挂）+ive →悬挂于心的→沉思的

ponder /'pɒndə(r)/ *v.* 思索，考虑

记忆 词根记忆：pond（重量）+er →掂重量→仔细考虑→沉思

preoccupation /priˌɒkju'peɪʃn/ *n.* 主要考虑因素；全神贯注

搭配 take one's preoccupation with 全神贯注，专心致志于

recollect /ˌrekə'lekt/ *vt.* 回忆

记忆 词根记忆：re（重新）+collect（收集）→重新收集（记忆）→回忆

同根 recollection *n.* 回忆

speculate /'spekjuleɪt/ *v.* 推测；深思

同根 speculation *n.* 推测

speculative *adj.* 推测的；投机的

Review

Sentence
70

In common with all mammals, reptiles and birds, the remote ancestors of tortoises were marine fish and before that various more or less worm-like creatures stretching back, still in the sea, to the primeval bacteria.

与所有的哺乳动物、爬行动物和鸟类一样，乌龟的远祖是海洋中的鱼类，更早之前，它们是海洋中各种类似蠕虫的生物，这些生物可以追溯到原始细菌。

（剑桥雅思 9）

语法笔记

本句的主干是 the remote ancestors of tortoises were marine fish and worm-like creatures。其中 before that 作时间状语，that 指代前文中的 marine fish。现在分词短语 stretching back to the primeval bacteria 作后置定语修饰 creatures，still in the sea 为插入语，起补充说明的作用。

核心词表

common /ˈkɒmən/ *adj.* 普通的；平常的

搭配 in common with 与…一样

mammal /ˈmæml/ *n.* 哺乳动物

记忆 词根记忆：mamm（乳房）+al（表物）→哺乳动物

搭配 marine mammal 海洋哺乳动物

同根 mammalian *adj.* 哺乳动物的，哺乳纲的

reptile /ˈreptaɪl/ *n.* 爬行动物；卑鄙的人

记忆 词根记忆：rept（爬）+ile →爬行动物

同根 reptilian *adj.* 爬虫类的

remote /rɪˈməʊt/ *adj.* 长久的；遥远的，偏僻的；远程的；关系疏远的，脱离的；绝少的，微乎其微的；孤高的，冷淡的

记忆 词根记忆：re（反）+mot（移动）+e →向后移动→疏远的

搭配 remote control 遥控器

remote chance/possibility 机会很小

remote sensing technology 遥感技术

a remote village 偏僻的村庄

ancestor /ˈænsestə(r)/ *n.* 祖先

记忆 词根记忆：an（加强）+cest（=cess 行走）+or（表人）→走了很久的人→祖先

搭配 ancestor worship 祖先崇拜，敬奉祖先

marine /məˈriːn/ *adj.* 海的；海生的，海中的

搭配 marine radar 航海雷达

various /ˈveəriəs/ *adj.* 各种各样的；不同的；多方面的

记忆 词根记忆：vari（变化）+ous（…的）→变化的→各种各样的

worm-like /ˈwɜːm laɪk/ *adj.* 蠕虫状

creature /ˈkriːtʃə(r)/ *n.* 生物，动物

primeval /praɪˈmiːvl/ *adj.* 远古的；原始的

记忆 词根记忆：prim（最初）+ev（时代）+al（…的）→最早时间的→原始的

bacteria /bækˈtɪəriə/ *n.* 细菌

与"海洋生物"有关的词：

clam /klæm/ *n.* 蛤

crab /kræb/ *n.* 螃蟹，类似螃蟹的动物

搭配 crab claw 蟹钳

cuttlefish /'kʌtlfɪʃ/ *n.* 墨鱼，乌贼

dolphin /'dɒlfɪn/ *n.* 海豚

jellyfish /'dʒelifɪʃ/ *n.* 水母

记忆 合成词：jelly（果冻）+fish（鱼）→果冻一样透明的鱼→水母

lobster /'lɒbstə(r)/ *n.* 龙虾

octopus /'ɒktəpəs/ *n.* 章鱼

oyster /'ɔɪstə(r)/ *n.* 牡蛎，蚝

plankton /'plæŋktən/ *n.* 浮游生物

porpoise /'pɔːpəs/ *n.* 钝吻海豚

prawn /prɔːn/ *n.* 对虾，明虾，大虾

salmon /'sæmən/ *n.* 鲑鱼，大马哈鱼

sardine /ˌsɑː'diːn/ *n.* 沙丁鱼

scale /skeɪl/ *n.* 鳞片；碍眼物

seagull /'siːgʌl/ *n.* 海鸥

shrimp /ʃrɪmp/ *n.* 小虾

starfish /'stɑːfɪʃ/ *n.* 海星

walrus /'wɔːlrəs/ *n.* 海象

与"鸟，家禽类"有关的词：

beak /biːk/ *n.* 鸟嘴，喙

bill /bɪl/ *n.* 鸟嘴

canary /kə'neəri/ *n.* 金丝雀

eagle /'iːgl/ *n.* 鹰

falcon /'fɔːlkən/ *n.* 隼，猎鹰

finch /fɪntʃ/ *n.* 鸣禽

fowl /faʊl/ *n.* 家禽，禽；禽肉

ostrich /'ɒstrɪtʃ/ *n.* 鸵鸟，回避现实的人

peacock /'piːkɒk/ *n.* 孔雀

turkey /'tɜːki/ *n.* 火鸡

vulture /'vʌltʃə(r)/ *n.* 秃鹫；贪婪的人

与"细菌，病毒"有关的词：

aerobic /e'rəʊbɪk/ *adj.* 需氧的；增氧健身法的

搭配 aerobic bacteria 需氧细菌

anaerobic /ˌæne'rəʊbɪk/ *adj.* 厌氧的

搭配 anaerobic bacteria 厌氧菌

antibody /'æntibɒdi/ *n.* 抗体

记忆 词根记忆：anti（反）+body（身体）→抗体

bacillus /bə'sɪləs/ *n.* 杆菌

记忆 复数形式写作 bacilli

bacteriological /bækˌtɪəriə'lɒdʒɪkl/ *adj.* 细菌学的

搭配 bacteriological weapon 细菌武器

colony /'kɒləni/ *n.* 菌落；殖民地

同根 colonial *adj.* 殖民地的

decline phase 衰亡期

decompose /ˌdiːkəm'pəʊz/ *v.* 分解，（使）腐烂

搭配 decompose into 分解为

degradation /ˌdegrə'deɪʃn/ *n.* 降解

同根 degrade *v.* 贬低；降级；降解

disinfection /ˌdɪsɪn'fekʃn/ *n.* 消毒

同根 disinfect *vt.* 给…消毒

exponential growth 指数生长

fermentation /ˌfɜːmen'teɪʃn/ *n.* 发酵

同根 ferment *v./n.* 发酵；动乱

fission /'fɪʃn/ *n.* 分裂生殖（法）；裂变

同根 fissionable *adj.* 可引起核分裂的

　　　 fissility *n.* 易裂性

fungus /'fʌŋgəs/ *n.* 真菌

记忆 复数形式写作 fungi

germ /dʒɜːm/ *n.* 微生物，细菌

搭配 carry germs 携带病菌

germiculture /'dʒɜːmɪˌkʌltʃə(r)/ *n.* 细菌培养

记忆 词根记忆：germ（细菌）+i+culture（培养）→细菌培养

inconspicuous /ˌɪnkən'spɪkjuəs/ *adj.* 不显眼的

搭配 inconspicuous consumption 隐性消费

infection /ɪn'fekʃn/ *n.* 感染

搭配 bacterial infection 细菌感染

invisible /ɪn'vɪzəbl/ *adj.* 肉眼看不见的

搭配 invisible to the naked eye 肉眼看不见的

involution form 衰老型

log phase 对数期

microbe /'maɪkrəʊb/ *n.* 细菌，微生物

记忆 词根记忆：micro（微小）+be（=bio 生命）→微生物

同根 microbial *adj.* 微生物的

microbiology /ˌmaɪkrəʊbaɪ'ɒlədʒi/ *n.* 微生物学

同根 microbiologist *n.* 微生物学家

microorganism /ˌmaɪkrəʊ'ɔːgənɪzəm/ *n.* 微生物，细菌

搭配 pathogenic microorganism 病原微生物

microscope /'maɪkrəskəʊp/ *n.* 显微镜

搭配 electron microscope 电子显微镜

multiply /'mʌltɪplaɪ/ *v.* 繁殖

搭配 multiply ceaselessly 不停地增加

pathogen /'pæθədʒən/ *n.* 病原体

同根 pathogenic *adj.* 病原的；致病的

rot away 腐烂

stationary phase 稳定期

sterilisation /ˌsterələ'zeɪʃn/ *n.* 灭菌

同根 sterilise *vt.* 杀菌；消毒

vaccine /væk'siːn/ *n.* 疫苗

同根 vaccinate *vt.* 预防接种

　　　 vaccination *n.* 接种疫苗

virus /'vaɪrəs/ *n.* 病毒

同根 viral *adj.* 病毒的，病毒引起的

Sentence 71

It is finished manufactured products that dominate the flow of trade, and, thanks to technological advances such as lightweight components, manufactured goods themselves have tended to become lighter and less bulky.

正是制成品主导着贸易流动，而且由于技术进步，比如轻量化的部件，制成品本身趋向于变得更轻便而不那么笨重。

（剑桥雅思 6）

语法笔记

本句中 and 连接了两个并列的句子。前一个分句是 that 引导的强调句，实际的主语是 finished manufactured products，谓语是 dominate。后一个分句中 thanks to 是介词短语，主干是 manufactured goods have tended to become lighter and less bulky。

核心词表

finished /ˈfɪnɪʃt/ *adj.* 完成的

记忆 词根记忆：finish（完成）+ed（…的）→完成的

product /ˈprɒdʌkt/ *n.* 产物，产品

搭配 product development 产品开发

dominate /ˈdɒmɪneɪt/ *v.* 支配，统治；耸立于

记忆 词根记忆：domin（=dom 控制）+ate（表动词）→紧紧控制→支配，统治

同根 domination *n.* 支配，控制

dominance *n.* 统治

flow /fləʊ/ *v./n.* 流；流动

thanks to 由于；多亏

technological /ˌteknəˈlɒdʒɪkl/ *adj.* 科技的；技术的

搭配 technological advances 技术进步

advance /ədˈvɑːns/ *adj.* 预先的；先行的；*v.* 前进；取得进展；预付；*n.* 前进；求爱；预付（款等）

搭配 in advance 预先，提前

book in advance 提前预订

advanced progress 最新进展

lightweight /ˈlaɪtweɪt/ *adj.* 轻量的，薄型的

记忆 合成词：light（轻）+weight（重量）→轻量的

component /kəmˈpəʊnənt/ *n.* 成分；零部件；组件；*adj.* 构成的

记忆 词根记忆：com（共同）+pon（放）+ent（表名词）→放到一起（组成其他事物的东西）→成分

搭配 key component 主要成分

component part 构成部件

同义 ingredient *n.* 成分

element *n.* 要素，元件

constituent *adj.* 组成的

manufactured /ˌmænjuˈfæktʃərd/ *adj.* 人造的

记忆 来自 manufacture（*v.* 大量生产，成批制造）

tend to 趋向于

bulky /ˈbʌlki/ *adj.* 庞大的；笨重的

记忆 词根记忆：bulk（巨大）+y（…的）→庞大的

与"工业技术进步"有关的词：

3D printer 3D 打印机

alter /ˈɔːltə(r)/ *v.* 改变

搭配 alter to 变成

antivirus program 防病毒程序

appeal to 吸引

artificial intelligence 人工智能

cutting-edge technology 前沿技术

digital age 数码时代

engineering technology 工程技术

future thinking 前瞻性

high technology 高科技

industrial structure 产业结构

industrialise /ɪnˈdʌstriəlaɪz/ *v.* 使工业化

inflatable /ɪnˈfleɪtəbl/ *adj.* 膨胀的

intelligent system 智能系统

nanometer /ˈnænəʊmiːtə(r)/ *n.* 纳米

precise /prɪˈsaɪs/ *adj.* 精确的

搭配 precise instrument 精密仪器

同根 precisely *adv.* 正好

precision /prɪˈsɪʒn/ *n.* 精确

搭配 precision instrument 精密仪器

robot /ˈrəʊbɒt/ *n.* 机器人

搭配 robot arm 机械手

scientific theory 科学理论

simulate /ˈsɪmjuleɪt/ *v.* 模拟

搭配 simulate model 仿真模型

state-of-the-art /ˌsteɪt əv ði ˈɑːt/ *adj.* 最先进的

strategic choice 战略选择

technological development 技术发展

technology /tekˈnɒlədʒi/ *n.* 技术

搭配 computer technology 计算机技术

telematics /ˌteləˈmætɪks/ *n.* 远程信息处理

unprecedented /ʌnˈpresɪdentɪd/ *adj.* 史无前例的

搭配 unprecedented scale 空前规模

wireless technology 无线科技

与"科技创新"相关的词：

creative mind 创新思维

curiosity /ˌkjʊəriˈɒsəti/ *n.* 好奇心

搭配 intellectual curiosity 求知欲

initiative /ɪˈnɪʃətɪv/ *n.* 主动性；主创精神；*adj.* 主动的

搭配 take the initiative 采取主动；带头

subjective initiative 主观能动性

research and develop 研发

revolutionise /ˌrevəˈluːʃənaɪz/ *v.* 革命化

scientific invention 科学发明

scientific research 科学研究

technical innovation 技术创新

technical science 技术科学

It's true that the actual construction of the house was harmful to the environment, mainly because they had to use massive amounts of concrete—one of the biggest sources of carbon dioxide in manufacturing.

确实，实际的房屋建造对环境有害，主要是因为它们不得不使用大量的混凝土——混凝土是制造业最大的二氧化碳来源之一。 （剑桥雅思9）

语法笔记

本句的主干是 It's true that...，其中 that 引导主语从句，It 作形式主语。because 引导原因状语从句；破折号后面的成分作同位语，解释说明前面出现的 concrete。

核心词表

actual /ˈæktʃuəl/ *adj.* 实际的；真实的

同根 actually *adv.* 实际上；居然

construction /kənˈstrʌkʃn/ *n.* 建造；建筑物；构造

记忆 词根记忆：con（共同）+struct（建立）+ion（表动作）→共同建立→建造

harmful /ˈhɑːmfl/ *adj.* 有害的

记忆 词根记忆：harm（伤害）+ful（…的）→有害的

mainly /ˈmeɪnli/ *adv.* 大体上，主要地

massive /ˈmæsɪv/ *adj.* 大而重的；大量的，大规模的

同义 great *adj.* 重大的

huge *adj.* 庞大的，巨大的

amounts of 大量

concrete /ˈkɒŋkriːt/ *adj.* 实在的，具体的；混凝土的；*n.* 混凝土

记忆 词根记忆：con（共同）+cret（增长）+e→共同增长而变厚→混凝土

搭配 concrete structure 混凝土结构

dioxide /daɪˈɒksaɪd/ *n.* 二氧化物

记忆 词根记忆：di（二）+oxide（氧化物）→二氧化物

manufacturing /ˌmænjuˈfæktʃərɪŋ/ *n.* 制造业

记忆 来自 manufacture（*v.* 制造）

主题归纳

与"房屋类别"有关的词：

block /blɒk/ *n.* 一排房屋，街区；阻塞；大块木料（或石料、金属）；*v.* 阻塞

搭配 office block 办公大楼

　　 block of flat 公寓楼

cottage /ˈkɒtɪdʒ/ *n.* 村舍；小别墅

detached house 独立式住宅

dormitory /ˈdɔːmətri/ *n.* （集体）宿舍

记忆 词根记忆：dorm（睡眠）+it+ory（地点）→睡觉的地方→宿舍

high-rise flat 高层公寓

hut /hʌt/ *n.* 小屋，棚屋

mansion /'mænʃn/ *n.* 大厦；（豪华的）宅邸

记忆 联想记忆：man（人）+sion →住有钱人的地方→宅邸

multi-storey building 多层建筑

ranch house 平房

semi-detached house 半独立式住宅

shanty /'ʃænti/ *n.* 简陋小屋，棚屋

single-storey house 单层公寓

studio apartment 单间公寓

terrace /'terəs/ *n.* 一排并列的房子；阳台

记忆 词根记忆：terr（地）+ace（表实物名词）→像地一样平整的地方→阳台

terraced house 排房

town house 城内住宅；排房

villa /'vɪlə/ *n.* 别墅

与"房间与房屋设施"相关的词：

apartment /ə'pɑːtmənt/ *n.* 一套公寓房间

记忆 联想记忆：apart（分离）+ment →单独分离出来的一套房→一套公寓房间

attic /'ætɪk/ *n.* （紧靠屋顶的）阁楼

记忆 来自 Attic，雅典的别称，指的是当地的建筑风格

bathroom /'bɑːθruːm/ *n.* 浴室

bedroom /'bedruːm/ *n.* 卧室

bedsit /'bedsɪt/ *n.* 起居室兼卧室

boardroom /'bɔːdruːm/ *n.* 会议室

cellar /'selə(r)/ *n.* 地下室

corridor /'kɒrɪdɔː(r)/ *n.* 过道，走廊

搭配 in the corridor 在走廊里

cramped /kræmpt/ *adj.* 狭窄的

dining room 餐厅

garage /'gærɑːʒ/ *n.* 车库

hall /hɔːl/ *n.* 大厅

搭配 entrance hall 门厅

　　　main hall 大厅

hallway /'hɔːlweɪ/ *n.* 通道

laundry room 洗衣房

living room 起居室，客厅

lobby /'lɒbi/ *n.* 大厅；休息室

lounge /laʊndʒ/ *n.* 休息室

porch /pɔːtʃ/ *n.* 门廊，走廊

sanctum /'sæŋktəm/ *n.* 私室，密所

schoolroom /'skuːlruːm/ *n.* 书房

sewer /'suːə(r)/ *n.* 下水道；阴沟

single room 单人间

skyscraper /'skaɪskreɪpə(r)/ *n.* 摩天大楼

记忆 联想记忆：sky（天）+scrape（摩擦）+r →可以擦到天→摩天大楼

to lay the foundation 打地基

storehouse /'stɔːhaʊs/ *n.* 储藏室

记忆 合成词：store（仓库）+house（房子）→储藏室

spacious /'speɪʃəs/ *adj.* 宽广的，广阔的，宽敞的

记忆 词根记忆：spac（看作 space，空间）+ious（多…的）→空间很多的→广阔的，宽敞的

The difficulty with the evidence produced by these studies, fascinating as they are in collecting together anecdotes and apparent similarities and exceptions, is that they are not what we would today call norm-referenced.

这些研究收集了奇闻轶事、明显的相似点与特例，因此很吸引人，然而，这些证据所带来的难题是，它们不是我们现在所称的常模参照。

（剑桥雅思 8）

语法笔记

本句的主干是 the difficulty is that...。其中 that 在句中引导表语从句，该从句中含有一个 what 引导的表语从句。as 引导让步状语从句，使用倒装形式，其中作表语的形容词 fascinating 前置。

核心词表

evidence /ˈevɪdəns/ *n.* 根据，证据；形迹，迹象

记忆 词根记忆：e+vid（看见）+ence →证实所看见的人或物→根据，证据

搭配 a piece of evidence 一项证据

in evidence 明显的

fascinating /ˈfæsɪneɪtɪŋ/ *adj.* 迷人的

搭配 find sth. fascinating 发现某物吸引人

anecdote /ˈænɪkdəʊt/ *n.* 短故事；轶事

记忆 联想记忆：a+nec（看作 neck，脖子）+dote（溺爱）→一个人伸着脖子爱听的轶事、奇闻

同根 anecdotal *adj.* 轶事的，趣闻的

similarity /ˌsɪməˈlærəti/ *n.* 相似

记忆 词根记忆：similar（类似的）+ity（情况，性质）→相似

exception /ɪkˈsepʃn/ *n.* 例外；异议

norm-referenced /nɔːm ˈrefrənst/ *n.* 常模参照测验

主题归纳

形容"相同，相似"的词：

analogy /əˈnælədʒi/ *n.* 推理；类比

记忆 词根记忆：ana（并列）+log（说话）+y →放在一起说→类比

同根 analogous *adj.* 类似的

同义 likeness *n.* 相似

comparable /ˈkɒmpərəbl/ *adj.* 可比较的，类似的；比得上的

记忆 词根记忆：com（共同）+par（平等）+able →都是平等的→可比较的

同义 similar *adj.* 相似的，类似的

like *adj.* 相似的，同样的

homogeneous /ˌhɒməˈdʒiːniəs/ *adj.* 同种族（种类）的

记忆 词根记忆：homo（同类）+gene（基因）+ous（有…性质的）→基因相同的→同种族（种类）的

搭配 homogeneous light 单色光，均匀光

a homogeneous mixture 均匀混合物

同义 kindred adj. 同类的，类似的

反义 heterogeneous adj. 异类的，不同的

dissimilar adj. 不同的，相异的

uniform /'juːnɪfɔːm/ n. 制服；adj. 相同的，一致的

记忆 词根记忆：uni（单一）+form（形式）→形式统一的→相同的

搭配 in uniform 穿着制服的

同根 uniformity n. 同样，一致

形容"不同"的词：

differ /'dɪfə(r)/ v. 不同，相异；（在意见方面）发生分歧

differentiate /ˌdɪfə'renʃieɪt/ v.（使）不同，区分，区别

记忆 词根记忆：different（不同）+iate（使…）→（使）不同

同根 differentiation n. 区别，差别

同义 discriminate v. 歧视，区别

discrepancy /dɪs'krepənsi/ n. 不同；矛盾

记忆 词根记忆：dis（分开）+crep（破裂）+ancy→裂开→矛盾

同义 difference n. 差别，分歧

反义 accord n. 一致，符合

distinct /dɪ'stɪŋkt/ adj. 清楚的，明显的；有区别的，不同的

记忆 词根记忆：dis（分开）+tinct（=stinct 刺）→把刺分开后显得清楚的→清楚的，明显的

搭配 be distinct from... 与…截然不同

a distinct minority 明显的少数

distinctive /dɪ'stɪŋktɪv/ adj. 独特的

distinction /dɪ'stɪŋkʃn/ n. 差别，不同

diverge /daɪ'vɜːdʒ/ v.（指道路，线条等）分开；分歧，偏离

记忆 词根记忆：di（分开）+verg（转）+e→转开→分开

同根 divergent adj. 分叉的；分歧的

diverse /daɪ'vɜːs/ adj. 不同的，多样的

记忆 词根记忆：di（分开）+vers（转）+e→转开→不同的

搭配 diverse culture 多元文化

同根 diversity n. 多样，千变万化

separate /'seprət/ adj. 分离的，分开的；不同的，个别的；/'sepəreɪt/ v. 隔开，分开

vary /'veəri/ v. 改变；（使）多样化；变化；不同

同根 variable adj. 易变的 n. 变量

various adj. 各种各样的

形容"明显"的词：

noticeably /'nəʊtɪsəbli/ adv. 显而易见地；明显地

prominence /'prɒmɪnəns/ n. 突出，显著，卓越，重要；突出物，明显

记忆 词根记忆：pro（向前）+min（突出）+ence→向前突出→突出物

significantly /sɪg'nɪfɪkəntli/ adv. 重大地；明显地

transparent /træns'pærənt/ *adj.* 透明的；明显的；直率的

记忆 词根记忆：trans（横过，越过）+par（看见）+ent（…的）→可以看见的→透明的

形容"吸引"的词：

absorbing /əb'zɔːbɪŋ/ *adj.* 十分吸引人的

addict /'ædɪkt/ *n.* 对…入迷的人

同根 addictive *adj.* 使人上瘾的

addiction *n.* 上瘾

allure /ə'lʊə(r)/ *n./vi.* 诱惑，吸引

记忆 词根记忆：al（向）+lur（吸引）+e → 诱惑

appealing /ə'piːlɪŋ/ *adj.* 吸引人的

搭配 appealing look 吸引人的外表

bait /beɪt/ *n.* 鱼饵，诱饵

记忆 联想记忆：等（wait）鱼吃饵（bait）

charisma /kə'rɪzmə/ *n.* 个人魅力

记忆 词根记忆：char（可爱的）+isma →可爱的东西→个人魅力

同根 charismatic *adj.* 有超凡魅力的

draw /drɔː/ *vt.* 吸引

engrossed /ɪn'ɡrəʊst/ *adj.* 全神贯注的

entice /ɪn'taɪs/ *vt.* 诱惑，怂恿

fascinate /'fæsɪneɪt/ *v.* 深深吸引，迷住

记忆 词根记忆：fascin（迷住）+ate（做）→迷住

同根 fascination *n.* 迷恋

fascinating *adj.* 吸引人的

glamorous /'ɡlæmərəs/ *adj.* 富有魅力的，迷人的

记忆 来自 glamor（*n.* 魅力）

grip /ɡrɪp/ *n.* 紧握，抓牢；掌握，控制；*v.* 握紧，抓牢；吸引…的注意力（或想象力等）

搭配 be in the grip of 在…的掌控下

intriguing /ɪn'triːɡɪŋ/ *adj.* 引起兴趣（或好奇心）的，吸引人的

inviting /ɪn'vaɪtɪŋ/ *adj.* 动人的，诱人的

magnet /'mæɡnət/ *n.* 磁铁；有吸引力的人（或事物）

同根 magnetism *n.* 磁力

magnetize *vt.* 磁化

mesmerize /'mezməraɪz/ *vt.* 施催眠术；使入迷

tempt /tempt/ *vt.* 诱使；引起…的兴趣

同根 temptation *n.* 诱惑物

tempting *adj.* 吸引人的

Sentence
74

Businesses are finding that ethnography can offer them deeper insight into the possible needs of customers, either present or future, as well as providing valuable information about their attitudes towards existing products.

企业发现，人种学可以让其更深入地了解顾客的可能需求，无论是现在的还是未来的，也可以提供他们对现有产品相关态度的有价值的信息。

（剑桥雅思 11）

语法笔记

本句的主干是 Businesses are finding+that 宾语从句。宾语从句中的 either present or future 作插入语，as well as 是介词短语，意为"也，还"，因此其后使用了动名词形式 providing valuable information。

核心词表

ethnography /eθ'nɒgrəfi/ *n.* 人种志，人种学

记忆 词根记忆：ethno（民族）+graph（写，画）+y →人种论

offer /'ɒfə(r)/ *v.* （主动）提供；*n.* 出价；提议

搭配 offer help 提供帮助

on offer 出售中

insight /'ɪnsaɪt/ *n.* 洞察力，深刻的了解；顿悟

记忆 联想记忆：in+sight（眼光）→眼光深入→深刻的见解

搭配 gain an insight into 看透，识破

present /'preznt/ *adj.* 出席的；目前的；

n. 现在；礼物；/prɪ'zent/ *v.* 赠送；介绍；提出

搭配 present situation 当下的状况

present a problem 提出问题

同义 current *adj.* 现在的

同根 presentation *n.* 介绍会

valuable /'væljuəbl/ *adj.* 贵重的，有价值的；*n.* 贵重物品

搭配 valuable belongings 贵重的财产

同根 invaluable *adj.* 无价的

existing /ɪg'zɪstɪŋ/ *adj.* 现存的，正在使用的

同根 exist *v.* 存在

existence *n.* 存在

主题归纳

与"人类学"有关的词：

aboriginal /ˌæbə'rɪdʒənl/ *adj.* 土著的

搭配 aboriginal tribe 土著部落

adult /'ædʌlt/ *n.* 成年人；*adj.* 成年的

antecedent /ˌæntɪˈsiːdnt/ *n.* 先辈

记忆 词根记忆：ante（在前）+ced（走）+ent（表人）→走在前面的人→先辈

anthropoid /ˈænθrəpɔɪd/ *n.* 类人猿；*adj.* 像人类的

记忆 词根记忆：anthrop（人）+oid（像…的）→像人类的

anthropology /ˌænθrəˈpɒlədʒi/ *n.* 人类学

记忆 词根记忆：anthrop（人类）+ology（…学）→人类学

clan /klæn/ *n.* 宗族；部落

descent /dɪˈsent/ *n.* 世系，血统

搭配 be of good descent 出身好

common descent 共同起源，共同祖先

ethnic /ˈeθnɪk/ *adj.* 种族的；人种的

搭配 ethnic group 族群

ethnic line 人种

ethnology /eθˈnɒlədʒi/ *n.* 人种学；人类文化学

记忆 词根记忆：ethn（民族）+ology（…学）→人种学

exotic /ɪɡˈzɒtɪk/ *adj.* 外来的；奇异的

反义 native *adj.* 本国的，本地的

forebear /ˈfɔːbeə(r)/ *n.* 祖先

记忆 合成词：fore（前面）+bear（出生）→出生在前→祖先

forefather /ˈfɔːfɑːðə(r)/ *n.* 祖先

记忆 合成词：fore（前面）+father（父亲）→先辈→祖先

forerunner /ˈfɔːrʌnə(r)/ *n.* 先驱，前身

记忆 合成词：fore（前面）+runner（跑的人）→在前面跑的人→先驱

hybrid /ˈhaɪbrɪd/ *n.* 杂交生成的生物体；杂种，混血儿；*adj.* 杂种的

indigenous /ɪnˈdɪdʒənəs/ *adj.* 土产的，本土的

搭配 the indigenous language 本土语言

inexplicable /ˌɪnɪkˈsplɪkəbl/ *adj.* 无法解释的，费解的

反义 explicable *adj.* 可以解释的

minority /maɪˈnɒrəti/ *n.* 少数，少数民族

记忆 词根记忆：minor（较小的）+ity（表名词）→少数

paternity /pəˈtɜːnəti/ *n.* 父亲的身份；父系；父权

记忆 词根记忆：patern（=pater，父亲）+ity→父权

patriarch /ˈpeɪtriɑːk/ *n.* 家长，族长

记忆 词根记忆：patri（父亲）+arch（统治者）→父亲统治→族长

precursor /priːˈkɜːsə(r)/ *n.* 先驱；先兆

记忆 词根记忆：pre（前）+curs（跑）+or（表人）→跑在前面的人→先驱

predecessor /ˈpriːdɪsesə(r)/ *n.* 前辈；（被取代的）原有事物

race /reɪs/ *n.* 种族

搭配 human race 人类

racial /ˈreɪʃl/ *adj.* 种族的

搭配 racial discrimination 种族歧视

ritual /ˈrɪtʃuəl/ *n.* 典礼，（宗教等的）仪式；*adj.* 仪式的

同义 ceremony *n.* 仪式，典礼

formality *n.* 礼节；仪式

social group 社会群体

stereotype /ˈsteriətaɪp/ *n.* 模式化的思想，老一套

stratification /ˌstrætɪfɪˈkeɪʃn/ *n.* （社会的）分层

taboo /tə'buː/ *n.* 禁忌

搭配 taboo words 禁忌语

religious taboo 宗教禁忌

tribal /'traɪbl/ *adj.* 部落的；种族的

搭配 tribal language 部落语言

tribal alliance 部落联盟

tribalism /'traɪbəˌlɪzəm/ *n.* 部落制

记忆 词根记忆：tribal（部落的）+ism（…制度）→部落制

tribe /traɪb/ *n.* 部落

搭配 nomadic tribe 游牧部落

表示"需要，必备"的词：

entail /ɪn'teɪl/ *v.* 牵涉；需要

记忆 联想记忆：en+tail（尾巴）→被人抓住尾巴→牵涉

indispensable /ˌɪndɪ'spensəbl/ *adj.* 必不可少的，必需的；*n.* 不可缺少之物

记忆 词根记忆：in（不）+dispensable（可有可无的）→不是可有可无的→必不可少的

necessity /nə'sesəti/ *n.* 需要；必然性；必需品

搭配 daily necessity 日用必需品

of necessity 必要

prerequisite /ˌpriː'rekwəzɪt/ *n.* 先决条件；必备条件；*adj.* 先决条件的，必备的

同义 precondition *n.* 前提，先决条件

requisite /'rekwɪzɪt/ *adj.* （情况）需要的；（成功）必要的；*n.* 必需品

记忆 词根记忆：re+quis（寻求）+ite →反复寻求的→必要的

$\mathcal{R}eview$

Education is a hiring requirement for 60% of employment opportunities, but 40% of human resources staff say that if they do not know a lot about the value of documents attained elsewhere, they will not recognise them.

有 60% 的就业机会都会对应聘者的教育背景提出要求，但是 40% 的人力部工作人员表示，如果他们并不十分了解应聘者从其他地方获得的资历证书的价值，他们将不予以认可。

（剑桥雅思 9）

语法笔记

本句是由 but 连接的并列句。前一分句的主干是 Education is a hiring requirement，后一分句的主干是 40% of human resources staff say that，其中 that 引导宾语从句，作 say 的宾语。在这个宾语从句中，if 引导了一个条件状语从句。

核心词表

hiring /ˈhaɪərɪŋ/ *adj.* 雇用的

requirement /rɪˈkwaɪəmənt/ *n.* 需要，需求，需要的东西，要求；必要条件

记忆 来自 require（*v.* 需要，要求）

同义 necessity *n.* 需要

need *n.* 需要

employment /ɪmˈplɔɪmənt/ *n.* 雇用；使用；工作，职业

human resources 人力资源

document /ˈdɒkjumənt/ *n.* 文件，证件；

vt. 用文件（或文献）等证明；记载

attain /əˈteɪn/ *vt.* 达到；获得；完成

记忆 词根记忆：at+tain（拿住）→稳稳拿住→获得

recognise /ˈrekəgnaɪz/ *vt.* 认出；承认，认可

记忆 词根记忆：re+cognis（知道）+e→认出；承认

搭配 be recognised as sth. 被认成为某物

同义 identify *v.* 识别

realise *v.* 认识到

主题归纳

与"获得，得到"有关的词：

acquire /əˈkwaɪə(r)/ *vt.* 取得，获得

记忆 词根记忆：ac+quire（追求）→不断追求才能够获得→获得

acquisitive /əˈkwɪzətɪv/ *adj.* 渴望得到的；迫切求取的；贪婪的

attainable /ə'teɪnəbl/ *adj.* 可得到的；可达到的

attainment /ə'teɪnmənt/ *n.* 获得

gain /geɪn/ *v.* 获得，赚到

get /get/ *v.* 获得

obtain /əb'teɪn/ *v.* 获得，得到；通用，流行；存在

记忆 词根记忆：ob（附近）+tain（拿住）→就在附近，触手可及→获得，得到

procure /prə'kjʊə(r)/ *v.* （设法）获得，取得，得到

procurement /prə'kjʊəmənt/ *n.* 获得

profit /'prɒfɪt/ *v.* 得益，获益

redeem /rɪ'diːm/ *v.* 赎回

retrieve /rɪ'triːv/ *v.* 重新得到

secure /sɪ'kjʊə(r)/ *v.* 得到某物，获得；防护，保卫

seize /siːz/ *v.* 抓住，捉住；夺取，攻占；起获，没收

表示"承认，认可"的词：

accredited /ə'kredɪtɪd/ *adj.* 认可的

acknowledge /ək'nɒlɪdʒ/ *vt.* 承认，确认；感谢

记忆 联想记忆：ac+know（知道）+ledge→大家都知道了，所以不得不承认→承认

admission /əd'mɪʃn/ *n.* 承认；准许进入；准许加入

admit /əd'mɪt/ *v.* 承认；准许…进入；准许…加入

记忆 词根记忆：ad+mit（送）→能送进去→准许…进入

approve /ə'pruːv/ *vt.* 赞成；批准，同意

记忆 词根记忆：ap（加强）+prov（证明）+e→证明可行→赞成

搭配 approve of... 同意…

authorize /'ɔːθəraɪz/ *v.* 批准，认可；授权

avow /ə'vaʊ/ *vt.* 承认；公开宣称

记忆 词根记忆：a（加强）+vow（发誓；许愿）→公开宣称

comply /kəm'plaɪ/ *vi.* 遵从；服从

记忆 词根记忆：com（共同）+ply（重叠）→观点共同叠在一起→服从

搭配 comply with the law 守法

concede /kən'siːd/ *v.* （不情愿地）承认；让步

记忆 词根记忆：con+cede（割让）→让出去→让步

concession /kən'seʃn/ *n.* 让步，迁就；特许权；承认，认可

记忆 联想记忆：con（共同）+cess（行走，前进）+ion→要想大家共同进步，必须都做出让步→让步

connivance /kə'naɪvəns/ *n.* 共谋；纵容；默许

connive /kə'naɪv/ *v.* 默许；纵容

grant /ɡrɑːnt/ *v.* 同意，准予；给予，授予；*n.* 授予物；补助金；授权

搭配 take...for granted 想当然，认为理所当然

grant a request 答应请求

nod /nɒd/ *v.* 点头；点头赞同

permissible /pə'mɪsəbl/ *adj.* 容许的；许可的

permit /pə'mɪt/ *v.* 许可；允许；/'pɜːmɪt/ *n.* 许可证

同根 permissible *adj.* 容许的，可准许的

ratify /'rætɪfaɪ/ *v.* 正式签署；批准；认可

reception /rɪ'sepʃn/ *n.* 接收；反响；接待，招待会

记忆 词根记忆：re+cept（拿，抓）+ion→抓住→接受

tacit /'tæsɪt/ adj. 默认的；默许的；不言而喻的

tolerate /'tɒləreɪt/ v. 容许，承认；容忍，忍受

与"求职"相关的词：

applicant /'æplɪkənt/ n. 申请人

apply /ə'plaɪ/ v. 申请

搭配 apply for 申请

between jobs 待业中

certificate /sə'tɪfɪkət/ n. 证（明）书，执照

搭配 teaching certificate 执教证书

birth certificate 出生证明

collect information 收集信息

credential /krə'denʃl/ n. 证明书；（学历、资历）资格；证件

搭配 professional credential 职业资格证书

CV (curriculum vitae) /ˌsi 'vi/ n. 履历表

degree /dɪ'griː/ n. 学位

搭配 degree in... ……方面的学位

educational background 教育背景

educational history 学历

face-to-face /ˌfeɪs tə 'feɪs/ adj. 面对面的

headhunting company 猎头公司

hobby /'hɒbi/ n. 爱好

搭配 individual hobby 个人爱好

hunt /hʌnt/ v. 寻找

搭配 hunt for 寻找

job description 职务说明

job fair 招聘会

job hunting 找工作

job opportunity 就业机会

job hunter 求职者，找工作的人

opening /'əʊpnɪŋ/ n.（职位的）空缺

profile /'prəʊfaɪl/ n. 人物简介；外形；v. 为…描绘

搭配 personal profile 个人资料

qualification /ˌkwɒlɪfɪ'keɪʃn/ n. 资格，合格；技能；限定，条件；合格证

搭配 qualification test 资格考试

minimum qualification 最低资格

qualified /'kwɒlɪfaɪd/ adj. 有资格的；合格的

搭配 qualified for 有担任…的资格

qualified personnel 人才；合格人员

recruiter /rɪ'kruːtə(r)/ n. 招聘人员

résumé /'rezjumeɪ/ n. 摘要；简历

搭配 submit resume 提交简历

seize the opportunity 抓住机会

unemployed /ˌʌnɪm'plɔɪd/ adj. 待业的

搭配 unemployed man 失业者

vacant position 职位空缺

vocational guidance 就业指导

Sentence 76

The impression is that the logical nature of the textbooks and their comprehensive coverage of different types of examples, combined with the relative homogeneity of the class, renders work sheets unnecessary.

给人的印象是，课本的逻辑性和其中对不同类型例子的全面涵盖，再加上学生水平相对整齐划一，使得练习册无用武之地了。

（剑桥雅思 8）

语法笔记

本句的主干是 The impression is that。其中 that 在此处引导表语从句，过去分词短语 combined with the relative homogeneity of the class 在表语从句中作伴随状语。

核心词表

impression /ɪmˈpreʃn/ *n.* 印象，感想；盖印，压痕

记忆 词根记忆：impress（印，盖印）+ion →印象，盖印

搭配 first impression 第一印象

comprehensive /ˌkɒmprɪˈhensɪv/ *adj.* 全面的，广泛的；综合的；包容的

记忆 联想记忆：com+prehen（看作 prehend，抓住）+sive →全部抓住→全面的；综合的

搭配 comprehensive school 综合中学

同根 comprehension *n.* 理解；包含

coverage /ˈkʌvərɪdʒ/ *n.* 新闻报道；覆盖范围

记忆 词根记忆：cover（覆盖）+age（总称）→覆盖范围

同义 scope *n.* 范围

render /ˈrendə/ *v.* 使得，致使；提出，提供

记忆 词根记忆：rend（给）+er→给予，提供

同根 rendering *n.* 表现，描写

主题归纳

与"教育"有关的词：

academia /ˌækəˈdiːmiə/ *n.* 学术界，学术环境

alumna /əˈlʌmnə/ *n.* 女毕业生，女校友

arts /ɑːts/ *n.* 人文科学，文科

award /əˈwɔːd/ *v.* 授予，判给；*n.* 奖学金

chancellor /ˈtʃɑːnsələ(r)/ *n.* 大学校长

compulsory /kəmˈpʌlsəri/ *adj.* 义务的；必须做的；强制性的；（课程）必修的

记忆 词根记忆：com+puls（驱动，推）+ory →推进义务教育的→义务的

搭配 compulsory education 义务教育

compulsory subject 必修课

同义 mandatory *adj.* 命令的，强制的

enforced *adj.* 强迫的

confer /kən'fɜː(r)/ *v.* 授予（称号，学位等）；协商

curriculum /kə'rɪkjələm/ *n.* 课程

dais /'deɪɪs/ *n.* 台，讲台

didactic /daɪ'dæktɪk/ *adj.* 教诲的，说教的

elective /ɪ'lektɪv/ *adj.* 可选修的

elicitation /ɪ,lɪsɪ'teɪʃn/ *n.* 引出，诱出，抽出；启发

enlighten /ɪn'laɪtn/ *v.* 启迪，教化

搭配 enlighten about 使明白

enroll /ɪn'rəʊl/ *v.* 登记；招收；使入伍（或入会，入学等）

extracurricular /,ekstrəkə'rɪkjələ(r)/ *adj.* 课外的，业余的

记忆 词根记忆：extra（超出）+curricular（课程的）→课外的

faculty /'fæklti/ *n.* 才能，本领，能力；全体教员

heuristic /hjʊ'rɪstɪk/ *adj.* 启发式的

humanities /hju'mænətis/ *n.* 人文学科

illiteracy /ɪ'lɪtərəsi/ *n.* 文盲

记忆 词根记忆：il（不）+liter（文字，字母）+acy→不识字→文盲

inculcate /'ɪnkʌlkeɪt/ *v.* 谆谆教诲

搭配 inculcate sth. into sb. 向某人灌输某观念

instruct /ɪn'strʌkt/ *v.* 教，教导；命令，指示；通知

记忆 词根记忆：in（使…）+struct（建立）→使（知识）建立→教导

同义 teach *v.* 教

internationalization /,ɪntə,næʃnəlaɪ'zeɪʃn/ *n.* 国际化

literacy /'lɪtərəsi/ *n.* 有文化；有教养；有读写能力

记忆 词根记忆：liter（文字，字母）+acy（表状态）→有文化；有读写能力

matriculate /mə'trɪkjuleɪt/ *v.* 被录取入学

minor /'maɪnə(r)/ *n.* 副修科目

mobility /məʊ'bɪləti/ *n.* 活动性，灵活性；流动性

记忆 词根记忆：mob（动）+ility→（人）动起来→活动性

obligatory /ə'blɪgətri/ *adj.* 必修的

optional /'ɒpʃənl/ *adj.* 任选的，可自由选择的

记忆 词根记忆：option（选择）+al（…的）→可自由选择的

rostrum /'rɒstrəm/ *n.* 讲台，讲坛

rote learning 机械学习

scholarship /'skɒləʃɪp/ *n.* 奖学金；学问，学识

记忆 词根记忆：scholar（学者）+ship→学问

science /'saɪəns/ *n.* 科学，自然科学；理科

secondary /'sekəndri/ *adj.* 二级的，中级的

semester /sɪ'mestə(r)/ *n.* 学期

specialization /,speʃəlaɪ'zeɪʃn/ *n.* 专门化；专业

specialty /'speʃəlti/ *n.* 专业，专长

记忆 词根记忆：special（特别）+ty→专长

subject /'sʌbdʒɪkt/ *n.* 科目，学科

symposium /sɪm'pəʊziəm/ *n.* 讨论会，座谈会

记忆 词根记忆：sym（共同）+pos（放）+ium（场所，地点）→放在一起共同（讨论）的场所→讨论会

tertiary /'tɜːʃəri/ *adj.* 高等的；第三的，第三级的

tuition /tjuˈɪʃn/ *n.* 学费

记忆 词根记忆：tuit（教育）+ion →受教育的费用→学费

universal /juːnɪˈvɜːsl/ *adj.* 普遍的，全体的，通用的

vocational /vəʊˈkeɪʃənl/ *adj.* 职业的

Review

229

Most tickets may be used for travel by Sleeper, subject to availability, and a reservation in a two-berth cabin can be made for £25, except in the case of Solo and Special tickets, which include Sleeper reservations in the fare.

绝大部分车票可以用来乘坐卧铺，这要视供应情况而定，而且支付 25 英镑就可以预订一个双铺位隔间，但单人车票和特价车票除外，因为上述车票票价中已经包含了卧铺预订费。

（剑桥雅思 9）

语法笔记

本句是由 and 连接的并列句。前一分句的主干是 Most tickets may be used for travel by Sleeper，后一分句的主干是 a reservation in a two-berth cabin can be made for £25。形容词短语 subject to availability 作前一分句的伴随状语；which 引导的是非限制性定语从句，对 Solo and Special tickets 进行补充说明。

核心词表

sleeper /'sliːpə(r)/ n. （火车等的）卧铺

搭配 sleeping car 卧铺车厢

subject /'sʌbdʒɪkt/ adj. 受…支配的，取决于…的；易遭…的；n. 主题，话题

记忆 词根记忆：sub（下）+ject（扔）→扔下去（让大家讨论）→主题

搭配 be subject to... 经受…

availability /ə,veɪlə'bɪləti/ n. 利用的可能性；可以利用的人或物

记忆 来自 available（adj. 可用的）

reservation /,rezə'veɪʃn/ n. 保留，保留意见；预定，预订

记忆 来自 reserve（v. 保留）

搭配 an airline reservation 预定航班

　　 make a reservation 做预定

　　 confirm a reservation 确认预定

　　 cancel one's reservation 取消预定

同义 booking n. 预订

two-berth /,tuː'bɜːθ/ adj. 双铺的

cabin /'kæbɪn/ n. 机舱，客舱

except /ɪk'sept/ v. 将…除外；prep. 除…外

记忆 词根记忆：ex（出）+cept（拿，抓）→不拿→将除…外

同根 exceptional adj. 例外的；异常的

in the case of 至于…，就…来说

solo /'səʊləʊ/ n. 独奏（曲），独唱（曲）；adj. 独奏的，单独的

搭配 solo concert 个人演唱会

include /ɪn'kluːd/ v. 包括，包含，计入

记忆 词根记忆：in（进入）+clud（关）+e →关进里面→包括，包含

搭配 be included in... 被包括在…

同义 contain v. 包括

fare /feə(r)/ n. 费，票价；v. 进展

记忆 联想记忆：若愿与我同行，我不在乎（care）船费（fare）

与"出行，旅行"有关的词：

agency /ˈeɪdʒənsi/ *n.* 代理（处），代办处，机构

记忆 词根记忆：ag（做）+ency（表性质）→ 代理

搭配 an employment agency 职业介绍所

　　travel agency 旅行社

atlas /ˈætləs/ *n.* 地图集

backpack /ˈbækpæk/ *n.* 背包

knapsack /ˈnæpsæk/ *n.* 背包

coach /kəʊtʃ/ *n.* 长途公共汽车；旅客车厢

搭配 on a coach 乘长途客车

excursion /ɪkˈskɜːʃn/ *n.* 短途旅行，游览

记忆 词根记忆：ex（出）+curs（跑）+ion（表动作）→跑出去→短途旅行

搭配 Saturday excursion 周六短途旅行

expedition /ˌekspəˈdɪʃn/ *n.*（为特定目的而组织的）旅行，出行，远征；远征队，探险队，考察队；迅速，动作敏捷

记忆 词根记忆：ex（出）+ped（脚）+ition → 出行

guide /gaɪd/ *v.* 为…领路，指导，引导；*n.* 领路人；指南，导游

搭配 tour guide 旅途向导

　　spiritual guide 精神向导

hike /haɪk/ *v.* 徒步旅行

hostel /ˈhɒstl/ *n.* 旅舍；青年旅舍；学生宿舍

记忆 词根记忆：host（客人）+el（表地点）→客人住的地方→旅舍

搭配 student hostel 学生宿舍

　　youth hostel 青年旅馆

itinerary /aɪˈtɪnərəri/ *n.* 行程；旅行计划

route /ruːt/ *n.* 路线，路程

搭配 cycling route 骑自行车游览路线

　　shipping route 航线

同义 way *n.* 道路

　　path *n.* 道路

tram /træm/ *n.* 有轨电车

搭配 tram tour 有轨电车游览

trip /trɪp/ *n.* 旅行

vehicle /ˈviːəkl/ *n.* 车辆，交通工具；媒介，载体

记忆 词根记忆：veh（带来）+icle（小）→可以带东西→车辆

搭配 an aerospace vehicle 太空运载工具

visa /ˈviːzə/ *n.* 签证

搭配 transit visa 过境签证

　　tourist visa 旅游签证

与"价格，费用"有关的词：

charge /tʃɑːdʒ/ *v.* 索（价），收费；控告；掌管；充电；*n.* [常 pl.] 费用，代价；电荷

搭配 take charge of 负责

　　free of charge 免费

　　extra charge 额外的费用

cost /kɒst/ *n.* 成本，费用，代价；*v.* 价值为，花费

搭配 at all costs 不惜任何代价，无论如何

at the cost of 以…为代价

expense /ɪk'spens/ *n.* 花费，消费，消耗

搭配 at the expense of 代价；由…付费

miscellaneous expenses 杂费

fee /fiː/ *n.* 费用

price /praɪs/ *n.* 价格

pricey /'praɪsi/ *adj.* 价格高的；昂贵的

表示"除…之外，不包括"的词：

besides /bɪ'saɪdz/ *adv.* 而且；*prep.* 除…之外

exceptional /ɪk'sepʃənl/ *adj.* 例外的；
异常的

记忆 词根记忆：exception（例外）+al（…的）
→例外的

同义 extraordinary *adj.* 非常的，特别的

outstanding *adj.* 突出的

unusual *adj.* 不平常的

反义 ordinary *adj.* 平常的，普通的

common *adj.* 普通的

exclude /ɪk'skluːd/ *v.* 把…排斥在外；将
（某物）排除，不包括

记忆 词根记忆：ex（出）+clud（关闭）+e →
扔出关上→把…排除在外

搭配 exclude...from... 把…排除在…之外

exclusion /ɪk'skluːʒn/ *n.* 排斥

exclusive /ɪk'skluːsɪv/ *adj.* 专有的，独占的；
专用的；除外的，排他的

搭配 an exclusive interview 独家采访，专访

exclusive of 不包括

extra /'ekstrə/ *adj.* 额外的，附加的；*n.* 附加
物，额外的东西

同义 spare *adj.* 多余的

extraneous /ɪk'streɪniəs/ *adj.* 无关的

记忆 词根记忆：extr（a）（以外）+aneous
（有…特征的）→…以外的→无关的

Review

Operating on the same principle as wind turbines, the power in sea turbines comes from tidal currents which turn blades similar to ships' propellers, but, unlike wind, the tides are predictable and the power input is constant.

同风力涡轮机的运行原理一样，海上涡轮机的动力来自潮汐流，在潮汐流的作用下轮机叶片像船只的螺旋桨一样转动。但与风力不同的是，潮汐是可预测的，而且其输入功率是恒定的。

（剑桥雅思 9）

语法笔记

本句是一个由 but 连接的并列句。but 前分句的主干是 the power in sea turbines comes from tidal currents，but 后是两个简单句，分别是 the tides are predictable 和 the power input is constant。句首现在分词 operating 引导了一个方式状语，句中还包含了一个被 which 引导的定语从句修饰的先行词 tidal currents。

核心词表

principle /ˈprɪnsəpl/ *n.* 原则，原理；规范，准则；基本信念；道德准则

记忆 词根记忆：prin（第一）+cip（取）+le →须第一位选取的→原则，原理

turbine /ˈtɜːbaɪn/ *n.* 涡轮机，汽轮机

记忆 词根记忆：turb（扰乱）+ine →涡轮机

power /ˈpaʊə(r)/ *n.* 能；能量；功率

tidal /ˈtaɪdl/ *adj.* 潮汐的；潮水般的

搭配 tidal current 潮流

tidal wave 浪潮

current /ˈkʌrənt/ *n.* 电流，气流；潮流；*adj.* 当前的；通用的，流行的

记忆 词根记忆：curr（跑）+ent（…的）→跑的→流动的

搭配 air current 气流

current affairs 时事

同义 present *adj.* 目前的

existing *adj.* 目前的，现存的

blade /bleɪd/ *n.* （机器上旋转的）叶片；桨叶；刀片；草叶

记忆 联想记忆：热门电影《刀锋战士》英文为 *Blade*

similar /ˈsɪmələ(r)/ *adj.* 相像的；相仿的；类似的

搭配 be similar to 与…相似

propeller /prəˈpelə(r)/ *n.* （轮船或飞机的）螺旋桨，推进器

搭配 propeller shaft 螺旋轴

同根 propel *v.* 推进

tide /taɪd/ *n.* 潮汐；潮流

搭配 the ebb and flow of tide 潮汐涨落

predictable /prɪˈdɪktəbl/ *adj.* 可预言的，可预报的

input /ˈɪnpʊt/ *n.* 投入，输入；输入的数据；*vt.* 把…输入计算机

记忆 来自词组 put in（进入；输入）

constant /'kɒnstənt/ *adj.* 经常发生的；始终如一的；忠实的；*n.* 常数，恒量

记忆 词根记忆：con（加强）+stant（站，立）→一直站着→不变的

搭配 constant temperature 恒温

constant speed 恒定速度

constant value 不变价值

同根 constantly *adv.* 不变地；不断地

constancy *n.* 恒定不变

主题归纳

与"水相关动作"的词：

dampen /'dæmpən/ *v.* 使潮湿

dip /dɪp/ *v.* 浸

搭配 dip into 浸在…里

drift /drɪft/ *n.* 漂移；趋势；*v.* 漂流

搭配 the drift of the tide 潮汐的缓缓流动

drift off 渐渐离去，迷迷糊糊地睡去

同义 float *v.* 漂浮

同根 drifter *n.* 流浪汉

exude /ɪg'zjuːd/ *v.* 流出，渗出（液体）

记忆 词根记忆：ex（出）+ud（=sud 汗）+e →出汗→渗出（液体）

gush /gʌʃ/ *v.*（从…中）喷出，涌出

immerse /ɪ'mɜːs/ *v.* 沉浸；使陷入

记忆 词根记忆：im（进入）+mers（沉，没）+e →沉进去→沉浸

搭配 be immersed in thought 陷入沉思

influx /'ɪnflʌks/ *v.* 使潮湿

infuse /ɪn'fjuːz/ *vt.* 灌输，注入

记忆 词根记忆：in（向内，进入）+fus（流）+e →流进去→灌输

meander /mi'ændə(r)/ *v.*（河流、道路等）蜿蜒而行；迂回曲折

moisten /'mɔɪsn/ *v.* 使潮湿

记忆 词根记忆：moist（潮湿的）+en（使…）→使潮湿

同义 humidify *v.* 使潮湿

overflow /ˌəʊvə'fləʊ/ *v.* 漫出；溢出

saturate /'sætʃəreɪt/ *v.* 使湿透，浸透；使充满，使饱和

记忆 词根记忆：satur（饱）+ate（使…）→（使）饱和

搭配 saturate with... 以…使饱和

同义 drench *vt.* 使湿透，使浸透

soak *vt.* 使浸透

splash /splæʃ/ *v.* 溅；泼

同义 splatter *vi.* 飞溅

sprinkle *v.* 喷洒

spout /spaʊt/ *v.* 喷出；喷射

spray /spreɪ/ *n.* 浪花，喷雾，飞沫；*v.* 喷射，喷，（使）溅散

记忆 联想记忆：sp（音似：四泼）+ray（光线）→光线向四面射去→喷射

spurt /spɜːt/ *v.* 喷出；冒出

submerge /səb'mɜːdʒ/ *v.* 浸没；潜入水中

记忆 词根记忆：sub（下）+merg（沉，没）+e →沉下去→浸没

与"预知，预测"相关的词：

forecast /ˈfɔːkaːst/ v./n. 预报；预测；预想

记忆 词根记忆：fore（预先）+cast（扔）→ 预先扔出（消息）→预测

搭配 weather forecast 天气预报

foresee /fɔːˈsiː/ vt. 预见，预知

记忆 词根记忆：fore（预先）+see（看）→预先看到→预见，预知

同义 predict v. 预言，预测

foresight /ˈfɔːsaɪt/ n. 深谋远虑；先见之明

记忆 词根记忆：fore（预先）+sight（眼光）→先见之明

foretell /fɔːˈtel/ v. 预言，预示

imminent /ˈɪmɪnənt/ adj. 即将来临的

记忆 词根记忆：im（进入）+min（伸出）+ent →伸进去了→即将来临的

prediction /prɪˈdɪkʃn/ n. 预言，预料，预报

promising /ˈprɒmɪsɪŋ/ adj. 有希望的；有前途的

同义 hopeful adj.（怀）有希望的

bright adj. 前景光明的，充满希望的

反义 hopeless adj. 没有希望的

prospect /ˈprɒspekt/ n. 前景

记忆 词根记忆：pro（向前）+spect（看）→向前看→前景

prospective /prəˈspektɪv/ adj. 预期的；未来的；可能的

记忆 词根记忆：pro（向前）+spect（看）+ive（…的）→向前看的→未来的

同义 anticipated adj. 预期的

provident /ˈprɒvɪdənt/ adj. 未雨绸缪的，有远虑的

记忆 词根记忆：pro（向前）+vid（看）+ent（…的）→向前看的→有远虑的

surmise /səˈmaɪz/ v. 推测；猜测

tendency /ˈtendənsi/ n. 倾向，趋向

记忆 词根记忆：tend（趋向）+ency →倾向，趋向

Review

These discoveries have led to the field known as neuroeconomics, which studies the brain's secrets to success in an economic environment that demands innovation and being able to do things differently from competitors.

这些发现导致了神经经济学的出现，它研究的是在经济环境下取得成功所依赖的大脑奥秘，而这就需要创新，需要不同于竞争者的另辟蹊径。

（剑桥雅思9）

语法笔记

本句的主干是 These discoveries have led to the field known as neuroeconomics。过去分词短语 known as neuroeconomics 作后置定语修饰 the field；which 引导的非限定性定语从句，修饰先行词 neuroeconomics；that 引导的限制性定语从句，修饰 secrets；innovation 和动名词结构 being able to 共同构成 demands 的并列宾语。

核心词表

discovery /dɪ'skʌvəri/ *n.* 发现

搭配 scientific discovery 科学发现

lead /li:d/ *v.* 指引；领导；致使

搭配 lead to 导致

field /fi:ld/ *n.* 领域；运动场

known as 被称为，公认为

neuroeconomics /'njʊərəʊˌekə'nɒmɪks/ *n.* 神经经济学

study /'stʌdi/ *v.* 研究；调查

secret /'si:krət/ *n.* 秘密；秘诀

success /sək'ses/ *n.* 成功

economic /ˌi:kə'nɒmɪk/ *adj.* 经济的，经济上的，经济学的；*n.* [pl.] 经济学；经济状况

搭配 economic climate 经济形势，经济气候

environment /ɪn'vaɪrənmənt/ *n.* 周围状况；环境

同根 environmental *adj.* 环境的

demand /dɪ'mɑ:nd/ *n.* 要求；需求（量）；*v.* 要求；需要；询问

记忆 词根记忆：de（加强）+mand（命令）→一再命令→要求，需求

搭配 in great demand 需求量大

demand for 对…的需求

innovation /ˌɪnə'veɪʃn/ *n.* 革新，创新

记忆 词根记忆：in（进入）+nov（新的）+ation →革新

搭配 technological innovation 技术革新

同义 novelty *n.* 新奇，新奇的事物

reformation *n.* 改革，革新

able /'eɪbl/ *adj.* 能干的

搭配 be able to 能够

differently /'dɪfrəntli/ *adv.* 不同地，相异地

competitor /kəm'petɪtə(r)/ *n.* 对手

搭配 strategic competitor 战略竞争者

同根 competition *n.* 比赛

与"经济学"有关的词：

abundance /ə'bʌndəns/ *n.* 大量，丰富，充足，充裕

搭配 in abundance 丰富

同义 profusion *n.* 丰富

affluence *n.* 富足

wealth *n.* 大量

反义 scarcity *n.* 缺乏，不足

deficiency *n.* 缺少

affluence /'æfluəns/ *n.* 富足

记忆 词根记忆：af（加强）+flu（流动）+ence →（钱多得）不断流出→富足

bankruptcy /'bæŋkrʌptsi/ *n.* 破产

记忆 词根记忆：bankrupt（破产的）+cy（表状态）→破产

brand /brænd/ *n.* 商标；品牌；*vt.* 铭刻；打烙印

搭配 name-brand 名牌

co-branded card 联名卡

leading brand 驰名品牌

brand image 品牌形象

budget /'bʌdʒɪt/ *n.* 预算，预算拨款；*v.* 做预算

搭配 budget deficit 预算赤字

cut down the budget 减少预算

plan a budget 做预算

on a budget 节省费用

collateral /kə'lætərəl/ *n.* 抵押金，抵押物；*adj.* 附属的，附带的

commission /kə'mɪʃn/ *vt.* 授权，委托

记忆 词根记忆：com（加强）+miss（送）+

ion →送交给某人→委托

currency /'kʌrənsi/ *n.* 货币；流行

搭配 currency form 货币申请单

a paper currency 纸币

deflation /ˌdiː'fleɪʃn/ *n.* 通货紧缩

搭配 deflation policy 紧缩政策

distribution /ˌdɪstrɪ'bjuːʃn/ *n.* 分发，分配；配给物；散布，分布

搭配 distribution channel 分配渠道

enterprise /'entəpraɪz/ *n.* 公司；事业

记忆 词根记忆：enter（进入）+pris（抓）+e →进入抓事业的状态→事业

搭配 a backbone enterprise 骨干企业

joint enterprise 合资企业

state enterprise 国有企业

expenditure /ɪk'spendɪtʃə(r)/ *n.* 支出

搭配 public expenditure 公共支出

financial /faɪ'nænʃl/ *adj.* 财政的，金融的

industrialisation /ɪnˌdʌstriəlaɪ'zeɪʃn/ *n.* 工业化，产业化

merge /mɜːdʒ/ *v.*（使）结合

记忆 词根记忆：merg（沉没）+e →沉没其中→结合

monetary /'mʌnɪtri/ *adj.* 货币的，财政的

搭配 monetary policy 货币政策

patronage /ˈpætrənɪdʒ/ *n.* 赞助，资助；支持；光顾，惠顾

记忆 词根记忆：patron（赞助人）+age →赞助

poverty /ˈpɒvəti/ *n.* 贫穷

搭配 live in poverty 贫困中成长

combat poverty 和贫困做斗争

poverty line 贫困线

privatise /ˈpraɪvətaɪz/ *v.* 使归私有，使私人化

记忆 词根记忆：priv（单个）+at+ise（…化）→个人化→使私人化

profitability /ˌprɒfɪtəˈbɪləti/ *n.* 盈利率，收益率

搭配 profitability analysis 盈利分析

prosperity /prɒˈsperəti/ *n.* 繁荣，成功

记忆 词根记忆：pro（在前）+sper（希望）+ity →希望在前方→繁荣，成功

quota /ˈkwəʊtə/ *n.* 定额，限额，配额

同义 allotment *n.* 分配；份额

portion *n.* 一部分，一份

ransom /ˈrænsəm/ *n.* 赎金

refund /ˈriːfʌnd/ *n.* 退款；/rɪˈfʌnd/ *vt.* 退还（钱款）

记忆 词根记忆：re（向后）+fund（资金）→退回资金→退还

搭配 full refund 全额偿还

give sb. a refund 给某人退款

sponsorship /ˈspɒnsəʃɪp/ *n.* 赞助者的地位

stock /stɒk/ *n.* 储备品；股票

surplus /ˈsɜːpləs/ *adj.* 过剩的

记忆 词根记忆：sur（超，外加）+plus（加）→加了又加→过剩的

unemployment /ˌʌnɪmˈplɔɪmənt/ *n.* 失业；失业人数

记忆 词根记忆：un（不）+employ（雇用）+ment →没人雇佣→失业

反义 employment *n.* 雇用，使用，工作

Review

Sentence 80

While the detrimental effects of noise in classroom situations are not limited to children experiencing disability, those with a disability that affects their processing of speech and verbal communication could be extremely vulnerable.

尽管教室噪音不仅仅对残疾的孩子有不利影响，但是那些在语音处理和口头交流方面有障碍的孩子却极易受影响。

（剑桥雅思9）

语法笔记

本句的主干是 those with a disability could be extremely vulnerable。其中介词短语 with a disability 作后置定语，修饰 those；that 引导定语从句 that affects their processing of speech and verbal communication，修饰先行词 disability。句首 while 引导让步状语从句。

核心词表

detrimental /ˌdetrɪ'mentl/ *adj.* 损害的，造成伤害的，有害的；*n.* 有害的人或物

记忆 词根记忆：detriment（损害，伤害）+al（…的）→损害的

搭配 be detrimental to 对…有害

detrimental effect 不良影响，损害效应

effect /ɪ'fekt/ *n.* 作用，影响；结果；效果，效力；*vt.* 产生，招致

记忆 词根记忆：ef（出）+fect（做）→做出效果→效果

搭配 carry/bring into effect 使生效，实施

in effect 有效；实际上

take effect 生效，起作用

side effect 副作用

positive effect 积极影响

cause and effect 原因和结果

同根 effective *adj.* 有效的；被实施的

effectively *adv.* 有效地

effectiveness *n.* 效力

ineffective *adj.* 无效的

noise /nɔɪz/ *n.* 噪音

搭配 noise pollution 噪音污染

situation /ˌsɪtʃu'eɪʃn/ *n.* 情况，状况；形势；局面

limit /'lɪmɪt/ *n.* 限定；限制

搭配 maximum limit 最大限度

disability /ˌdɪsə'bɪləti/ *n.* （身体上的）残疾，伤残；缺陷，障碍

speech /spiːtʃ/ *n.* 说话的能力

verbal /'vɜːbl/ *adj.* 口头的；用言辞的，用文字的；动词的

记忆 词根记忆：verb（言，词）+al（…的）→口头的

communication /kəˌmjuːnɪ'keɪʃn/ *n.* 交流

搭配 daily communication 日常交际

extremely /ɪk'striːmli/ *adv.* 极端地；非常地

同义 exceptionally *adv.* 非常地

intensely *adv.* 极度地

vulnerable /'vʌlnərəbl/ *adj.* 易受攻击的，易受伤的；易受影响的

表示"限制"的词：

bondage /'bɒndɪdʒ/ *n.* 奴役；束缚

bound /baʊnd/ *adj.* 必然的；受约束的；*v.* 跳跃；弹回；*n.* 跳跃；[常作 pl.] 界限

搭配 bound for 开往…的

out of bounds 禁止入内；出界

circumscribe /'sɜːkəmskraɪb/ *vt.* 在…周围画线；限制

记忆 词根记忆：circum（绕圈）+scribe（画）→画地为牢→限制

confine /kən'faɪn/ *v.* 限制，局限于；管制，禁闭；*n.* 边界

搭配 confine to... 限制于…之内

confine oneself to 把自己局限于

同义 boundary *n.* 边界

fetter /'fetə(r)/ *n.* 脚镣；*v.* 给（某人）带上脚镣

quell /kwel/ *vt.* 制止，镇压，压制

搭配 quell the violence 平息暴乱

restrain /rɪ'streɪn/ *vt.* 阻止；抑制

记忆 词根记忆：re+strain（拉紧）→重新绷紧神经→阻止；抑制

同根 restraint *n.* 抑制；约束措施

restrict /rɪ'strɪkt/ *vt.* 限制，约束

记忆 联想记忆：re+strict（严格的）→严格限制→限制

搭配 restrict sb./sth. to sth. 限制某人 / 某事物

temperance /'tempərəns/ *n.* 节制

表示"交流沟通"的词：

consort /'kɒnsɔːt/ *v.* 勾勾搭搭，结交

记忆 词根记忆：con（共同）+sort（种类）→物以类聚→结交

correspondence /ˌkɒrə'spɒndəns/ *n.* 通信，信件；符合，一致；相当于，对应

搭配 keep correspondence with sb. 与某人保持通信

commercial correspondence 商业信函

disseminate /dɪ'semɪneɪt/ *v.* 散布，传播

记忆 词根记忆：dis（加强）+semin（种子）+ate→散布种子→散布，传播

impart /ɪm'pɑːt/ *v.* 给予，赋予；传授；告知，透露

记忆 词根记忆：im（进入）+part（部分，分开）→（引导人）进入（知识的）一部分，以让他知道→传授；告知

搭配 impart knowledge 传授知识

liaison /li'eɪzn/ *n.* （尤指工作上的）联络；联络员

propagate /'prɒpəgeɪt/ *v.* 繁殖，增殖；传播，宣传，使普及

同义 produce *vt.* 生产；繁殖

multiply *v.* 增加；繁殖

同根 propagation *n.* 繁殖；传播

reciprocal /rɪ'sɪprəkl/ *adj.* 互惠的

形容"烦躁，打扰"的词：

boredom /ˈbɔːdəm/ *n.* 厌烦，令人厌烦的事物

记忆 词根记忆：bore（使厌烦）+dom（表名词，总称）→令人厌烦的事物

boring /ˈbɔːrɪŋ/ *adj.* 无趣的，乏味的

搭配 boring life 无趣的生活

bothersome /ˈbɒðəsəm/ *adj.* 令人讨厌的

disarrange /ˌdɪsəˈreɪndʒ/ *v.* 使紊乱；弄乱

记忆 词根记忆：dis（不）+ar+range（列）→不按顺序排列→弄乱

distract /dɪˈstrækt/ *vt.* 转移（注意力）；使分心

记忆 词根记忆：dis（分开）+tract（拉）→（精神）被拉开→使分心

同根 distraction *n.* 分心；娱乐

gloomy /ˈgluːmi/ *adj.* 令人沮丧的，抑郁的

搭配 gloomy outlook 暗淡的前景

harass /ˈhærəs/ *v.* 烦恼

uproar /ˈʌprɔː(r)/ *n.* 吵闹；喧嚣；叫喊

vex /veks/ *v.* 烦恼

Review

Sentence
81
:

By timing the transit from two widely-separated locations, teams of astronomers could calculate the parallax angle—the apparent difference in position of an astronomical body due to a difference in the observer's position.

通过从两个相距甚远的地方计算行星的凌日时间，天文学家小组可以计算出视差角——天体的位置由于观测者的位置不同而产生的明显差异。

（剑桥雅思 9）

语法笔记

本句的主干是 teams of astronomers could calculate the parallax angle。句首 by 引导了一个方式状语；破折号后面的 the apparent difference ... in the observer's position 作 parallax angle 的同位语，解释 parallax angle，其中 due to 引导原因状语。

核心词表

time /taɪm/ *v.* 计时；测定⋯所需的时间

transit /'trænzɪt/ *n.* 运输，载运；转变；*v.* 通过，经过

记忆 词根记忆：trans（变换，转移）+it（走）→转移走→运输，载运

同义 transportation *n.* 运输，运载

delivery *n.* 传送，运送

同根 transition *n.* 过渡；转变

transitional *adj.* 过渡期的

widely-separated /'waɪdli 'sepəreɪtɪd/ *adj.* 相距甚远的

location /ləʊ'keɪʃn/ *n.* 位置，场所

搭配 good location 好地段

best/golden location 黄金地段

同义 place *n.* 地方

spot *n.* 地点

site *n.* 位置，地点

astronomer /ə'strɒnəmə(r)/ *n.* 天文学家

同根 astronomy *n.* 天文学

calculate /'kælkjuleɪt/ *v.* 计算，推算；估计，推测；计划，打算

记忆 词根记忆：calcul（计算）+ate（做）→计算

搭配 be calculated to do sth. 旨在，打算，适于做某事

a calculated crime 预谋的犯罪

同义 figure *v.* 计算

同根 calculation *n.* 计算；考虑

parallax /'pærə,læks/ *n.* 视差

angle /'æŋgl/ *n.* 角，角度；观点，立场

记忆 本身为词根，意思是"角"

同根 angular *adj.* 有角的；尖角的

apparent /ə'pærənt/ *adj.* 显然的；表面上的

记忆 联想记忆：ap+parent（父母）→父母对儿女的爱是显而易见的→显然的

同根 apparently *adv.* 明显地，显然地

difference /'dɪfrəns/ *n.* 差别；差异

position /pə'zɪʃn/ *n.* 位置，方位；职位，职务；姿势；见解，立场；*vt.* 安放，安置

搭配 be in a position to do sth. 能够做某事

　　leave...in the position of... 使…处于…

主题归纳

表示"显著，明显"的词：

marked /mɑːkt/ *adj.* 显而易见的；明显的；显著的

同根 markedly *adv.* 明显地

outstanding /aʊt'stændɪŋ/ *adj.* 杰出的；显著的

pronounced /prə'naʊnst/ *adj.* 显著的；很明显的；表达明确的

remarkable /rɪ'mɑːkəbl/ *adj.* 值得注意的；显著的，异常的，非凡的

搭配 remarkable achievement 了不起的成就

同义 unusual *adj.* 不寻常的

　　extraordinary *adj.* 非凡的

sensible /'sensəbl/ *adj.* 明智的，达理的；可觉察的，明显的，觉察到的

记忆 词根记忆：sens（感觉）+ible（可…的）→可感觉到的→合情理的

同根 sensibility *n.* 敏感性；情感

与"天体、行星"相关的词：

aerolite /'eərə,laɪt/ *n.* 陨石

asteroid /'æstərɔɪd/ *n.* 小行星

astrology /ə'strɒlədʒi/ *n.* 占星学；占星术

celestial /sə'lestiəl/ *adj.* 天空的；天上的

comet /'kɒmɪt/ *n.* 彗星

记忆 联想记忆：come（来）+t→很多年才来一次的星体→彗星

astronomical /,æstrə'nɒmɪkl/ *adj.* 天文学的

搭配 astronomical unit 天文单位

　　astronomical phenomena 天象

observer /əb'zɜːvə(r)/ *n.* 观察者；观测者；目击者

constellation /,kɒnstə'leɪʃn/ *n.* 星座，星群

cosmic /'kɒzmɪk/ *adj.* 宇宙的；无限的

搭配 cosmic radiation 宇宙辐射

cosmos /'kɒzmɒs/ *n.* 宇宙

搭配 cosmos satellite 宇宙卫星

eclipse /ɪ'klɪps/ *n.* 日食，月食；*vt.* 使…的光消失

搭配 total solar eclipse 日全食

　　lunar eclipse 月食

galaxy /'gæləksi/ *n.* 星系；银河系

搭配 dwarf galaxy 矮星系

infinite /'ɪnfɪnət/ *adj.* 无限的；无穷尽的

intergalactic /,ɪntəgə'læktɪk/ *adj.* 星系际的

interplanetary /,ɪntə'plænɪtri/ *adj.* 行星间的

interstellar /,ɪntə'stelə(r)/ *adj.* 星际的

搭配 interstellar dust 星际尘埃

　　interstellar gas 星际气体

　　interstellar space 星际空间

Jupiter /'dʒuːpɪtə(r)/ *n.* 木星

land /lænd/ *v.* 降落，着陆

launch /lɔːntʃ/ *v.* 推出（产品）；发射；*n.* 发射；（新产品）投产

搭配 launch into sth. 勇于采取某行动

launch an attack 发动攻击

launch pad 发射台

launch the product 推出新产品

同根 launcher *n.* 发射器，发射台

lunar /'luːnə(r)/ *adj.* 月的；月亮的

Mars /mɑːz/ *n.* 火星

搭配 Mars probe 火星探测器

meteor /'miːtiə(r)/ *n.* 流星

nebula /'nebjələ/ *n.* 星云

orbit /'ɔːbɪt/ *n.* 轨道

搭配 planetary orbit 行星轨道

planet /'plænɪt/ *n.* 行星

polestar /'pəʊlˌstɑː(r)/ *n.* 北极星

radiation /ˌreɪdi'eɪʃn/ *n.* 发光；辐射

revolve /rɪ'vɒlv/ *vi.* 旋转

记忆 词根记忆：re（一再）+volve（滚，卷）→不断滚动→旋转

搭配 revolve about/round 围绕…而旋转；反复考虑

satellite /'sætəlaɪt/ *n.* 卫星；人造卫星

star /stɑː(r)/ *n.* 星

stellar /'stelə(r)/ *adj.* 星的，星球的

universe /'juːnɪvɜːs/ *n.* 宇宙；世界；领域

记忆 词根记忆：uni（一个）+vers（转）+e→一个旋转着的整体空间→宇宙

同根 universal *adj.* 普遍的；通用的

Venus /'viːnəs/ *n.* 金星

Review

Sentence
82
Victimised pupils are more likely to experience difficulties with interpersonal relationships as adults, while children who persistently bully are more likely to grow up to be physically violent, and convicted of anti-social offences.

受欺负的小学生长大成人后更有可能经历人际关系方面的困境，而一直欺负别人的儿童长大后更有可能实施身体暴力，并因此被判处反社会的违法罪行。

（剑桥雅思 6）

语法笔记

本句是一个并列复合句，句中 while 作连词，表示"然而"，连接两个并列句。前一分句的主干是 pupils are more likely to experience difficulties，后一分句的主干是 children are more likely to grow up to be physically violent, and convicted of anti-social offences。过去分词 victimised 表被动，作定语修饰 pupils；as adults 作状语，表示"作为成年人"；who 引导一个定语从句修饰 children；and 连接两个并列结构，convicted of 前面省略了 to be。

核心词表

victimise /'vɪktɪmaɪz/ v. 欺负，欺压

记忆 词根记忆：victim（受害人）+ise（使…）→使成为受害人→欺负

pupil /'pjuːpl/ n. 学生，小学生

likely /'laɪkli/ adj. 有可能的

搭配 likely to do sth. 可能做某事

difficulty /'dɪfɪkəlti/ n. 困难；困境

记忆 来自 difficult（adj. 困难的）

interpersonal /ˌɪntə'pɜːsənl/ adj. 人际的

记忆 词根记忆：inter（在…之间）+personal（人际的）→人际的

搭配 interpersonal relationship 人际关系

relationship /rɪ'leɪʃnʃɪp/ n. 关系

记忆 词根记忆：relation（关系）+ship（表名词）→关系

while /waɪl/ conj. 而…；尽管

persistently /pə'sɪstəntli/ adv. 持续地；坚持不懈地

记忆 词根记忆：persistent（持续的）+ly（…地）→持续地

bully /'bʊli/ v. 恐吓；胁迫；n. 仗势欺人者

记忆 词根记忆：bull（公牛）+y（表行为）→像公牛一样吓唬别人→恐吓

grow up 长大

physically /'fɪzɪkli/ adv. 身体上；根本上

记忆 词根记忆：physical（身体的）+ly（表副词）→身体上

violent /'vaɪələnt/ adj. 暴力引起的；带有强烈感情的

搭配 violent headache 剧烈的头痛

同义 radical adj. 激进的

convict /kən'vɪkt/ vt. 定罪，宣判…有罪；/'kɒnvɪkt/ n. 囚犯

记忆 词根记忆：con（加强）+vict（征服）→征服罪犯→宣判…有罪

同根 conviction n. 确信；说服；定罪

245

anti-social /ˌænti'səʊʃl/ *adj.* 反社会的

记忆 词根记忆：anti（反）+social（社会的）→反社会的

offence /ə'fens/ *n.* 犯罪；违法行为

记忆 来自 offend（*v.* 冒犯；违犯）

主题归纳

与"人际关系中的伙伴"有关的词：

bosom friend 密友，知己

buddy /'bʌdi/ *n.* 哥们

colleague /'kɒliːg/ *n.* 同事

companion /kəm'pæniən/ *n.* 共事者；同伴

记忆 联想记忆：compani（看作 company，陪伴）+on→同伴

comrade-in-arms /ˌkɒmreɪd ɪn 'ɑːmz/ *n.* 战友

记忆 合成词：comrade（同志）+in+arms（手臂）→手挽手的同志→战友

confidante /ˌkɒnfɪ'dænt/ *n.* 闺蜜；红颜知己（女性）

记忆 词根记忆：con（加强）+fid（相信）+ant（表人）+e→让人信任的人→红颜知己

mentor /'mentɔː(r)/ *n.* 导师

记忆 词根记忆：ment（头脑）+or（表人）→精神上的指导人→导师

partner /'pɑːtnə(r)/ *n.* 搭档

pen pal 笔友

sworn brother 结拜兄弟

形容"人际关系"的词：

blunt /blʌnt/ *adj.* 钝的；率直的；*vt.* 把…弄钝；减弱

记忆 发音记忆："不拦的"→口无遮拦的→率直的

同根 bluntly *adv.* 直言地

coherent /kəʊ'hɪərənt/ *adj.* 条理清楚的，连贯的，一致的

记忆 词根记忆：co（共同）+her（粘附）+ent→粘附在一起→连贯的

contact /'kɒntækt/ *vt./n.* （使）接触，联系

搭配 contact with 与…有交往

　　 contact number 联系电话

couple /'kʌpl/ *n.* 情侣

cultural difference 文化差异

easy-going /ˌiːzi 'gəʊɪŋ/ *adj.* 脾气随和的；不慌不忙的

embarrassment /ɪm'bærəsmənt/ *n.* 尴尬，难堪

搭配 feel embarrassment 感到局促不安

extroverted /'ekstrəvɜːtɪd/ *adj.* 性格外向的

记忆 词根记忆：extro（以外）+vert（转）+ed（…的）→性格向外转→外向

fellow-apprentice /'feləʊ ə'prentɪs/ *n.* 师兄弟

记忆 合成词：fellow（同伴）+apprentice（学徒）→同为学徒→师兄弟

harmony /'hɑːməni/ *n.* 和谐，融洽；相符，一致

搭配 in harmony with 与…和睦相处

introverted /'ɪntrəvɜːtɪd/ *adj.* 内向的

记忆 词根记忆：intro（向内）+vert（转）+ed（…的）→性格向内转→内向的

mature /mə'tʃʊə(r)/ *adj.* 成熟的

搭配 mature student 成人学生

mature stage 成熟期

offend /ə'fend/ *v.* 冒犯，得罪

搭配 offend against 冒犯，犯罪

social skill 社交能力

与"校园霸凌"有关的词：

abuse /ə'bjuːz/ *v.* 滥用；虐待；辱骂；摧残；/ə'bjuːs/ *n.* 滥用；虐待；辱骂

记忆 词根记忆：ab（相反）+use（使用）→使用不当，变坏了→滥用

搭配 drug abuse 滥用药物，吸毒

abuse one's authority (office) 滥用权威（职权）

child abuse 虐待儿童

verbal abuse 口头谩骂

campus violence/school bullying 校园暴力

classmate /'klɑːsmeɪt/ *n.* 同班同学

搭配 old classmate 老同学

cruel /'kruːəl/ *adj.* 残忍的，残酷的

搭配 extremely cruel 惨绝人寰

fight /faɪt/ *n./vi.* 战斗，打架

ill-treat /ˌɪl 'triːt/ *v.* 虐待

juvenile delinquency 青少年犯罪

maltreat /ˌmæl'triːt/ *v.* 虐待

记忆 词根记忆：mal（坏）+treat（对待）→很坏地对待→虐待

slap /slæp/ *vt.* 掴，拍；啪的一声（用力）放下；*n.* 掴，拍

搭配 slap sb. across the face 打某人耳光

torture /'tɔːtʃə(r)/ *n./vt.* 折磨；拷问

搭配 savage torture 酷刑

与"暴力犯罪"有关的词：

aggressive behaviour 攻击性行为

antisocial behaviour 反社会行为

commit crimes 犯罪

domestic violence 家庭暴力

forcible /'fɔːsəbl/ *adj.* 强制的；暴力的

gangster /'gæŋstə(r)/ *n.* 歹徒，流氓，恶棍

life imprisonment 无期徒刑

malice /'mælɪs/ *n.* 恶意；预谋

搭配 bear malice to 对…怀有恶意

malice aforethought 预谋

motive for crime 犯罪动机

punishment /'pʌnɪʃmənt/ *n.* 处罚

school shooting 校园枪击

the incidence of crime 犯罪的发生率

to fight crime 打击犯罪

violate /'vaɪəleɪt/ *v.* 违反，违背；亵渎；侵犯

搭配 violate discipline 违反纪律

violation /ˌvaɪə'leɪʃn/ *n.* 违犯；亵渎；侵犯

搭配 violation of law 违法

violence /'vaɪələns/ *n.* 暴力

搭配 domestic violence 家庭暴力

school violence 校园暴力

cyber violence 网络暴力

violent inclination 暴力倾向

与"违法行为"相关的词：

abduction /æb'dʌkʃn/ *n.* 诱拐

记忆 词根记忆：ab（离去）+duct（引导）+ion →引走→诱拐

adultery /əˈdʌltəri/ *n.* 通奸

breach /briːtʃ/ *vt.* 打破；违背

搭配 breach a law 违反法律

bribery /ˈbraɪbəri/ *n.* 受贿；行贿

搭配 accuse sb. of bribery 指控某人贿赂

calumny /ˈkæləmni/ *n.* 诽谤，中伤

contravene /ˌkɒntrəˈviːn/ *v.* 违反

记忆 词根记忆：contra（相反）+ven（来）+e→反着来→违反

corruption /kəˈrʌpʃn/ *n.* 腐败；腐烂

记忆 词根记忆：cor（加强）+rupt（破）+ion（表状态）→破坏组织肌体→腐烂

delinquency /dɪˈlɪŋkwənsi/ *n.* 失职；行为不良

记忆 词根记忆：de（加强）+linqu（离开）+ency（表行为）→一再离开（正道）→行为不良

embezzlement /ɪmˈbezlmənt/ *n.* 挪用；盗用

搭配 guilty of embezzlement 盗用公款罪

harbour /ˈhɑːbə(r)/ *v.* 窝藏

homicide /ˈhɒmɪsaɪd/ *n.* 杀人罪

记忆 词根记忆：homi（=hom 人）+cid（杀）+e→杀人罪

larceny /ˈlɑːsəni/ *n.* 盗窃罪，偷盗，盗窃

perjury /ˈpɜːdʒəri/ *n.* 伪证

搭配 commit perjury 犯伪证罪

slander /ˈslɑːndə(r)/ *n.* 诋毁，诽谤；*vt.* 诽谤，诋毁，造谣中伤

搭配 slander sb. 诋毁某人

smuggle /ˈsmʌɡl/ *v.* 走私

搭配 smuggle in 非法带入

swindle /ˈswɪndl/ *n./vt.* 诈骗，骗取

搭配 swindle sb. out of sth. 从某人那里诈骗某物
an insurance swindle 一起保险诈骗案

Review

On the negative side, this type of organisation doesn't always act effectively, because it depends too much on one or two people at the top, and when these people make poor decisions there's no-one else who can influence them.

不利的一面是，这种类型的组织方式并不总是有效的，因为它主要依靠一两个高层领导人物，当这些人做了糟糕的决策时，没有人能够影响得了他们。

（剑桥雅思 9）

语法笔记

本句的主干是 this type of organisation doesn't always act effectively。在这句话中，because 引导原因状语从句 because it ... influence them，在这个原因状语从句中 when 引导时间状语从句，who 引导定语从句修饰 no-one else。

核心词表

negative /'negətɪv/ *adj.* 否定的；消极的；负的，阴性的；*n.* 负数；（照相的）底片

记忆 词根记忆：neg（否定）+ative（…的）→否定的

搭配 a negative reply 否定的答复

a negative number 负数

organisation /ˌɔːɡənaɪ'zeɪʃn/ *n.* 组织，团体，机构；组织的活动；安排，配置，分配

effectively /ɪ'fektɪvli/ *adv.* 有效地，生效地；有力地

depend /dɪ'pend/ *v.* 依靠，依赖；信赖，相信；决定于，视…而定

记忆 词根记忆：de+pend（悬挂）→悬挂着的→依靠，依赖

搭配 depend on 取决于

同根 dependable *adj.* 可信赖的

dependence *n.* 依赖

dependent *adj.* 依赖的

decision /dɪ'sɪʒn/ *n.* 决定，抉择

主题归纳

与"效率"有关的词：

efficient /ɪ'fɪʃnt/ *adj.* 有效率的

记忆 词根记忆：ef（加强）+fici（做）+ent（…的）→加强做的→有效率的

efficiency /ɪ'fɪʃnsi/ *n.* 效率；功效，效能

记忆 词根记忆：ef（加强）+fici（做）+ency →做，发挥作用→效率

inefficient /ˌɪnɪ'fɪʃnt/ *adj.* 效率低的；无能的

搭配 an inefficient management 效率低的管理人员

与"组织，团体，机构"有关的词：

charity /ˈtʃærəti/ *n.* 慈善（团体），仁慈，施舍

搭配 charity donation 慈善捐款

　　 charity hospital 慈善医院

commonwealth /ˈkɒmənwelθ/ *n.* [the C-] 英联邦；团体

corporation /ˌkɔːpəˈreɪʃn/ *n.* 法人团体；市政当局；公司

搭配 the municipal corporation 市行政机关

　　 public corporation 公营公司

同义 company *n.* 公司

denomination /dɪˌnɒmɪˈneɪʃn/ *n.* 命名；（长度，币值的）单位；宗教派别，宗教组织

institution /ˌɪnstɪˈtjuːʃn/ *n.* 公共机构，协会，学校；制度，惯例

搭配 institution of higher learning 高等院校

organize /ˈɔːɡənaɪz/ *v.* 组织，安排

搭配 organize activity 组织活动

　　 organized crime 团伙犯罪

同义 arrange *v.* 安排

表示"负面效果行为"的词：

incur /ɪnˈkɜː(r)/ *v.* 招致，惹起，遭受

搭配 incur debt 负债

　　 incur losses 遭受损失

inflict /ɪnˈflɪkt/ *v.* 把…强加给，使…遭受，使…承担

记忆 词根记忆：in（使…）+flict（打击）→使…遭受打击→使…遭受

infliction /ɪnˈflɪkʃn/ *n.* （强加于人身的）痛苦，刑罚

suffer /ˈsʌfə(r)/ *v.* 遭受，忍受，忍耐；容许；受痛苦，患病；受损失

withstand /wɪðˈstænd/ *v.* 抵挡；经受

与"政界人员"有关的词：

ambassador /æmˈbæsədə(r)/ *n.* 大使

aristocrat /ˈærɪstəkræt/ *n.* 贵族

autocrat /ˈɔːtəkræt/ *n.* 独裁者

记忆 词根记忆：auto（自己）+crat（统治者）→独裁者

commander /kəˈmɑːndə(r)/ *n.* 司令官，指挥官

congressman /ˈkɒŋɡresmən/ *n.* 国会议员

记忆 合成词：congress（国会）+man（人）→国会议员

参考 congresswoman *n.* 国会女议员

consul /ˈkɒnsl/ *n.* 领事

democrat /ˈdeməkræt/ *n.* 民主党人

记忆 词根记忆：demo（人民）+crat（统治者）→民主党人

dictator /dɪkˈteɪtə(r)/ *n.* 独裁者

记忆 词根记忆：dictat（e）（命令）+or（人）→唯一发布命令的人→独裁者

emperor /ˈempərə(r)/ *n.* 皇帝，君主

envoy /ˈenvɔɪ/ *n.* 外交使节，特使

记忆 词根记忆：en（进入…之中）+voy（走）→走进（别人的范围）→外交使节

feminist /ˈfemənɪst/ *n.* 男女平等主义者；女权扩张论者

词根记忆：femin(e)（女性的）+ist（信仰某种信仰的人）→男女平等主义者

general /ˈdʒenrəl/ *n.* 将军

minister /ˈmɪnɪstə(r)/ *n.* 部长，大臣

monarch /ˈmɒnək/ *n.* 君主

同根 monarchy *n.* 君主制

president /ˈprezɪdənt/ *n.* 总统，校长，会长，主席

同义 chairman *n.* 主席

principal /ˈprɪnsəpl/ *n.* 负责人，首长，校长；主犯

republican /rɪˈpʌblɪkən/ *n.* 共和党人

与"法庭人员"有关的词：

advocator /ˈædvəˌkeɪtə/ *n.* 辩护者

记忆 词根记忆：ad（加强）+voc（叫喊）+at+or（人）——再呼吁的人→辩护者

arbitrator /ˈɑːbɪtreɪtə(r)/ *n.* 仲裁者

记忆 词根记忆：arbitrat(e)（仲裁）+or（人）→仲裁者

attorney /əˈtɜːni/ *n.* 律师

counsel /ˈkaʊnsl/ *v.* 劝告，忠告；*n.* 法律顾问，辩护人；劝告，忠告

jury /ˈdʒʊəri/ *n.* 陪审团，评判委员会；陪审员

lawyer /ˈlɔːjə(r)/ *n.* 律师

solicitor /səˈlɪsɪtə(r)/ *n.* （城镇的）律师，初级律师，事务律师

与"教职人员"有关的词：

alumnus /əˈlʌmnəs/ *n.* 男毕业生，男校友

参考 alumna *n.* 女校友

dean /diːn/ *n.* （大学）院长

director /dəˈrektə(r)/ *n.* 主任

lecturer /ˈlektʃərə(r)/ *n.* 演讲者；讲师

professor /prəˈfesə(r)/ *n.* 教授

与"从事经济行业的人物"相关的词：

agent /ˈeɪdʒənt/ *n.* 代理（商）

apprentice /əˈprentɪs/ *n.* 学徒；*v.* 当学徒

同根 apprenticeship *n.* 学徒期；学徒身份

attendant /əˈtendənt/ *n.* 服务员

记忆 词根记忆：attend（照顾）+ant（人）→餐馆照顾顾客的人→服务员

auditor /ˈɔːdɪtə(r)/ *n.* 审计员；旁听者

记忆 词根记忆：aud（听）+itor（人）→旁听者

co-worker /ˈkəʊ wɜːkə(r)/ *n.* 共同工作者，合作者，同事，帮手

delegate /ˈdelɪɡət/ *n.* 代表；/ˈdelɪɡeɪt/ *v.* 委派（或选举）…为代表；授（权）

搭配 delegate sb. to do sth. 委派某人做某事

deputy /ˈdepjuti/ *n.* 代理人；代表

novice /ˈnɒvɪs/ *n.* 新手，初学者

记忆 词根记忆：nov（新的）+ice（表人）→新手

proprietor /prə'praɪətə(r)/ *n.* 所有者，经营者

记忆 词根记忆：propri（拥有）+et+or（表人）
→拥有者→所有者

proxy /'prɒksi/ *n.* 代理人

representative /ˌreprɪ'zentətɪv/ *n.* 代表，
代理人；*adj.* 典型的，有代表性的

搭配 sales representative 销售代表

同义 typical *adj.* 典型的

与"宗教人物"相关的词：

adherent /əd'hɪərənt/ *n.* 信徒；追随者

记忆 词根记忆：adher(e)（依附）+ent（表
人）→ 依附别人的人→信徒

atheist /'eɪθiɪst/ *n.* 无神论者

believer /bɪ'liːvə(r)/ *n.* 信徒

clergy /'klɜːdʒi/ *n.* 牧师

disciple /dɪ'saɪpl/ *n.* 信徒，弟子，门徒

skeptic /'skeptɪk/ *n.* 怀疑论者；无神论者

zealot /'zelət/ *n.* 狂热者

记忆 词根记忆：zeal（热心）+ot（表人）→
狂热者

与"反面人物"相关的词：

assassin /ə'sæsɪn/ *n.* 暗杀者，刺客

bandit /'bændɪt/ *n.* 强盗

barbarian /bɑː'beəriən/ *n.* 粗鲁无礼的人，
野蛮人

记忆 词根记忆：barbar（胡说）+ian（…人的）
→野蛮人说的话听不懂→野蛮人

burglar /'bɜːglə(r)/ *n.* 窃贼，破门盗窃者

搭配 burglar alarm 窃贼报警器

同义 robber *n.* 强盗；盗贼

exile /'eksaɪl/ *n.* 流放，流亡；被流放者，背
井离乡者；*v.* 流放，使流亡

搭配 in exile 流放中

drive sb. into exile 流放某人

figurehead /'fɪɡəhed/ *n.* 傀儡

foe /fəʊ/ *n.* 反对者；敌人；危害物

malcontent /ˌmælkən'tent/ *adj.* 不满的；*n.* 不
满者

记忆 词根记忆：mal（坏）+content（满意的）
→不满的

rebel /'rebl/ *n.* 造反者，叛逆者，反抗者；
/rɪ'bel/ *v.* 造反，反叛

记忆 词根记忆：re（相反）+bel（战斗）→
反过来打自己人→反叛

与"专业人士"有关的词：

artisan /ˌɑːtɪ'zæn/ *n.* 工匠，技工

artist /'ɑːtɪst/ *n.* 艺术家，画家

aviator /'eɪvieɪtə(r)/ *n.* 飞行员，飞行家

记忆 词根记忆：avi（鸟）+ator（人）→像鸟
一样飞翔的人→飞行员

biographer /baɪ'ɒɡrəfə(r)/ *n.* 传记作家

同根 biography *n.* 传记

choreographer /ˌkɒri'ɒɡrəfə(r)/ *n.* 舞蹈指导

记忆 词根记忆：choreo（=chor 舞）+graph
（写）+er（人）→写舞蹈的人→编舞
指导

connoisseur /ˌkɒnəˈsɜː(r)/ *n.* 鉴赏家，行家

crew /kruː/ *n.* 全体人员，（工作）队

critic /ˈkrɪtɪk/ *n.* 批评家，评论家；吹毛求疵者

educator /ˈedʒukeɪtə(r)/ *n.* 教育家

pilot /ˈpaɪlət/ *n.* 飞行员，领航员，引水员

表示"其他人物"的词：

benefactor /ˈbenɪfæktə(r)/ *n.* 恩人；捐助者

记忆 词根记忆：bene（好）+fact（=fac 做）+or（表人）→做好事的人→恩人

同根 beneficiary *n.* 受惠者，受益人

donor /ˈdəʊnə(r)/ *n.* 捐赠人

humanitarian /hjuːˌmænɪˈteəriən/ *n.* 人道主义者

resident /ˈrezɪdənt/ *n.* 居民

记忆 词根记忆：resid(e)（居住）+ent（表人）→居民

spectator /spekˈteɪtə(r)/ *n.* 观众；旁观者，目击者

搭配 spectator sport 吸引很多观众的体育运动

同义 viewer *n.* 观看者

audience *n.* 听众，观众

Review

Researchers from nine countries are working together to create a map linked to a database that can be fed measurements from field surveys, drone surveys, satellite imagery, lab analyses and so on to provide real-time data on the state of soil.

来自 9 个国家的研究人员正在共同努力，创建一幅与数据库相关联的地图，通过将实地调查、无人机调查、卫星图像、实验室分析等获取的测量数据输入到这个数据库，从而提供有关土壤状况的实时数据。

（剑桥雅思 13）

语法笔记

本句的主干是 Researchers from nine countries are working together。不定式短语 to create a map ... on the state of soil 作主句的目的状语，that 引导的定语从句修饰 database，在这个定语从句中还有一个由 to 引导的目的状语。

核心词表

create /kri'eɪt/ *vt.* 创造；产生

同根 creation *n.* 创造；作品

recreation *n.* 消遣

link /lɪŋk/ *n.* 环节；联系，纽带；*v.* 连接，联系

记忆 联想记忆：网络上的"链接"就叫 link →连接，联系

搭配 link A with B 把 A 与 B 联系起来

link between A and B A 与 B 之间的联系

同义 associate *v.* 联系 *n.* 伙伴 *adj.* 副的

connection *n.* 关系

relation *n.* 关系

database /'deɪtəbeɪs/ *n.* 数据库

记忆 合成词：data（数据）+base（基础）→数据库

feed /fiːd/ *v.* 喂（养）；提供

搭配 feed into 向…提供

feed on 以…为食

measurement /'meʒəmənt/ *n.* 测量，衡量

搭配 measurement accuracy 测量精度

survey /'sɜːveɪ/ *n.* 调查；勘测；/sə'veɪ/ *v.* 调查；勘测

记忆 联想记忆：surve（看作 serve，服务）+y →前期调查是为后期工作服务的→调查

搭配 sample survey 抽样调查

land survey 土地测量

survey of reading 阅读习惯调查

geological survey 地质勘测

field survey 实地调查

drone /drəʊn/ *n.* 无人遥控飞机

satellite imagery 卫星影像

real-time /riːl taɪm/ *adj.* （计算机系统）实时的

记忆 合成词：real（真实的）+time（时间）→实时的

data /'deɪtə/ *n.* 数据；资料

记忆 联想记忆：数据（data）与日（date）更新

搭配 data analysis 数据分析

data base 数据库

data input 数据输入

与"土地，土壤"相关的词：

agrarian /ə'greəriən/ *adj.* 土地的；耕地的

搭配 agrarian reform 土地改革

arable /'ærəbl/ *adj.* 可耕的；耕作的

搭配 arable land 可耕地

arid /'ærɪd/ *adj.* 干旱的；不毛的

bleak /bliːk/ *adj.* 寒冷的；阴郁的；凄凉的；没有希望的

同义 cold *adj.* 冷淡的

　　 raw *adj.* 阴冷的

　　 dismal *adj.* 阴沉的，凄凉的

clay /kleɪ/ *n.* 泥土，黏土

记忆 联想记忆：c+lay（层）→泥土成一层一层分布→泥土

clod /klɒd/ *n.* 土块

contaminated land 受污染的土地

contaminated soil 受污染的土壤

desert /'dezət/ *n.* 沙漠；荒地；*adj.* 沙漠的；荒凉的；/dɪ'zɜːt/ *v.* 舍弃

记忆 词根记忆：de（去掉）+sert（加入）→不加入，不让插入→舍弃

infertile /ɪn'fɜːtaɪl/ *adj.* 贫瘠的；不能生育的

反义 fertile *adj.* 肥沃的；可繁殖的

land carrying capacity 土地承载能力

sterile /'steraɪl/ *adj.* 无菌的；贫瘠的

terrace /'terəs/ *n.* 梯田

topsoil /'tɒpsɔɪl/ *n.* 表土层

记忆 合成词：top（顶上的）+soil（土地）→表层土

tract /trækt/ *n.*（土地的）一大片

表示"提供"的词：

provide /prə'vaɪd/ *v.* 提供

搭配 provide with 提供

　　 provide for 供给

accommodate /ə'kɒmədeɪt/ *v.* 为…提供住所

同根 accommodation *n.* 膳宿；适应

furnish /'fɜːnɪʃ/ *v.* 为…配备家具；供应

反义 unfurnish *v.* 拆除…的家具

provision /prə'vɪʒn/ *n.* 供应；准备；条款

同义 preparation *n.* 准备，预备

　　 clause *n.* 子句；条款

表示"调查，观察"的词：

enquire /ɪn'kwaɪə(r)/ *v.* 打听；调查

记忆 词根记忆：en（使…）+quir（寻求，获得）+e→使寻求获得→打听

fieldwork /'fi:ldwɜːk/ *n.* 实地调查；临时筑成的防御工事

记忆 合成词：field（野外的）+work（工作）→野外研究→实地调查

inquiry /ɪn'kwaɪəri/ *n.* 调查，审查

同根 inspection *n.* 检查，审查

investigate /ɪn'vestɪɡeɪt/ *v.* 调查

记忆 联想记忆：invest（投资）+i+gate（大门）→调查是通往投资的大门→调查

observation /ˌɒbzə'veɪʃn/ *n.* 观察，观测

同根 observational *adj.* 观测的

observe /əb'zɜːv/ *vt.* 观察；遵守

记忆 词根记忆：ob（加强）+serv（保持）+e→一直保持→遵守

perspective /pə'spektɪv/ *n.*（判断事物的）角度，方法；透视法

记忆 词根记忆：per（贯穿）+spect（看）+ive→看穿→透视法

probe /prəʊb/ *v.* 探索 *n.* 探针；详尽调查

记忆 词根记忆：prob（检查，试）+e→探索

questionary /'kwestʃənərɪ/ *n.* 调查表，问卷

Review

As the fire continued to rage, the National Trust's conservators were being mobilised, and that evening local stationers were especially opened to provide the bulk supplies of blotting paper so desperately needed in the salvage operation.

随着火势的蔓延，来自国民托管组织的文物保护工作者也被调动起来，那天晚上当地的文具店也紧急营业以提供抢救文物所急需的大量的吸墨纸。

（剑桥雅思 9）

语法笔记

本句是由 and 连接的并列句。前一分句的主干是 the National Trust's conservators were being mobilized，后一分句的主干是 local stationers were opened to provide the bulk supplies of blotting paper。句首 as 引导时间状语从句；that evening 指发生火灾的那天晚上，作时间状语；过去分词短语 so desperately needed in the salvage operation 作后置定语修饰 blotting paper。

核心词表

continue /kən'tɪnjuː/ *v.* 继续，延续，延伸

反义 discontinue *v.* 中断；不连续

rage /reɪdʒ/ *v.* （火灾、疾病）迅速蔓延，快速扩散，肆虐

National Trust 国家信托

conservator /kən'sɜːvətə(r)/ *n.* 文物修复员；文物保护员

mobilise /'məʊbəlaɪz/ *v.* 动员；调动

搭配 mobilise the army 调动军队

local /'ləʊkl/ *adj.* 当地的；地方的

stationer /'steɪʃənə(r)/ *n.* 文具店

especially /ɪ'speʃəli/ *adv.* 特别，尤其

bulk /bʌlk/ *n.* 大量；大批

记忆 联想记忆：公牛（bull）总是大批（bulk）地行动

supply /sə'plaɪ/ *n.* 供给，供应（量）；[常作 pl.] 存货，必需品；*v.* 供给，供应；满足（需要），弥补（不足）

搭配 supply sth. to sb. 为…提供…

blotting paper 吸墨纸

desperately /'despərətli/ *adv.* 非常需要地

主题归纳

与"灾害，灾难，不幸"有关的词：

anguish /'æŋgwɪʃ/ *n.* 痛苦

记忆 词根记忆：angu（苦恼）+ish →痛苦

搭配 in anguish 在痛苦中

avalanche /'ævəlɑːnʃ/ *n./v.* 雪崩

搭配 snow avalanche 雪崩

an avalanche of words 滔滔不绝的言辞

记忆 联想记忆：三个 a 像滚下的雪球→雪崩

calamity /kə'læməti/ *n.* 大灾祸，不幸事件

记忆 词根记忆：calam（不幸）+ity（表状况）→不幸事件

casualty /'kæʒuəlti/ *n.* 伤亡（人员），伤亡者；损失的东西；伤亡事故

记忆 来自 casual（*adj.* 偶然的）

cataclysm /'kætəklɪzəm/ *n.* （突然降临的）大灾难，大灾变，大动乱

记忆 词根记忆：cata（向下）+clys（猛冲）+ m →向下猛冲→（突然降临的）大灾难

catastrophe /kə'tæstrəfi/ *n.* 大灾难

记忆 词根记忆：cat（看作 cad，落下）+astro（星星）+phe →星星坠落，大难临头→大灾难

catastrophic /ˌkætə'strɒfɪk/ *adj.* 悲惨的；灾难性的

debris /'debriː/ *n.* 废墟，残骸；散落的碎片；[地理] 岩屑

记忆 发音记忆："堆玻璃"→一堆碎玻璃→废墟

deluge /'deljuːdʒ/ *n.* 洪水，暴雨

destroy /dɪ'strɔɪ/ *v.* 毁坏

disaster /dɪ'zɑːstə(r)/ *n.* 灾难

disastrous /dɪ'zɑːstrəs/ *adj.* 灾难性的，损失惨重的

搭配 disastrous flood 灾难性的洪水

famine /'fæmɪn/ *n.* 饥饿，饥荒；奇缺

massacre /'mæsəkə(r)/ *n.* 大屠杀

搭配 massacre victim 大屠杀受害者

misfortune /ˌmɪs'fɔːtʃuːn/ *n.* 不幸；灾祸，灾难

记忆 词根记忆：mis（坏）+fortune（好运）→没有好运→不幸

搭配 suffer great misfortune 遭到极大不幸

companions in misfortune 难友

反义 fortune *n.* 运气

mishap /'mɪshæp/ *n.* 不幸

slaughter /'slɔːtə(r)/ *v.* 屠杀，杀戮

torment /tɔː'ment/ *v.* 折磨；造成肉体或精神上的巨大痛苦；/'tɔːment/ *n.* 折磨；拷问

记忆 词根记忆：tor（=tort 扭曲）+ment →扭的状态→折磨

搭配 torture instruments 刑具

tortured by anxiety 受焦虑的煎熬

同义 persecute *v.* 迫害

unfortunate /ʌn'fɔːtʃənət/ *adj.* 不幸的，倒霉的；遗憾的，可惜的

记忆 词根记忆：un（不）+fortunate（幸运的）→不幸的

搭配 unfortunate event 不幸事件

upheaval /ʌp'hiːvl/ *n.* 剧变；激变；动乱；动荡

记忆 词根记忆：up（向上）+heaval（举起）→（矛盾）上升→动乱

victim /'vɪktɪm/ *n.* 牺牲品，受害者

搭配 fall victim to 成为…的牺牲品；成为…的受害者

同义 sacrifice *v./n.* 牺牲

wreckage /'rekɪdʒ/ *n.* 残骸

搭配 aircraft wreckage 飞机残骸

与"动机，动力"有关的词：

impetuous /ɪm'petʃuəs/ *adj.* 冲动的；轻率的

impulse /'ɪmpʌls/ *n.* 冲动，突如其来的念头；刺激，驱使；脉冲；*v.* 推动

记忆 词根记忆：im（使…）+puls（推）+e → 推动

搭配 on (the) impulse (of...) 凭（…的）冲动

impulsive /ɪm'pʌlsɪv/ *adj.* 凭冲动行事的；易冲动的

momentum /mə'mentəm/ *n.* 动力，冲力，势头；动量

记忆 联想记忆：moment（瞬间）+um → 冲力在瞬间迸发→冲力

搭配 economic momentum 经济势头

motivate /'məʊtɪveɪt/ *v.* 激励，促进；成为…动机

记忆 词根记忆：motiv(e)（动机）+ate（使…）→使有动机→成为…动机

motivation /ˌməʊtɪ'veɪʃn/ *n.* 动力；动机，原因

搭配 motivation for... …的动机

motivational /ˌməʊtɪ'veɪʃənl/ *adj.* 动机的，有关动机的

motive /'məʊtɪv/ *n.* 动机，目的

stimulus /'stɪmjələs/ *n.* 促进（因素），刺激（物）

搭配 fiscal stimulus 财政刺激

与"火灾救援"有关的词：

accidental explosion 意外爆炸

alarm bell 警铃

blast /blɑːst/ *n.* 一阵（大风）；冲击；*v.* 爆破；枯萎

搭配 blast wind 爆炸气浪

burning area 燃烧面积

burning intensity 燃烧强度

collapse /kə'læps/ *v.* 倒塌

记忆 词根记忆：col（共同）+laps（滑走）+e →一起滑落→倒塌

combustible /kəm'bʌstəbl/ *adj.* 易燃的

搭配 combustible material 可燃物；易燃材料

death by burning 烧死

death count 死亡数

devastating effect 毁灭性效果

elevated temperature 高温

elevator /'elɪveɪtə(r)/ *n.* 电梯

搭配 take the elevator 乘电梯

emergency exit 安全出口

extinguish /ɪk'stɪŋwɪʃ/ *v.* 熄灭；偿清

搭配 extinguish the flames 扑灭火焰

fire alarm 火警报警器

fire engine access 消防通道

fire engine 消防车

fire extinguisher 灭火器

fire hydrant 消防栓

fire injury 烧伤

fire inspection 防火检查

fire insurance 火灾保险

fire telephone 火警电话

firefighting /ˈfaɪəˌfaɪtɪŋ/ n. 消防；防火

fireman /ˈfaɪəmən/ n. 消防队员；救火队员

同义 firefighter n. 消防队员

first aid telephone 急救电话

first aid 急救

inhibition /ˌɪnhɪˈbɪʃn/ n. 抑制

记忆 词根记忆：in（不）+hibit（拿）+ion →
不让拿→禁止→抑制

lifesaver /ˈlaɪfseɪvə(r)/ n. 救生者，救生员

origin of the fire 火源

oxygen deficiency 缺氧

perish /ˈperɪʃ/ v. 死亡；丧生

搭配 perish from (of) 因…而死

poisonous atmosphere 有毒的大气

refuge /refjuːdʒ/ v. 避难

搭配 take refuge 避难

relief work 救援工作

rescue /ˈreskjuː/ v./n. 营救，援救

搭配 rescue sb. from danger 营救某人脱险
rescue work 营救工作

同义 save v. 挽救

self-contained breathing equipment
自给式呼吸设备

smoke /sməʊk/ v. 冒烟

stair /steə(r)/ n. 楼梯

suffocation /ˌsʌfəˈkeɪʃn/ n. 窒息；闷死

water /ˈwɔːtə(r)/ v. 给…浇水

Review

Her contribution to physics had been immense, not only in her own work, the importance of which had been demonstrated by her two Nobel Prizes, but because of her influence on subsequent generations of nuclear physicists and chemists.

她对物理学做出了巨大贡献，不仅是因为已被两项诺贝尔奖肯定其重要性的个人研究成果，还因为她对之后一代代核物理学家和化学家所产生的影响。

（剑桥雅思9）

语法笔记

本句的主干是 Her contribution to physics had been immense, not only...but...。句中 which 引导的定语从句修饰先行词 her own work，此外 because of 引导原因状语。

核心词表

contribution /ˌkɒntrɪ'bjuːʃn/ *n.* 捐献，贡献

搭配 make contributions to... 捐赠（贡献）给…

physics /'fɪzɪks/ *n.* 物理学

搭配 modern physics 近代物理，现代物理

immense /ɪ'mens/ *adj.* 巨大的，广大的

记忆 词根记忆：im（不）+mens（测量）+e →不能测量的→巨大的，广大的

搭配 an immense improvement 巨大的进步

demonstrate /'demənstreɪt/ *v.* 论证，说明；演示；举行示威游行（或集会）

记忆 词根记忆：de（加强）+monstr（显示）+ate（做）→加强显示→论证，说明

搭配 demonstrate one's ability 显示自己的能力

同根 demonstration *n.* 示范，表演

同义 display *vt.* 展览，显示

show *v.* 说明，显示

illustrate *vt.* 举例说明，阐明

subsequent /'sʌbsɪkwənt/ *adj.* 随后的

记忆 词根记忆：sub（下面）+sequ（跟随）+ent（…的）→在下面跟随→随后的

搭配 subsequent on 作为…的结果发生

subsequent event 后来发生的事

同根 subsequently *adv.* 随后；接着

generation /ˌdʒenə'reɪʃn/ *n.* 一代；产生；一代人

搭配 generation gap 代沟

lost generation 迷失的一代

nuclear /'njuːkliə(r)/ *adj.* 核能的，原子能的

记忆 联想记忆：nu+clear（清除）→清除核危机→核能的

搭配 nuclear energy 核动力

nuclear family 小家庭

physicist /'fɪzɪsɪst/ *n.* 物理学家；物理学研究者

记忆 词根记忆：phys（自然）+ic+ist（从事某研究的人）→研究自然的人→物理学家

chemist /'kemɪst/ *n.* 化学家

记忆 词根记忆：chem（化学）+ist（从事某研究的人）→化学家

形容"重大，巨大"的词：

colossal /kə'lɒsl/ *adj.* 巨大的，庞大的

enormous /ɪ'nɔːməs/ *adj.* 巨大的，庞大的

记忆 词根记忆：e（出）+norm（规则）+ous（…的）→超出规范的→巨大的

搭配 enormous expenditure 巨额开支

enormous amount of 大量的

enormously /ɪ'nɔːməsli/ *adv.* 巨大地，庞大地

gigantic /dʒaɪ'ɡæntɪk/ *adj.* 巨大的，庞大的

记忆 联想记忆：gigant（看作 giant，巨人）+ic（…的）→巨大的

反义 tiny *adj.* 极小的，微小的

microscopic *adj.* 极小的

immeasurable /ɪ'meʒərəbl/ *adj.* 不可估量的；无限的

记忆 词根记忆：im（不）+measur（测量）+able（能…的）→不能测量的

incalculable /ɪn'kælkjələbl/ *adj.* 极大的；不可计算的；不可估量的

magnitude /'mæɡnɪtjuːd/ *n.* 广大，巨大；重要（性）；星球的光亮度

记忆 词根记忆：magn（大）+itude（表状态）→广大

mammoth /'mæməθ/ *adj.* 极其巨大的；庞大的

mighty /'maɪti/ *adj.* 巨大的；非凡的

prodigious /prə'dɪdʒəs/ *adj.* 惊人的，奇妙的；巨大的

同义 wonderful *adj.* 奇妙的

huge *adj.* 巨大的

tremendous /trə'mendəs/ *adj.* 极大的；非常的；巨大的

记忆 词根记忆：trem（颤抖）+end（末，尾）+ous（…的）→让人从头到尾颤抖的→非常的

vast /vɑːst/ *adj.* 巨大的；大量的

记忆 联想记忆：古老的东方（east）地大物博，人口众多（vast）

同根 vastness *n.* 巨大

vastly /'vɑːstli/ *adv.* 巨大地；大量地

形容"杰出，超群"的词：

celebrated /'selɪbreɪtɪd/ *adj.* 有名的，知名的

搭配 famous celebrated 著名的

complimentary /ˌkɒmplɪ'mentri/ *adj.* 表示钦佩的；赞美的

eminent /'emɪnənt/ *adj.* 杰出的，显赫的

记忆 词根记忆：e（出）+min（突出）+ent（…的）→杰出的，显赫的

entitle /ɪn'taɪtl/ *vt.* 给…权利（或资格）；给（书、文章等）题名；给…以称号

记忆 词根记忆：en（使…）+title（题目，标题）→给…题名

搭配 be entitled to... 有权…，有资格…

laudable /'lɔːdəbl/ *adj.* 值得赞美的

legendary /'ledʒəndri/ *adj.* 传说的，传奇的

记忆 词根记忆：legend（传说，传奇）+ary（…的）→传说的，传奇的

lofty /'lɒfti/ *adj.* 崇高的；高傲的

搭配 lofty ideal 崇高的理想

matchless /'mætʃləs/ *adj.* 无比的，无敌的

notable /'nəʊtəbl/ *adj.* 值得注意的，显著的；杰出的；*n.* 名人，要人

同根 notably *adv.* 显著地，特别地

noteworthy /'nəʊt,wɜːði/ *adj.* 显著的，值得注目的

noted /'nəʊtɪd/ *adj.* 闻名的

pre-eminent /,priː'emɪnənt/ *adj.* 卓越的，杰出的，超凡的

prominent /'prɒmɪnənt/ *adj.* 突出的；著名的；显著的

记忆 词根记忆：pro（向前）+min（突出）+ ent（…的）→突出的

renowned /rɪ'naʊnd/ *adj.* 有名的；受尊敬的

supreme /suː'priːm/ *adj.*（级别或地位）最高的，至高无上的

表示"称赞，赞美"的词：

commend /kə'mend/ *v.* 称赞，表扬

搭配 commend for... 为…赞扬

compliment /'kɒmplɪmənt/ *n.* 赞美；[pl.] 问候，祝贺；/'kɒmplɪment/ *v.* 赞美

记忆 联想记忆：compli（看作 accomplish，成功）+ment→成功后会收到许多赞美→赞美

laud /lɔːd/ *v.* 赞扬；赞美

表示"尊敬，敬畏"的词：

deference /'defərəns/ *n.* 敬意

dignify /'dɪgnɪfaɪ/ *vt.* 使尊荣，使高贵

记忆 词根记忆：dign（高贵）+ify（使…）→使高贵

dignified /'dɪgnɪfaɪd/ *adj.* 有尊严的

prestige /pre'stiːʒ/ *n.* 威望，声望

respect /rɪ'spekt/ *vt.* 尊敬；*n.* 尊敬；关心；方面

记忆 词根记忆：re（一再）+spect（看）→一再注视，以示尊敬→尊敬

同根 respectable *adj.* 值得尊敬的

revere /rɪ'vɪə(r)/ *v.* 敬畏；崇敬

记忆 词根记忆：rever（敬畏）+e →敬畏

搭配 revere virtue 崇尚美德

reverence /'revərəns/ *n./v.* 尊敬

搭配 with reverence 诚惶诚恐

与"物理学"有关的词：

accelerator /ək'seləreɪtə(r)/ *n.* 粒子加速器

记忆 词 根 记 忆：ac（加强）+celer（快）+ ator →粒子加速器

atom /'ætəm/ *n.* 原子

beam /biːm/ *n.* 光柱，光束

chafe /tʃeɪf/ *vt.*（把身体某一部分）擦热

clutter /'klʌtə(r)/ *n.* 杂乱的东西；*v.* 塞满，乱堆

cohesion /kəʊ'hiːʒn/ *n.* 附着（力）

concave /kɒn'keɪv/ *adj.* 凹面的

记忆 词根记忆：con（加强）+cave（洞）→像洞一样→凹面的

conduction /kən'dʌkʃn/ *n.* 传导

convex /'kɒnveks/ *adj.* 凸出的，凸面的

decelerate /,diː'seləreɪt/ *v.*（使）减速

记忆 词根记忆：de（减少）+celer（速度）+ ate（使…）→（使）减速

declivity /dɪˈklɪvɪtɪ/ *n.* 下斜，倾斜

记忆 词根记忆：de（向下）+cliv（倾斜）+ity →下斜

dilute /daɪˈluːt/ *v.* 稀释，冲淡

记忆 词根记忆：di（分开）+lut（冲洗）+e →（用水）冲洗开→冲淡

distillation /ˌdɪstɪˈleɪʃn/ *n.* 蒸馏

记忆 词根记忆：dis（分开）+till（小水滴）+ation →通过形成水滴来分离→蒸馏

dynamic /daɪˈnæmɪk/ *n.* 动力学

记忆 词根记忆：dynam（力量）+ic（…学）→力量学→动力学

elasticity /ˌiːlæˈstɪsəti/ *n.* 弹性

记忆 词根记忆：elastic（弹性的）+ity（表名词）→弹性

参考 elastic *adj.* 有弹性的

electricity /ɪˌlekˈtrɪsəti/ *n.* 电流，电

electron /ɪˈlektrɒn/ *n.* 电子

记忆 词根记忆：electr（电）+on（物质结构成分）→电子

focus /ˈfəʊkəs/ *n.* 焦点，焦距

gravity /ˈɡrævəti/ *n.* 重力；严重性；严肃

记忆 词根记忆：grav（重）+ity（表名词）→重力

inertia /ɪˈnɜːʃə/ *n.* 惯性；惰性

记忆 词根记忆：in（不）+ert（活力）+ia →没有活力→惰性

intensity /ɪnˈtensəti/ *n.* 强烈，剧烈；强度

搭配 lower intensity 较低强度

liquid /ˈlɪkwɪd/ *n.* 液体，流体

magnetic /mæɡˈnetɪk/ *adj.* 磁的；有吸引力的

magnetism /ˈmæɡnətɪzəm/ *n.* 磁性，磁力；吸引力

matter /ˈmætə(r)/ *n.* 物质

mechanics /məˈkænɪks/ *n.* 机械学，力学

negative /ˈneɡətɪv/ *adj.* 负电的

neutron /ˈnjuːtrɒn/ *n.* 中子

记忆 词根记忆：neutr（中间）+on（物理学名词）→中子

nucleus /ˈnjuːkliəs/ *n.* 核子

positive /ˈpɒzətɪv/ *adj.*（电）正极的，阳性的

precipitate /prɪˈsɪpɪteɪt/ *v.*（使）淀析；促成，加速

记忆 词根记忆：pre（前）+cipit（头）+ate →头往前→加速

pressure /ˈpreʃə(r)/ *n.* 压力

proton /ˈprəʊtɒn/ *n.* 质子

quantum /ˈkwɒntəm/ *n.* 量子；量子论

记忆 词根记忆：quant（量）+um →量子

refraction /rɪˈfrækʃn/ *n.* 折光，折射

记忆 词根记忆：re（回）+fract（打碎）+ion →打碎（光线）→折射

resonance /ˈrezənəns/ *n.* 共鸣，共振；洪亮

记忆 词根记忆：re（回）+son（声音）+ance →回声→共振

solid /ˈsɒlɪd/ *n.* 固体；*adj.* 固体的

temperature /ˈtemprətʃə(r)/ *n.* 温度

thaw /θɔː/ *v.*（使）溶化，（使）融解

thermodynamics /ˌθɜːməʊdaɪˈnæmɪks/ *n.* 热力学

记忆 词根记忆：thermo（热）+dynamics（动力学）→热力学

thermometer /θəˈmɒmɪtə(r)/ *n.* 温度计

搭配 read a thermometer 看温度计读数

vector /ˈvektə(r)/ *n.* 向量，矢量

velocity /vəˈlɒsəti/ *n.* 速度；迅速，快速；速率

同义 speed *n.* 迅速，速度，速率

rapidity *n.* 速度，迅速

ventilation /ˌventɪˈleɪʃn/ *n.* 空气流通；通风设备，通风方法

搭配 room with good ventilation 通风良好的房间

Review

Sentence 87

The taxonomist sometimes overlooks whole species in favour of those groups currently under study, while the ecologist often collects only a limited number of specimens of each species, thus reducing their value for taxonomic investigations.

分类学家们有时会忽略整个物种而选择当时正在研究的那些物种群，而生态学家常常只收集每个物种有限的几个样本，因此就降低了分类研究的价值。

（剑桥雅思 8）

语法笔记

本句是由 while 连接的并列句，前一分句的主干是 The taxonomist overlooks whole species，后一分句的主干是 the ecologist collects only a limited number of specimens of each species。句末的 thus reducing their value for taxonomic investigations 作整个句子的结果状语。

核心词表

taxonomist /tæk'sɒnəmɪst/ *n.* 分类学家

同根 taxonomy *n.* 分类学

overlook /ˌəʊvə'lʊk/ *v.* 忽略；俯瞰

同义 forget *v.* 忽略

　　 ignore *v.* 忽视

同根 ecology *n.* 生态学

limited /'lɪmɪtɪd/ *adj.* 有限的

specimen /'spesɪmən/ *n.* 范例，样品；样本，标本

记忆 词根记忆：speci（种类）+men（表名词）→种类的典型→样品

搭配 specimen page 标本页

同义 sample *n.* 标本

taxonomic /ˌtæksə'nɒmɪk/ *adj.* 分类的

investigation /ɪnˌvestɪ'geɪʃn/ *n.* 调查；调查研究

搭配 investigation team 调查组

主题归纳

形容"价值"的词：

devalue /ˌdiː'væljuː/ *v.* 使…贬值

记忆 词根记忆：de（去掉）+val（价值）+ue →去掉价值→贬值

反义 appreciation *n.* 欣赏，感激

　　 appreciative *adj.* 感谢的，赞赏的

appreciable *adj.* 值得重视的；可感知的

estimate /'estɪmeɪt/ *v.* 估计，估量；/'estɪmət/ *n.* 估计，估量，估价

记忆 词根记忆：est（存在）+im+ate（做）→对存在的东西做评价

搭配 estimated time of arrival（ETA）预测到达时间

estimated time of departure（ETD） 预计出发时间

estimated number of people 预计人数

conservative estimate 保守估计

evaluate /ɪ'væljueɪt/ *vt.* 评价，估价

记忆 词根记忆：e（出）+valu（价值）+ate（做）→出价→估价

invaluable /ɪn'væljuəbl/ *adj.* 无价的

记忆 词根记忆：in（不）+valuable（值钱的）→无价的

profitable /'prɒfɪtəbl/ *adj.* 有利可图的，赚钱的；有益的

记忆 词根记忆：profit（利益）+able（能…的）→能获利的→有利可图的

搭配 a highly profitable business 很有利可图的生意

同义 beneficial *adj.* 有益的，有利的

lucrative *adj.* 赚钱的；有利可图的

反义 unprofitable *adj.* 无益的；无利润的

worthless *adj.* 无价值的

worthy /'wɜːði/ *adj.* 有价值的；值得的

同根 unworthy *adj.* 没有价值的；不值得的

形容"支持，支撑"的词：

behalf /bɪ'hɑːf/ *n.* 为了…的利益，利益；代表；方面；维护，支持

记忆 联想记忆：be（使…）+half（半）→使两半，一变二，当然生利→利益

搭配 on one's behalf 代表

on behalf of 代表，为了

bolster /'bəʊlstə(r)/ *n.* 垫子；*vt.* 支持；支撑

endorse /ɪn'dɔːs/ *vt.* 支持，赞同

搭配 endorse a candidate 支持候选人

supportive /sə'pɔːtɪv/ *adj.* 支持的，支援的；赞助的

sustain /sə'steɪn/ *v.* 支撑，承受；维持，保持；经受，遭受

记忆 词根记忆：sus+tain（保持）→保持

搭配 sustain hardship 忍受艰苦

sustain a person's spirit 使某人振作

sustain growth 维持增长

同根 sustainable *adj.* 可持续的；足可支撑的

sympathetic /ˌsɪmpə'θetɪk/ *adj.* 同情的，体谅的；赞同的，支持的；和谐的

记忆 词根记忆：sym（共同）+path（感情）+etic（…的）→有共同感情的→同情的

表示"检查"的词：

check /tʃek/ *v.* 检查，核对；突然停止，制止；做标记；*n.* 检查，核对；制止；支票，账单

同根 checker *n.* 检验员，审查员

check-in *n.* 登记；登记处

check-out *n.* 办理退房及退房手续

checklist *n.* 清单

checked *adj.* 有格子图案的

check-up /'tʃek ʌp/ *n.* 检查；体检

examine /ɪg'zæmɪn/ *vt.* 检查；调查，研究；测验

同根 examiner *n.* 主考者

examination *n.* 考试；检查

inspect /ɪnˈspekt/ *vt.* 检查，检阅

记忆 词根记忆：in（进入）+spect（看）→
进去查看→检查，检阅

同根 inspector *n.* 检查员

inspection *n.* 检查，视察

scrutiny /ˈskruːtəni/ *n.* 细察，详细检查

记忆 词根记忆：scru（音似：四顾）+tiny
（微小的）→连微小的都要顾到→细察

同义 inquiry *n.* 调查，审查

inspection *n.* 检查，审查

反义 neglect *n.* 疏忽，忽视

表示"数量"的词：

block /blɒk/ *n.* 一块；栋，幢；一组，一批

countless /ˈkaʊntləs/ *adj.* 无数的

fraught /frɔːt/ *adj.* 担心的，忧虑的；充
满…的

innumerable /ɪˈnjuːmərəbl/ *adj.* 无数的

majority /məˈdʒɒrəti/ *n.* 多数，大多数

搭配 majority status 成人身份

quantitative /ˈkwɒntɪtətɪv/ *adj.* 定量的；
量的，数量的

搭配 quantitative analysis 定量分析

quantity /ˈkwɒntəti/ *n.* 量

redundant /rɪˈdʌndənt/ *adj.*（因人员过剩而）
被解雇的；多余的；累赘的

搭配 redundant staff 超额人员

suffuse /səˈfjuːz/ *vt.* 充满

记忆 词根记忆：suf（下）+fus（流）+e →
在下面流（得到处都是）→充满

total /ˈtəʊtl/ *n.* 总数，总量；*adj.* 总的

volume /ˈvɒljuːm/ *n.* 卷，册；体积；音量

形容"少"的词：

dearth /dɜːθ/ *n.* 缺乏，短缺

记忆 联想记忆：dear（珍贵的）+th →物以稀
为贵→缺乏，短缺

搭配 a dearth of water 水源缺乏

deficient /dɪˈfɪʃnt/ *adj.* 缺乏的，不足的

搭配 deficient in 在某方面缺乏

inadequate /ɪnˈædɪkwət/ *adj.* 不充分的，不
适当的

lacking /ˈlækɪŋ/ *adj.* 缺少的，不足的；没有的

搭配 lacking in 缺少，不足

paucity /ˈpɔːsəti/ *n.* 不足，缺乏

搭配 paucity of 缺乏

rareness /ˈreənəs/ *n.* 稀有，罕见

scant /skænt/ *adj.* 缺乏的，不足的

scarce /skeəs/ *adj.* 缺乏的，不足的；稀少的，
罕见的

搭配 scarce metal 稀有金属

scarcity /ˈskeəsəti/ *n.* 不足，缺乏

搭配 scarcity of 缺乏

skimpy /'skɪmpi/ *adj.* 不足的，不够的

sole /səʊl/ *adj.* 唯一的；独有的；*n.* 鞋底，袜底，脚底

同根 solely *adv.* 唯一地；独自地

solitary /'sɒlətri/ *adj.* 单个的；单独的；孤独的；独居的

记忆 词根记忆：sol（单独）+it（走）+ary

（…的）→一个人走→孤独的

sparse /spɑːs/ *adj.* 稀少的，稀疏的

同根 sparsely *adv.* 稀少地，稀疏地

sporadic /spə'rædɪk/ *adj.* 零星的

同根 sporadically *adv.* 偶发地；零星地

tiny /'taɪni/ *adj.* 极小的，微小的

Review

Sentence 88

Many CEOs combine two opposing characteristics: confidence—that is, the belief that they're capable of great achievements—with a high level of anxiety, a fear of missing targets, whether set by themselves or by the directors of the company.

许多 CEO 都有两种相反的特征：自信——即相信自己有能力取得巨大成就——高度的焦虑，害怕自己或公司董事设定的目标落空。

（剑桥雅思 12）

语法笔记

本句的主干是 Many CEOs combine two opposing characteristics。冒号后的内容是对前面 two opposing characteristics 的具体阐述，that is, the belief that they're capable of great achievements 对 confidence 起到解释说明的作用；a fear of missing targets 作插入语，解释 a high level of anxiety；whether 引导让步状语从句，whether 后省略了 they are。

核心词表

combine /kəmˈbaɪn/ v. 联合，结合

记忆 词根记忆：com（共同）+bin（两个）+e →使两个在一起→结合

搭配 combine...with... 联合…和…

同根 combination n. 结合

oppose /əˈpəʊz/ vt. 反对，反抗

记忆 词根记忆：op（相反）+pos（放）+e →摆出相反的姿态→反对，反抗

搭配 be opposed to... 反对…

oppose reason to force 以理性对暴力

oppose the south 面向南方

oppose oneself to 反对

characteristic /ˌkærəktəˈrɪstɪk/ n. 特性；特征；adj. 特有的；典型的

confidence /ˈkɒnfɪdəns/ n. 信任；信心

capable /ˈkeɪpəbl/ adj. 有能力的；能够的

记忆 词根记忆：cap（握住）+able（能…的）→能握得住的→有能力的

搭配 be capable of 有…能力的

achievement /əˈtʃiːvmənt/ n. 成就；达到，实现

记忆 来自 achieve（vt. 完成）

搭配 sense of achievement 成就感

anxiety /æŋˈzaɪəti/ n. 焦虑

搭配 anxiety disorder 焦虑症

director /dəˈrektə(r)/ n. 总监

搭配 Director of Operations 运营总监

同根 directory n. 人名地址录；（电话）号码簿

形容"恐惧，害怕"的词：

aghast /əˈɡɑːst/ *adj.* 吓呆的，惊骇的

搭配 aghast at sth. 惊呆于…

appall /əˈpɔːl/ *vt.* 使惊骇，使恐怖

同根 appalling *adj.* 令人震惊的

collapse /kəˈlæps/ *v./n.* 崩溃，虚脱

记忆 联想记忆：col+lapse（滑倒）→一出门就滑倒，真让人崩溃→崩溃

cowardly /ˈkaʊədli/ *adj.* 胆小的，怯懦的

反义 bold *adj.* 大胆的

cower /ˈkaʊə(r)/ *vi.* 畏缩

同义 recoil *v.* 退缩，畏缩

craven /ˈkreɪvn/ *adj.* 懦弱的，畏缩的

同义 cowardly *adj.* 怯懦的

creep /kriːp/ *vi.* 起鸡皮疙瘩；*n.* 毛骨悚然

同根 creepy *adj.* 令人毛骨悚然的

dread /dred/ *n.* 畏惧；恐怖；*v.* 畏惧

同根 dreadful *adj.* 糟糕的

fear /fɪə(r)/ *n./v.* 害怕，恐惧

flutter /ˈflʌtə(r)/ *vi.* 振翅；飘动；（心脏因紧张而）乱跳

记忆 联想记忆：fl（看作 fly）+utter（看作butter）→蝴蝶（butterfly）振翅而飞→振翅

formidable /ˈfɔːmɪdəbl/ *adj.* 可畏惧的，可怕的；难对付的

同义 frightening *adj.* 令人害怕的，吓人的

awesome *adj.* 使人敬畏的

fright /fraɪt/ *n.* 惊吓

搭配 stage fright 怯场

funk /fʌŋk/ *n.* 恐惧，恐怖

horrify /ˈhɒrɪfaɪ/ *vt.* 使恐惧，使感惊骇；使震惊

记忆 词根记忆：horr（害怕）+ify（使…）→使恐惧

horror /ˈhɒrə(r)/ *n.* 害怕，恐怖

intimidate /ɪnˈtɪmɪdeɪt/ *vt.* 恐吓

同义 frighten *vt.* 使害怕，使惊吓

menace /ˈmenəs/ *vt.* 威吓；胁迫

搭配 a menace to sb./sth. 对某人 / 某物的威胁

panic /ˈpænɪk/ *n.* 恐慌

petrified /ˈpetrɪfaɪd/ *adj.* 惊呆的

同根 petrify *v.* 惊呆；石化

scare /skeə(r)/ *n.* 惊恐，恐慌；*v.* 吓，使害怕

terrified /ˈterɪfaɪd/ *adj.* 恐惧的

搭配 be terrified of 对…感到惊恐

terrify /ˈterɪfaɪ/ *vt.* 使害怕，使惊恐

terror /ˈterə(r)/ *n.* 恐怖

terrorise /ˈterəraɪz/ *vt.* 威胁，恐吓

threaten /ˈθretn/ *vt.* 恐吓，威胁

timid /ˈtɪmɪd/ *adj.* 胆小的；羞怯的

记忆 词根记忆：tim（害怕）+id（…的）→胆小的

timidity /tɪˈmɪdəti/ *n.* 羞怯，胆小

搭配 timidity psychology 胆怯心理

timidly /'tɪmɪdli/ *adv.* 羞怯地，胆小地

tremble /'trembl/ *n./vi.* 发抖

同根 trembling *n.* 颤抖 *adj.* 颤抖的

trepidation /ˌtrepɪ'deɪʃn/ *n.* 惊恐；惶恐；
战栗

xenophobic /ˌzenə'fəʊbɪk/ *adj.* 恐惧（或憎
恨）外国人的

形容"才能，能力"的词：

ability /ə'bɪləti/ *n.* 能力

同义 capability *n.* 能力，才能

competence /'kɒmpɪtəns/ *n.* 能力

disposition /ˌdɪspə'zɪʃn/ *n.* 性情

同义 nature *n.* 本性，天性

fortitude /'fɔːtɪtjuːd/ *n.* 坚韧，刚毅

同义 spunk *n.* 胆量，勇气

knack /næk/ *n.* 诀窍

quality /'kwɒləti/ *n.* 品质

同义 trait *n.* 特性，品质

resourceful /rɪ'sɔːsfl/ *adj.* 资源丰富的；
足智多谋的

同义 skillful *adj.* 有技巧的，熟练的

stamina /'stæmɪnə/ *n.* 体力，精力

同义 endurance *n.* 耐力

talent /'tælənt/ *n.* 天才；才能；人才

同义 gift *n.* 天赋，才能

temperament /'temprəmənt/ *n.* 气质，性情

versatile /'vɜːsətaɪl/ *adj.* 多才多艺的

同义 many-sided *adj.* 多样的

talented *adj.* 有天资的

all-around *adj.* 多才多艺的

vigor /'vɪɡə(r)/ *n.* 精力，活力

Review

A radical solution, which may work for some very large companies whose businesses are extensive and complex, is the professional board, whose members would work up to three or four days a week, supported by their own dedicated staff and advisers.

一个激进的解决方案就是成立专业董事会，这可能适用于一些业务广泛而复杂的大公司，其员工每周工作三到四天，有它们自己敬业的员工和顾问的支持。

（剑桥雅思 12）

语法笔记

本句的主干是 A radical solution is the professional board。which 在此处引导非限制性定语从句，修饰先行词 solution；定语从句 whose businesses are extensive and complex 修饰 large companies；第二个 whose 引导的非限制性定语从句，进一步对 the professional board 进行说明，过去分词短语 supported by their own dedicated staff and advisers 表被动，作伴随状语。

核心词表

radical /'rædɪkl/ *adj.* 激进的；根本的；*n.* 激进分子

同根 radically *adv.* 根本上；彻底地；以激进的方式

extensive /ɪk'stensɪv/ *adj.* 广大的，广阔的；广泛的

搭配 make extensive use of 广泛应用

extensive reading 泛读

extensive knowledge 广博的知识（面）

extensive efforts 巨大的努力

complex /'kɒmpleks/ *adj.* 综合的；复杂的；*n.* 综合体；情结

记忆 词根记忆：com（加强）+plex（重叠）→重叠交叉的→复杂的

搭配 inferiority complex 自卑感，自卑情结

同义 complicated *adj.* 复杂的，难解的

intricate *adj.* 错综复杂的

involved *adj.* 棘手的

knotty *adj.* 棘手的

反义 simple *adj.* 简单的，简易的

professional /prə'feʃənl/ *adj.* 职业的；专业的；*n.* 自由职业者；专业人员

搭配 professional football 职业足球赛

professional knowledge 专业知识

dedicated /'dedɪkeɪtɪd/ *adj.* 敬业的，有献身精神的

搭配 dedicated to... 致力于…

staff /stɑːf/ *n.* 全体职工，工作人员；棒；参谋部；*v.* 为…配备人员

记忆 联想记忆：与 stuff（*n.* 材料）一起记

搭配 office staff 办公室文员

teaching staff 教职员工

同义 personnel *n.* 全体人员

adviser /əd'vaɪzə(r)/ *n.* 导师

搭配 thesis adviser 论文导师

与"企业决策中职业素养"有关的词：

adaptability /əˌdæptə'bɪləti/ *n.* 适应能力

ambition /æm'bɪʃn/ *n.* 雄心，野心

搭配 bad ambition 不良志向

political ambition 政治野心，政治抱负

creative /kri'eɪtɪv/ *adj.* 创造性的，有创造力的

同根 creativity *n.* 创造力

decisive /dɪ'saɪsɪv/ *adj.* 决定性的；果断的

记忆 来自 decide（*v.* 决定）

determination /dɪˌtɜːmɪ'neɪʃn/ *n.* 决心，果断

diligent /'dɪlɪdʒənt/ *adj.* 勤勉的

搭配 be diligent in 勤于…的

discretion /dɪ'skreʃn/ *n.* 判断力；谨慎；决定

记忆 来自 discreet（*adj.* 小心的，谨慎的）

extroversive /ˌekstrə'vɜːsɪv/ *adj.* 外向的

innovative /'ɪnəveɪtɪv/ *adj.* 创新的

搭配 innovative design 创新设计

leadership /'liːdəʃɪp/ *n.* 领导能力

mastermind /'mɑːstəmaɪnd/ *n.* 极具才智者；决策者；*v.* 策划

obliged /ə'blaɪdʒd/ *adj.* 有责任的；感激的

搭配 be obliged to... 对…有义务

problem-solving /'prɒbləm sɒlvɪŋ/ *n.* 解决问题

prudential /pruː'denʃəl/ *adj.* 谨慎的

搭配 prudential supervision 谨慎监管

teamwork /'tiːmwɜːk/ *n.* 团队合作

表示"奉献"的词：

commitment /kə'mɪtmənt/ *n.* 委托；许诺；承担义务

记忆 词根记忆：com（共同）+mit（送出）+ment（表名词）→一起送出→委托

dedication /ˌdedɪ'keɪʃn/ *n.* 奉献

搭配 dedication to... 对…的奉献

devote /dɪ'vəʊt/ *vt.* 将…奉献给；把…专用（于）

搭配 devote oneself to... 专注于…

devote to... 把…专用于，把…奉献给

devotion /dɪ'vəʊʃn/ *n.* 奉献；忠诚；热爱

与"企业人员"有关的词：

buyer /'baɪə(r)/ *n.* 采购员

CEO (Chief Executive Officer) /ˌsiːiː'əʊ/ *abbr.* 首席执行官

搭配 CEO Council 理事会

controller /kən'trəʊlə(r)/ *n.* 财务总管；主管

搭配 business controller 业务主任

GM (General Manager) /dʒiːem/ *abbr.* 总经理

搭配 GM assistant 总经理助理

manager /'mænɪdʒə(r)/ *n.* 经理

搭配 marketing manager 市场经理

seniority /ˌsiːniˈɒrəti/ *n.* 长辈，老资格；年资

搭配 seniority pay 工龄工资

seniority roll 年资排名表

subordinate /səˈbɔːdɪnət/ *adj.* 下级的；次要的；*n.* 部属，下级；/səˈbɔːdɪneɪt/ *vt.* 使处于次要地位；使服从

搭配 subordinate appraisal 下级考评

subordinate unit 直属单位

同根 subordination *n.* 从属；附属

supervisory /ˌsuːpəˈvaɪzəri/ *adj.* 监督的，管理的

与"工作"有关的词：

appoint /əˈpɔɪnt/ *v.* 任命，委任；约定，指定

搭配 appoint to 任命，委任

an appointed official 委派的官员

audition /ɔːˈdɪʃn/ *n.* 试演，试听；听力

记忆 词根记忆：audit（听）+ion（表动作）→听（演员）唱→试听

career advisor 职业顾问

career objective 职业目标

career /kəˈrɪə(r)/ *n.* 生涯；经历；职业

搭配 take up a career 开始职业

chore /tʃɔː(r)/ *n.* 令人厌烦的工作

dismiss /dɪsˈmɪs/ *v.* 开除；解散；摒除

同根 dismissive *adj.* 打发走

dismissal /dɪsˈmɪsl/ *n.* 解雇，免职；遣散

搭配 unfair dismissal 不公平解雇

draft /drɑːft/ *n.* 草稿；汇票；服役；通风，气流；*v.* 草拟；征募

搭配 bank draft 银行汇票

first draft 草案，初稿

drudgery /ˈdrʌdʒəri/ *n.* 苦差事，单调乏味的工作

entry /ˈentri/ *n.* 通道；记载，条目

搭配 entry level 入门级别

同义 entrance *n.* 入口

access *n.* 进入

get fired 被炒鱿鱼

hand over 移交

hectic /ˈhektɪk/ *adj.* 忙碌的

同义 busy *adj.* 忙碌的

internship /ˈɪntɜːnʃɪp/ *n.* 实习；实习生身份

搭配 internship experience 实习经历

log /lɒg/ *n.* 原木；航海日志；*v.* 记录

name plate 名牌

occupation /ˌɒkjuˈpeɪʃn/ *n.* 占领，占据；占用；职业，工作

搭配 a regular occupation 固定职业

officeholder /ˈɒfɪsˌhəʊldə(r)/ *n.* 政府官员，任公职者

officially /əˈfɪʃəli/ *adv.* 官方地，正式地

overtime /ˈəʊvətaɪm/ *n.* 超时工作

搭配 work overtime 加班

part-time job 兼职工作

position sought 谋求职位

profession /prə'feʃn/ *n.* 职业；宣言

搭配 a profession of belief 信念的表白

　　by profession 就职业来说

quit office 辞职

quit /kwɪt/ *v.* 停止；辞职；放弃

搭配 quit rate 离职率

relevant document 相关文件

resign /rɪ'zaɪn/ *v.* 辞职；辞去；放弃

搭配 resign from 辞职

resignation letter 辞职信

sketch /sketʃ/ *n.* 素描；速写；*v.* 画…的素描；概述

搭配 sketch out 概略地叙述；草拟

　　sketch in 约略地补充

undertaking /ˌʌndə'teɪkɪŋ/ *n.* （重要的）任务，事业

vocation /vəʊ'keɪʃn/ *n.* 职业

同根 vocational *adj.* 职业的，业务的

Review

Sentence 90

This approach is summarised in the statement that it is the task of the grammarian to describe, not to prescribe—to record the facts of linguistic diversity, and not to attempt the impossible tasks of evaluating language variation or halting language change.

这种方法总结如下：语法学家的任务是描述而不是规定——记录语言多样性的事实，而不是试图完成评估语言变异或停止语言变化这些不可能的任务。

（剑桥雅思 9）

语法笔记

本句的主干是 This approach is summarised in the statement。that 引导同位语从句，解释说明 statement，破折号后的 to record the facts of linguistic diversity 为插入语，解释说明 prescribe。to describe, not to prescribe 和 not to attempt the impossible tasks 通过 and 构成并列结构。evaluating language variation 和 halting language change 通过 or 构成并列结构。

核心词表

summarise /ˈsʌməˌraɪz/ v. 总结，概述

同义 generalize v. 概括

statement /ˈsteɪtmənt/ n. 陈述；声明；报表

记忆 来自 state（v. 声明）

grammarian /grəˈmeəriən/ n. 语法学家

describe /dɪˈskraɪb/ v. 描述，描写

记忆 词根记忆：de（加强）+scrib（写）+e →着重写→描述

同根 description n. 描述；性质

prescribe /prɪˈskraɪb/ v. 处（方），开（药）；规定，指示

记忆 词根记忆：pre（预先）+scrib（写）+e→预先写好的→规定

搭配 prescribe sb. sth. 为某人开…药

diversity /daɪˈvɜːsəti/ n. 多样，千变万化

记忆 词根记忆：di（分开）+vers（转）+ity →转开了→不同的→多样

搭配 cultural diversity 文化多样性

diversity of... 各种各样的…

同根 diverse adj. 不同的，多样的

variation /ˌveəriˈeɪʃn/ n. 变化，变动；变异

记忆 词根记忆：vari（改变）+ation（表状态）→变化，变动，变异

halt /hɔːlt/ n. 停住；v. 暂停；踌躇

记忆 联想记忆：h+alt（高）→高处不胜寒，该停下来了→停住

主题归纳

与"语言学研究"有关的词：

affix /ˈæfɪks/ n. 词缀

记忆 词根记忆：af（加强）+fix（固定）→固定上去→词缀

antonym /'æntənɪm/ *n.* 反义词

记忆 词根记忆：ant（相反）+onym（名字）→名称相对→反义词

auxiliary verb 助动词

bilingualism /baɪlɪŋgwəlɪzəm/ *n.* 双语能力

code-switching /'kəʊd swɪtʃɪŋ/ *n.* 转换语言

记忆 合成词：code（编码）+switching（转换）→转换语言

coinage /'kɔɪnɪdʒ/ *n.* 新词的创造

cultural background 文化背景

cultural identity 文化身份

culture conflict 文化冲突

dialect /'daɪəlekt/ *n.* 方言，土语

dialectal variation 方言差异

dominant language 主流语言

Indo-European language 印欧语系，印欧语言

intonation /ˌɪntə'neɪʃn/ *n.* 语调

Latin /'lætɪn/ *n.* 拉丁语；*adj.* 拉丁语的

linguistics /lɪŋ'gwɪstɪks/ *n.* 语言学

记忆 词根记忆：lingu（语言）+ist+ics（…学）→语言学

multilingual /ˌmʌlti'lɪŋgwəl/ *adj.* 多种语言的

记忆 词根记忆：multi（多）+lingu（语言）+al（…的）→多种语言的

paraphrase /'pærəfreɪz/ *n.* 释义，解释；*v.* 解释，改述

prefix /'priːfɪks/ *n.* 前缀

记忆 词根记忆：pre（前）+fix（固定）→固定在前面→前缀

Sanskrit /'sænskrɪt/ *n.* 梵文

suffix /'sʌfɪks/ *n.* 后缀

记忆 词根记忆：suf（下）+fix（固定）→固定在（单词）下面（末尾）→后缀

synonym /'sɪnənɪm/ *n.* 同义词

记忆 词根记忆：syn（共同）+onym（名字）→同名→同义词

表达"说明"含义的词：

accentuate /ək'sentʃueɪt/ *vt.* 使突出，强调

同根 accentuation *n.* 强调

clarify /'klærəfaɪ/ *v.* 澄清；阐明

同根 clarification *n.* 澄清，阐明

convey /kən'veɪ/ *vt.* 表达，传递；运送

搭配 convey a message 传递信息

delineate /dɪ'lɪnieɪt/ *vt.* 说明，阐明；描述

记忆 词根记忆：de（加强）+line（直线，线条）+ate（使…）→勾勒线条→描述

depict /dɪ'pɪkt/ *vt.* 描绘；描述

同义 represent *vt.* 表现，描绘

picture *vt.* 画，描绘

elucidate /i'luːsɪdeɪt/ *v.* 阐明，使…清楚

记忆 词根记忆：e（加强）+lucid（照亮）+ate →弄清晰→阐明

emphasize /'emfəsaɪz/ *vt.* 强调，着重

记忆 联想记忆：em+phas（看作 phrase，用短语表达）+ize →用短语表达是为了强调→强调

emphatic /ɪm'fætɪk/ *adj.* 强调的

参考 emphasis *n.* 强调

enunciate /ɪˈnʌnsieɪt/ v. 清楚阐明

记忆 词根记忆：e（出）+nunci（讲）+ate →
讲出来→清楚表达

exemplify /ɪgˈzemplɪfaɪ/ vt. 作为…的例子

exposition /ˌekspəˈzɪʃn/ n. 阐述；展览会

记忆 词根记忆：ex（出）+posit（放）+ion →
放出来→展览会

expound /ɪkˈspaʊnd/ v. 详解，阐述

记忆 词根记忆：ex（出）+pound（放）→
把（意义）说出来→详细说明→详解

highlight /ˈhaɪlaɪt/ vt. 强调；n. 最精彩的部分

记忆 合成词：high（高的）+light（发光）→
高调地发光→强调

illuminate /ɪˈluːmɪneɪt/ v. 阐明；照亮

记忆 词根记忆：il（进入）+lumin（光）+ate
（使…）→进入光明→照亮

illustrate /ˈɪləstreɪt/ vt.（用图等）说明，
举例说明；给…作插图说明

搭配 illustrate the point 举例说明这一点

insinuate /ɪnˈsɪnjueɪt/ vt. 暗示

记忆 词根记忆：in（使…）+sinu（弯曲）+ate
（做）→（说话）拐弯抹角；行运迂回
→暗示

interpretation /ɪnˌtɜːprɪˈteɪʃn/ n. 解释，
说明，诠释

同义 explanation n. 解释

narrate /nəˈreɪt/ v. 叙述

reiterate /riˈɪtəreɪt/ v. 反复地说，重申

记忆 词根记忆：re（一再）+iter（重说）+ate
（做）→反复地说

specify /ˈspesɪfaɪ/ vt. 指定；详细说明

记忆 词根记忆：spec（看）+ify（使…）→
让人看清楚→详细说明

stress /stres/ n. 压力；重音；强调；v. 强调，
着重

搭配 stress management 对压力的管理

underline /ˌʌndəˈlaɪn/ v. 在…下划线；强调，
突出

记忆 合成词：under（下）+line（线）→在…
下划线

Review

Sentence
91

Some recent interdisciplinary research has come out with results that at first sight seem contradictory—a city needs to have a sense of activity, so it needs to be lively, with sounds like the clack of high heels on a pavement or the hiss of a coffee machine, but these mustn't be too intrusive, because at the same time we need to be able to relax.

最近，一些跨学科研究得出了乍一看似乎自相矛盾的结论——一个城市需要有活动感，所以它需要活泼起来，夹杂着如人行道上高跟鞋的哒哒声或咖啡机发出的嘶嘶声，但这些声音不能太过烦扰，因为我们同时需要能够放松。

（剑桥雅思 12）

语法笔记

本句的主干是 Some recent interdisciplinary research has come out with results。that 引导一个定语从句，修饰先行词 results。破折号后的内容是对 results that at first sight seem contradictory 的解释说明；其中 so 是并列连词，表示因果关系；with sounds like... of a coffee machine 作 so it needs to be lively 的伴随状语；but 在此处表转折，because 引导一个原因状语从句。

核心词表

interdisciplinary /ˌɪntəˈdɪsəplɪnəri/ *adj.* 跨学科的

记忆 词根记忆：inter（在…之间）+ disciplin(e)（学科）+ary（…的）→跨学科的

contradictory /ˌkɒntrəˈdɪktəri/ *adj.* 互相矛盾的，互相对立的

搭配 contradictory relationship 矛盾关系

contradictory statement 互相矛盾的说法

clack /klæk/ *v.* （硬物相互撞击发出的）啪哒声，吧嗒声

heel /hiːl/ *n.* 脚后跟；踵；*v.* 倾侧

搭配 at sb.'s heels 紧随某人之后

kick up one's heels 欢蹦乱跳

pavement /ˈpeɪvmənt/ *n.* 人行道，公路

hiss /hɪs/ *n.* 嘶嘶声

intrusive /ɪnˈtruːsɪv/ *adj.* 干涉的，打扰的

relax /rɪˈlæks/ *v.* （使）放松

记忆 词根记忆：re（重新）+lax（松）→ 重新松开→（使）放松

搭配 relax your mind 放松思维

relax controls 放松管制

同根 relaxation *n.* 放松

与"声音"有关的词：

bark /bɑːk/ *vi.* 吠叫；*n.* 犬吠声；树皮

记忆 发音记忆："巴克" → 巴克是《野性的呼唤》中的狗 → 犬吠

brittle /'brɪtl/ *adj.* 易碎的；脆弱的；靠不住的；不友好的；（声音）尖利的

同根 brittleness *n.* 脆弱

chink /tʃɪŋk/ *n.* 裂缝，裂口；发出叮当声；*v.* （使）叮当响

记忆 联想记忆：chin（看作 china，瓷器）+ k（口）→ 瓷器有缺口 → 裂口

clash /klæʃ/ *v.* 发生冲突；不协调；砰地相撞；*n.* 冲突；不协调；（金属等的）刺耳的撞击声

搭配 personality clashes 性格冲突

click /klɪk/ *v.* 点击；（使）发咔哒声；*n.* 单击；滴答声

crack /kræk/ *v.* （使）破裂，（使）发出爆裂声；打，击；*n.* 裂缝，爆裂声

搭配 crack up 精神崩溃

crack down on 镇压

crash /kræʃ/ *n./v.* 碰撞，冲，闯；坠落；发出撞击（或爆裂）声；垮台 *n.* 碰撞；坠毁；撞击声；*adj.* 速成的

搭配 crash into 闯入

scream /skriːm/ *n.* 尖叫声；*vi.* 尖叫

记忆 联想记忆：孩子们见到冰淇淋（ice-cream），立刻尖叫（scream）起来

hum /hʌm/ *vi.* 哼曲子；发嗡嗡声；*n.* 嗡嗡声，嘈杂声

记忆 发音记忆："哼" → 蚊子苍蝇的哼哼声

snap /snæp/ *vi.* 咔嚓折断；吧嗒一声（关上或打开）；猛咬；厉声说话；*n.* 猛咬；突然折断；噼啪声；*adj.* 突然的

搭配 snap at sth. 向…咬去，迫不及待地抓住机会

snap up 迅速抓住，马上接受；抢购

stroke /strəʊk/ *n.* （病）突然发作；中风；一次努力；划水；一击；报时的钟声；笔划；抚摸；*vt.* 抚摸

记忆 strike（*v.* 打击）的过去式

thunder /'θʌndə(r)/ *n.* 雷；雷声；*vi.* 打雷；轰隆响

参考 thunderstorm *n.* 雷暴

thundercloud *n.* 雷雨云

whisper /'wɪspə(r)/ *n./v.* 低语

记忆 联想记忆：whi（看作 who，谁）+sper（看作 speaker，说话）→ 谁在小声说话 → 低语

whistle /'wɪsl/ *n.* 口哨；呼啸而过；*v.* 吹口哨

记忆 联想记忆：w+hist（嘘）+le → 吹嘘声 → 吹口哨

表示"干涉，干扰"的词：

infringe /ɪn'frɪndʒ/ *v.* 侵入，侵害；违反；干涉

搭配 infringe a rule 违反规章

infringe a law 违法

interfere /ˌɪntəˈfɪə(r)/ *v.* 干涉，干扰，妨碍

记忆 词根记忆：inter（在…之间）+fer（带来）+e→来到中间→干涉，干扰

同根 interference *n.* 干涉，干扰

interpose /ˌɪntəˈpəʊz/ *vi.* 置于…之间，介入

记忆 词根记忆：inter（在…之间）+pos（放置）+e→置于…之间

intervene /ˌɪntəˈviːn/ *vi.* 干涉，干扰；介于其间

记忆 词根记忆：inter（在…之间）+ven（来）+e→来到中间→干涉

obstacle /ˈɒbstəkl/ *n.* 障碍，干扰，妨碍物

记忆 词根记忆：ob（逆）+st（站）+acle（物）→反着站的物体→障碍，妨碍物

形容"活泼"的词：

animate /ˈænɪmeɪt/ *adj.* 活的，有生命的；*v.* 赋予生命；鼓舞

记忆 词根记忆：anim（生命，精神）+ate（使…）→使有生命→赋予生命

bouncing /ˈbaʊnsɪŋ/ *adj.* 跳跃的，活泼的，巨大的

frisky /ˈfrɪski/ *adj.* 活泼的，快活的，爱嬉闹的

frolicsome /ˈfrɒlɪksəm/ *adj.* 快活的，爱嬉闹的

playful /ˈpleɪfl/ *adj.* 活泼的，爱玩的

vibrant /ˈvaɪbrənt/ *adj.* 振动的；活泼的，充满生气的；兴奋的

vivacious /vɪˈveɪʃəs/ *adj.* 活泼的，快活的

记忆 词根记忆：viv（生命）+acious→有生命力的→活泼的

搭配 vivacious personality 性格活泼

表示"矛盾"的词：

contradict /ˌkɒntrəˈdɪkt/ *vt.* 反驳；与…发生矛盾

记忆 词根记忆：contra（相反）+dict（说）→说反对的话→反驳

contradiction /ˌkɒntrəˈdɪkʃn/ *n.* 矛盾，不一致；否认，反驳

记忆 词根记忆：contra（相反）+dict（说）+ion→反着说→否认，反驳

discord /ˈdɪskɔːd/ *n.* 不和，纷争

记忆 词根记忆：dis（不）+cord（心）→心不齐→不和

friction /ˈfrɪkʃn/ *n.* 摩擦（力）；矛盾，冲突

反义 accord *n.* 一致，符合

harmony *n.* 相符；和谐

与"声学"有关的词：

acoustician /ˌækuːˈstɪʃn/ *n.* 声学家

acoustics technology 声学技术

audible /ˈɔːdəbl/ *adj.* 听得见的

搭配 audible range 可听范围

audio /ˈɔːdiəʊ/ *adj.* 音频的；声音的

搭配 audio signal 音频信号

auditory /ˈɔːdətri/ *adj.* 耳的；听觉的，关于听觉的

搭配 auditory stimulus 听觉刺激

echo /'ekəʊ/ *n.* 回音

搭配 echo location 回波定位

harmonic /hɑː'mɒnɪk/ *adj.* 和声的，谐音的

记忆 词根记忆：harm（适合）+on+ic（…的）
→旋律适合的→和声的

hydrophone /'haɪdrəˌfəʊn/ *n.* 水中听音器

记忆 词根记忆：hydro（水）+phone（听筒）
→水中听音器

infrasound /'ɪnfrəˌsaʊnd/ *n.* 次声

记忆 词根记忆：infra（下，低）+sound（声
音）→次声

mechanical wave 机械波

rarefaction /ˌreərɪ'fækʃn/ *n.* （声音）稀疏

同根 rarefy *v.* 变稀薄

resonate /'rezəneɪt/ *vi.* 共鸣；共振

同根 resonance *n.* 共振；共鸣

reverberation /rɪˌvɜːbə'reɪʃn/ *n.* 回声；回响

同根 reverberate *vi.* 回响

sonar /'səʊnɑː(r)/ *n.* 声呐

搭配 sonar projector 声呐发射器

sonic /'sɒnɪk/ *adj.* 声音的；声波的

记忆 词根记忆：son（声音）+ic（…的）→
声音的

sound waves 声波

supersonic /ˌsuːpə'sɒnɪk/ *adj.* 超音速的；
超声波的

搭配 supersonic wave 超声波

ultrasonic frequency 超声波频率

ultrasound /'ʌltrəsaʊnd/ *n.* 超声（波）

搭配 ultrasound wave 超声波

vocalization /ˌvəʊkəlaɪ'zeɪʃn/ *n.* 发声，发音

记忆 词根记忆：vocal（声音的）+ization（行
为的过程或结果）→发声

wave motion 波动

Review

Sentence 92	Another strange feature of the Japanese pagoda is that, because the building tapers, with each successive floor plan being smaller than the one below, none of the vertical pillars that carry the weight of the building is connected to its corresponding pillar above.

日本宝塔的另一个奇怪的特点是，由于这种建筑物逐渐变细，每一层楼的平面图都比下面的要小，所以支撑着建筑物重量的垂直柱没有一根与上面相应的柱子相连。

（剑桥雅思 7）

语法笔记

本句的主干是 Another strange feature of the Japanese pagoda is that。其中 that 引导表语从句，主干是 none of the vertical pillars is connected to its corresponding pillar above，定语从句 that carry the weight of the building 修饰 the vertical pillars。because ... the one below 作插入语，说明原因，with 引导独立主格结构 "with+*n*+*v*-ing"，表伴随情况。

核心词表

pagoda /pə'gəʊdə/ *n.* 宝塔

taper /'teɪpə(r)/ *v.* （使）逐渐变窄

successive /sək'sesɪv/ *adj.* 连续的

floor plan 平面图

weight /weɪt/ *n.* 重量；重物

搭配 by weight 按重量

corresponding /ˌkɒrə'spɒndɪŋ/ *adj.* 相应的

记忆 词根记忆：correspond（相一致，符合）+ing（…的）→相应的

pillar /'pɪlə(r)/ *n.* 柱子；柱状物

主题归纳

与"建筑结构"有关的词：

aisle /aɪl/ *n.* 通道；走廊

同义 walkway *n.* 走道

amphitheatre /'æmfɪθɪətə(r)/ *n.* 圆形剧场

记忆 词根记忆：amphi（圆形）+theatre（剧场）→圆形剧场

architect /'aːkɪtekt/ *n.* 建筑师

同根 architectural *adj.* 建筑学的

architectural /ˌaːkɪ'tektʃərəl/ *adj.* 建筑的

搭配 architectural style 建筑风格

architecture /'aːkɪtektʃə(r)/ *n.* 建筑学，建筑业

搭配 classical architecture 古典建筑

archway /'aːtʃweɪ/ *n.* 拱廊

记忆 合成词：arch（拱形）+way（道路）→拱廊

background wall 背景墙

bay window 飘窗

beam /biːm/ *n.* 横梁

building technique 建筑工艺

cabin /'kæbɪn/ *n.* 小木屋

ceiling /'siːlɪŋ/ *n.* 天花板

搭配 ceiling lamp 天花灯

chamber /'tʃeɪmbə(r)/ *n.* 房间；会所；室；*vt.* 装入室中（枪膛）

同义 compartment *n.* 隔间

circus /'sɜːkəs/ *n.* 圆形广场

记忆 词根记忆：circ（圆）+us（表名词）→圆形的地方→圆形广场

civil engineering 土木工程

colonnade /ˌkɒləˈneɪd/ *n.* 柱廊

记忆 词根记忆：colonn（=column 柱子）+ade（某种材料的制成物）→柱廊

column /'kɒləm/ *n.* 圆柱，支柱

decorate /'dekəreɪt/ *v.* 装修

搭配 decorate with... 用…装修

decorative /'dekərətɪv/ *adj.* 装饰性的

同根 ornamental *adj.* 装饰的

dome /dəʊm/ *n.* 圆屋顶，穹顶

downcomer /'daʊnˌkʌmə/ *n.* 下水管

draftsman /'drɑːftsmən/ *n.* 绘图员

elevation /ˌelɪˈveɪʃn/ *n.* （按比例绘制的）建筑物的正视图；海拔；高度

同根 elevate *vt.* 提升；举起

lay the foundation 打地基

ledge /ledʒ/ *n.* 突出部分；壁架；暗礁；矿脉；岩脊

记忆 联想记忆：l+edge（边缘）→位于边缘处的东西→突出部分

lintel /'lɪntl/ *n.* 过梁

log structure 原木结构

metal frame 金属结构

monumental architecture 纪念性建筑

ornament /'ɔːnəmənt/ *n.* 装饰（物）；/'ɔːnəment/ *vt.* 装饰

搭配 architectural ornament 建筑装饰

plane graph 平面图

rebuild /ˌriːˈbɪld/ *vt.* 重建，重新组装

记忆 词根记忆：re（重新）+build（建造）→重建

reconstruction /ˌriːkənˈstrʌkʃn/ *n.* 重建

搭配 reconstruction project 改建项目

residential /ˌrezɪˈdenʃl/ *adj.* 居住的，住宅的

同根 resident *n.* 居民

restructure /ˌriːˈstrʌktʃə(r)/ *v.* 更改结构；调整

roof /ruːf/ *n.* 屋顶；顶部

搭配 roof structure 屋顶结构

structural /'strʌktʃərəl/ *adj.* 结构的；建筑的

同根 structure *n.* 结构

subtle design 精妙的设计

vault /vɔːlt/ *n.* 拱顶

同根 vaulted *adj.* 拱状的

wing /wɪŋ/ *n.* 辅楼，侧楼

与"常见建筑材料"有关的词：

brick /brɪk/ *n.* 砖

搭配 the brick exterior 砖面

cement /sɪ'ment/ *n.* 水泥

composite board 复合板

granite /'ɡrænɪt/ *n.* 花岗岩

记忆 词根记忆：gran（颗粒）+ite（表物）→
　　表面成颗粒状的石头→花岗岩

marble /'mɑːbl/ *n.* 大理石

搭配 a block of marble 一大块大理石

monolith /'mɒnəlɪθ/ *n.* 独块巨石

记忆 词根记忆：mono（一个）+lith（石头）
　　→独块巨石

mortar /'mɔːtə(r)/ *n.* 灰浆

plaster /'plɑːstə(r)/ *n.* 石膏

plasterboard /'plɑːstəbɔːd/ *n.* 石膏板

slate /sleɪt/ *n.* 石板；*vt.* 用石板瓦盖

wood /wʊd/ *n.* 木材，木料

搭配 wood floor 木地板

与"常见建筑风格"有关的词：

baroque /bə'rɒk/ *adj.* 巴洛克风格

搭配 baroque period 巴洛克时期

byzantine /baɪ'zæntaɪn/ *adj.* 拜占庭式的

搭配 Byzantine architecture 拜占庭建筑

classical architecture 古典建筑

rococo /rə'kəʊkəʊ/ *n.* 洛可可式；过分
　　精巧的；苏丽的

Romanesque architecture 罗马式建筑

Review

An accident that occurred in the skies over the Grand Canyon in 1956 resulted in the establishment of the Federal Aviation Administration (FAA) to regulate and oversee the operation of aircraft in the skies over the United States, which were becoming quite congested.

1956 年，在美国科罗拉多大峡谷上空发生了一起空难，该事件最终促使美国建立了联邦航空管理局（FAA）来监管已经变得颇为拥堵的美国空中交通。

（剑桥雅思 8）

语法笔记

本句的主干是 An accident resulted in the establishment of the Federal Aviation Administration （FAA）。that 引导定语从句，修饰先行词 accident。which 引导的是非限制定语从句，修饰先行词 skies。

核心词表

accident /'æksɪdənt/ *n.* 事故

occur /ə'kɜː(r)/ *vi.* 发生；存在

记忆 联想记忆：oc+cur（跑）→跑过去看发生了什么事→发生

搭配 occur to 想起；发生

同根 occurrence *n.* 出现；发生的事件

establishment /ɪ'stæblɪʃmənt/ *n.* 建立

federal /'fedərəl/ *adj.* 联邦的，联盟的

记忆 联想记忆：FBI（联邦调查局）第一个词就是 federal

aviation /ˌeɪvi'eɪʃn/ *n.* 航空，航空学；飞机制造业

记忆 词根记忆：avi（鸟）+ation（表名词）→像鸟一样飞→航空

administration /ədˌmɪnɪ'streɪʃn/ *n.* 管理（部门）；行政（机关）

记忆 词根记忆：ad（做）+ministr（管理）+ation（表状态）→做管理→管理

oversee /ˌəʊvə'siː/ *v.* 监督，监视（某人或某物）；俯瞰，眺望

记忆 合成词：over（在…之上）+see（看）→监督

搭配 oversee the project 监督这个项目

operation /ˌɒpə'reɪʃn/ *n.* 活动；行动；企业；手术

aircraft /'eəkrɑːft/ *n.* 飞机

congested /kən'dʒestɪd/ *adj.* 拥挤不堪的；充塞的

记忆 词根记忆：congest（使充满，使拥塞）+ed（…的）→充塞的

同根 congestion *n.* 拥挤，拥堵

与"航空航天"有关的词：

astronaut /'æstrənɔːt/ *n.* 宇航员；航天员

同义 spaceman *n.* 宇航员

embark /ɪm'bɑːk/ *v.* 上飞机

搭配 embark on 着手；登上船

enroute /ɒn'ruːt/ *adv.* 在航线上

microwave /'maɪkrəweɪv/ *n.* 微波

搭配 microwave communication 微波通信

navigation /ˌnævɪ'geɪʃn/ *n.* 导航；航行

搭配 navigation equipment 导航设备

navigation monitor 航行检测仪

observatory /əb'zɜːvətri/ *n.* 天文台，观象台

记忆 词根记忆：observ（e）（观察）+atory（表场所、地点）→天文台

satellite communication 卫星通讯

shuttle /'ʃʌtl/ *vi.* 穿梭往返

搭配 space shuttle 航天飞机

spaceship /'speɪsʃɪp/ *n.* 太空船，宇宙飞船

同义 spacecraft *n.* 宇宙飞船

telescope /'telɪskəʊp/ *n.* 望远镜

记忆 词根记忆：tele（远）+scop（看）+e →看到远处→望远镜

搭配 optical telescope 光学望远镜

veer /vɪə(r)/ *vi.* 改变方向或路线

与"交通路况"有关的词：

block up 拥堵

congestion /kən'dʒestʃən/ *n.* 拥挤，拥塞

记忆 词根记忆：con（加强）+gest（带来）+ion →带来很多→拥塞

搭配 traffic congestion 交通拥堵

detour /'diːtʊə(r)/ *n.* 弯路，便道 *v.* 迂回，绕道

搭配 take a detour 绕道，迂回

devious /'diːviəs/ *adj.* 弯曲的，迂回的；误入歧途的

记忆 词根记忆：de（离开）+vi（道路）+ous（…的）→离开正路的→误入歧途的

同根 deviousness *n.* 曲折

GPS /ˌdʒiː piː'es/ *abbr.* 全球定位系统

搭配 GPS navigation GPS 导航

jostle /'dʒɒsl/ *v.*（在人群中）挤，推

搭配 jostle for sth. 争夺；争抢

muddy /'mʌdi/ *adj.* 泥泞的；混乱的

搭配 muddy street 泥泞的街道

orderly /'ɔ:dəli/ *adj.* 有秩序的；整齐的

反义 disorderly *adj.* 无秩序的

overcrowd /ˌəʊvə'kraʊd/ *vt.* 使过度拥挤

同根 overcrowded *adj.* 挤满的

overspeed /'əʊvəspi:d/ *n.* 超速

搭配 overspeed preventer 限速器

roundabout way 绕行路线

slippery /'slɪpəri/ *adj.* 滑的

同根 slip *vi.* 滑倒

smoothly /'smu:ðli/ *adv.* 流畅地；顺利地

同根 smooth *adj.* 流畅的

traffic control 交通管制

traffic jam 交通堵塞

与 "政府职能" 有关的词：

administrator /əd'mɪnɪstreɪtə(r)/ *n.* 管理人；行政人员

同根 administrative *adj.* 行政的；管理的

allege /ə'ledʒ/ *vt.* 断言，声称

同根 alleged *adj.* 据称的

charter /'tʃɑ:tə(r)/ *n.* 宪章；宣言；*vt.* 发许可证；特许

记忆 和 chart（*n.* 航图；图表）一起记

cohesion /kəʊ'hi:ʒn/ *n.* 凝聚；结合

搭配 cohesion force 凝聚力

enact /ɪ'nækt/ *vt.* 颁布；制定法律

同根 enactment *n.* 规定，制定；颁布

governance /'gʌvənəns/ *n.* 统治，支配；管理

记忆 词根记忆：govern（管理）+ance（表名词）→管理

macro-control /'mækrəʊkən'trəʊl/ *n.* 宏观调控

记忆 词根记忆：macro（宏大）+control（控制）→宏观调控

mandate /'mændeɪt/ *n.* 授权；命令；*v.* 授权；颁布

同根 mandatory *n.* 受托人 *adj.* 强制的

plenary /'pli:nəri/ *adj.* 全体的；全体出席的

搭配 plenary power 全权

pragmatic /præg'mætɪk/ *adj.* 务实的；实事求是的；实用主义的

搭配 pragmatic approach 实际的方法

prohibit /prə'hɪbɪt/ *vt.* 禁止；阻止

同根 prohibition *n.* 禁止，阻止；禁令

safeguard /'seɪfgɑ:d/ *vt.* 保卫

记忆 词根记忆：safe（安全）+guard（保卫）→保卫

social security 社会保障

supervise /'su:pəvaɪz/ *vt.* 监督

同根 supervision *n.* 监督

viable /'vaɪəbl/ *adj.* 切实可行的

搭配 viable option 可行选项

Tourists flock to wells in far-flung corners of north-western India to gaze in wonder at these architectural marvels from hundreds of years ago, which serve as a reminder of both the ingenuity and artistry of ancient civilisations and of the value of water to human existence.

游客们涌向印度西北部偏远角落里的水井那里，惊奇地注视着这些数百年前的建筑奇观，它们标示着古代文明的巧妙设计和艺术性，以及水对人类生存的价值。

（剑桥雅思10）

语法笔记

本句的主干是 Tourists flock to wells。不定式短语 to gaze... years ago 作目的状语；which 引导非限制性定语从句，修饰先行词 architectural marvels，其中从句使用 both... and...，表示"和，以及"；of both the ingenuity and artistry of ancient civilisations 和 of the value of water to human existence 通过 and 构成并列结构。

核心词表

tourist /'tʊərɪst/ *n.* 旅游者

flock /flɒk/ *v.* 蜂拥而至，聚集；*n.* 一群

搭配 flock into 成群结队涌到

同义 congregate *v.* 聚集

　　　assemble *v.* 聚集

far-flung /faːflʌŋ/ *adj.* 遥远的；分布广泛的

gaze /geɪz/ *vi.* 凝视（远方）

搭配 gaze at 凝视

marvel /'maːvl/ *vi.* 惊叹，感到惊讶

搭配 marvel at 对…惊奇

同根 marvelous *n.* 令人惊奇的；非凡的，奇迹般的；绝妙的

reminder /rɪ'maɪndə(r)/ *n.* 提醒的人或物；纪念品

ingenuity /ˌɪndʒə'njuːəti/ *n.* 心灵手巧，足智多谋；巧思，聪敏

记忆 词根记忆：in+gen（产生）+uity →能产生很多点子→巧思

artistry /'aːtɪstri/ *n.* 艺术性

记忆 来自 artist（*n.* 艺术家）

主题归纳

与"古代建筑"有关的词：

ancestral hall 宗堂；宗祠

ancestral temple 宗庙

ancient architecture 古代建筑

ancient bridge 古代桥梁

ancient dwelling 古代民居建筑

ancient water infrastructure 古代水利工程

bridge /brɪdʒ/ n. 桥

搭配 arch bridge 拱形桥

　　　　suspension bridge 吊桥

castle /'kɑːsl/ n. 城堡

搭配 Windsor Castle 温莎城堡

catacomb /'kætəˌkəʊm/ n. 陵寝；地下墓穴

Chinese ancient academy 书院

city defense project 城防工程

classical garden 古典园林

ecclesiastical building 宗教建筑

folk custom 民俗风情，民间习俗

Great Wall 长城

memorial hall 纪念馆

military defense project 军事防御工程

mosque /mɒsk/ n. 清真寺

museum /mju'ziːəm/ n. 博物馆

搭配 British Museum 大英博物馆

national custom 民族风俗

palace /'pæləs/ n. 宫殿

搭配 imperial palace 皇城

　　　　Buckingham Palace 白金汉宫

pavilion /pə'vɪliən/ n. 亭子，阁

搭配 pavilion roof 亭顶

religious activity 宗教活动

religious art 宗教艺术

temple /'templ/ n. 寺院，神殿

搭配 temple fair 庙会

　　　　buddhist temple 佛堂；佛庙

Temple of Heaven 天坛

Temple of Emperor Qin Shihuang 秦始皇陵

表示"惊奇，惊讶"的词：

astound /ə'staʊnd/ vt. 使惊异

同义 surprise n./v. 惊讶

　　　astonish v. 使惊讶，使吃惊

breathtaking /'breθteɪkɪŋ/ adj. 惊人的，惊险的

同义 stunning adj. 极好的；令人震惊的

　　　exciting adj. 使人激动的，刺激的

dismay /dɪs'meɪ/ vt. 使惊愕；使沮丧

同义 alarm v.（使）惊恐；（使）担心

dumbfound /dʌm'faʊnd/ vt. 使惊愕，使目瞪口呆

fabulous /'fæbjələs/ adj. 难以置信的；惊人的

inconceivable /ˌɪnkən'siːvəbl/ adj. 不可思议的

同义 unimaginable adj. 不可思议的

　　　unthinkable adj. 不可思议的

incredible /ɪn'kredəbl/ adj. 难以置信的

同义 unbelievable adj. 难以置信的

overwhelm /ˌəʊvə'welm/ vt. 压倒，击败

petrify /'petrɪfaɪ/ vt. 使发呆

同义 stupefy vt. 使惊讶

　　　terrify v. 使恐怖，使惊吓

startle /'stɑːtl/ vt. 使大吃一惊

同义 amaze v. 使惊奇，使惊愕

striking /ˈstraɪkɪŋ/ *adj.* 显著的；惊人的

同义 prominent *adj.* 著名的，显著的

outstanding *adj.* 杰出的；显著的

impressive *adj.* 给人深刻印象的

stun /stʌn/ *v.* 使昏晕；使目瞪口呆

同义 daze *n.* 茫然，迷乱

Review

Sentence 95

The antiseptic properties of tannin, the active ingredient in tea, and of hops in beer—plus the fact that both are made with boiled water—allowed urban communities to flourish at close quarters without succumbing to water-borne diseases such as dysentery.

茶中的活性成分单宁和啤酒中的啤酒花这两种物质的抗菌性能，加上它们都是用开水制作加工的事实，使城市社群在拥挤的区域得以繁荣，免遭诸如痢疾之类的水传播疾病。

（剑桥雅思 10）

语法笔记

本句的主干是 The antiseptic properties of tannin, and of hops in beer allowed urban communities to flourish。the active ingredient in tea 作同位语，解释说明 tannin；of tannin 和 of hops in beer 通过 and 构成并列结构。破折号之间的内容为插入语，对前面的内容起补充作用，其中 that 引导 the fact 的同位语从句。

核心词表

antiseptic /ˌænti'septɪk/ *n.* 防腐剂，杀菌剂；*adj.* 防腐的

记忆 词根记忆：anti（抗）+sept（烂）+ic（…的）→防腐的

property /'prɒpəti/ *n.* 财产，所有物；性质；地产

记忆 词根记忆：prop（拥有）+er+ty（表状态）→拥有某物→财产

搭配 intellectual property 知识产权

assignment of property 产权转让

lost property 失物招领

tannin /'tænən/ *n.* 单宁，鞣酸

ingredient /ɪn'griːdiənt/ *n.* （混合物的）组成部分，成分；（烹调的）原料；（构成）要素

记忆 词根记忆：in（进入）+gred（走）+ient→走进构成事物的一部分→成分

hop /hɒp/ *n.* 啤酒花

community /kə'mjuːnəti/ *n.* 社会；社区；团体；（动植物的）群落；共同体

记忆 词根记忆：com（共同）+mun（公共的）+ity（状态）→公共状态→社区，团体

搭配 the Asian community 亚洲人聚居的社区

sense of community 社区意识

community spirit 团体精神

flourish /'flʌrɪʃ/ *v.* 繁荣；茂盛；活跃而有影响；夸耀

记忆 词根记忆：flour（花）+ish（使…）→花一样开放→繁荣

搭配 with a flourish 兴旺

in full flourish 盛极一时

succumb /sə'kʌm/ *v.* 屈从；因…死亡

记忆 词根记忆：suc（下面）+cumb（躺）→躺下去不再起来→因…死亡

waterborne /'wɔːtəbɔːn/ *adj.* 水上的，水运的

dysentery /'dɪsəntri/ *n.* 痢疾

293

与"常见饮品"有关的词：

black tea 红茶

chamomile tea 菊花茶

cocoa /ˈkəʊkəʊ/ *n.* 热巧

coconut milk 椰子汁

coconut water 椰子水

coke /kəʊk/ *n.* 可乐

diet cola 健怡可乐

energy drink 功能饮料

grapefruit flavor 西柚味

green tea 绿茶

ice water 冰水

iced tea 冰茶

jasmine tea 茉莉茶

lemon flavor 柠檬味

lemon tea 柠檬茶

lemonade /ˌleməˈneɪd/ *n.* 柠檬水

lime flavor 青柠味

loose leaf 散叶茶

milk tea 奶茶

mineral water 矿泉水

搭配 natural mineral water 天然矿泉水

orange juice 橘子汁

purified water 纯净水

room temperature water 常温水

soda water 汽水

soda /ˈsəʊdə/ *n.* 苏打水

搭配 lemon soda 柠檬苏打水

sparkling water 气泡水

sports drink 运动饮料

spring water 天然泉水

still water 无气泡水

tea bag 茶包

tomato juice 番茄汁

vegetable juice 蔬菜汁

vitamin water 维生素水

表示"经济繁荣"的词：

boom /buːm/ *n.* 繁荣；*vi.* 迅速发展；激增

搭配 economic boom 经济繁荣

brisk /brɪsk/ *adj.* 兴隆的

搭配 brisk trade 贸易兴隆

business boom 商业繁荣

economic development 经济发展

outpace /ˌaʊtˈpeɪs/ *vt.* 超过⋯的速度，赶过

记忆 词根记忆：out（超过）+pace（速度）→赶过

表示"疾病传染"的词：

acute /əˈkjuːt/ *adj.* 严重的，激烈的；敏锐的

搭配 acute pain 剧痛

acute sense of smell 敏锐的嗅觉

catching /ˈkætʃɪŋ/ *adj.* （疾病）传染性的

contagious /kənˈteɪdʒəs/ *adj.* 传染性的，会感染的

contract /kənˈtrækt/ *v.* 感染

fester /ˈfestə(r)/ *v.* （伤口）溃烂；化脓

feverish /ˈfiːvərɪʃ/ *adj.* 发烧的

incubation period （传染病）潜伏期

infect /ɪnˈfekt/ *vt.* 传染，感染；影响

记忆 词根记忆：in（进入）+fect（做）→ 做进去→传染

同根 infectious *adj.* 传染性的

intoxicate /ɪn'tɒksɪkeɪt/ *vt.* 使中毒

记忆 词根记忆：in（使…）+toxic（毒）+ate （做）→使中毒

morbid /'mɔːbɪd/ *adj.* 病态的

记忆 词根记忆：morb（病）+id（…的）→病 态的

表示"物理属性"的词：

compact /kəm'pækt/ *adj.* 紧密的，结实的； 简明的，紧凑的；*v.* 使紧凑，压缩

搭配 a compact car 小型客车

　　　a compact narration 简明的叙述

crisp /krɪsp/ *adj.* 脆的；利落的； *n.* [pl.] 油炸土豆片

crooked /'krʊkɪd/ *adj.* 扭曲的

同义 twisted *adj.* 扭曲的

　　　curved *adj.* 弯曲的

　　　bent *adj.* 被弄弯的，弯曲的

dense /dens/ *adj.* 密集的；浓厚的

同根 density *n.* 密集；密度

ethereal /i'θɪəriəl/ *adj.* 太空的；轻巧的

搭配 ethereal beauty 娇柔、飘逸之美

impervious /ɪm'pɜːviəs/ *adj.* 不受影响的； 不能渗透的

搭配 impervious to rain 防雨的

　　　impervious to criticism 对批评置若罔闻

lithe /laɪð/ *adj.* 柔软的

搭配 lithe structure 柔性结构

lofty /'lɒfti/ *adj.* 巍峨的，高耸的

记忆 词根记忆：loft（天空）+y→高耸的

ponderous /'pɒndərəs/ *adj.* 行动迟缓的， 笨拙的；严肃而乏味的

portable /'pɔːtəbl/ *adj.* 轻便的，便于携带 的，手提式的

搭配 portable computer 便携式电脑

　　　portable telephone 移动电话

slim /slɪm/ *adj.* 苗条的；薄的；*v.* 变苗条

同义 slender *adj.* 纤长的，苗条的

　　　willowy *adj.* 苗条的

slippery /'slɪpəri/ *adj.* 滑的，滑溜的；狡猾的

同义 slick *adj.* 光滑的；聪明的

sloppy /'slɒpi/ *adj.* 泥泞的

supple /'sʌpl/ *adj.*（身体）柔软的；（皮革） 柔韧的

tenuous /'tenjuəs/ *adj.* 纤细的，易碎的

记忆 词根记忆：tenu（细，薄）+ous（…的） →纤细的

As recently as 1993, engineers made a major breakthrough by discovering so-called turbo codes—which come very close to Shannon's ultimate limit for the maximum rate that data can be transmitted reliably, and now play a key role in the mobile videophone revolution.

就在最近的 1993 年，工程师们取得了一项重大突破，发现了所谓的 Turbo 码，这与 Shannon 提出的数据可以安全传送的最大速度极限非常接近。现在，Turbo 码在移动可视电话变革中起着关键作用。

（剑桥雅思 9）

语法笔记

本句的主干是 engineers made a major breakthrough。by 引导方式状语；which 引导定语从句，修饰先行词 turbo codes，which 在这个从句中作主语；动词 come 和 play 在从句中构成并列谓语结构；that 引导同位语从句，说明 the maximum rate。

核心词表

recently /'riːsntli/ *adv.* 最近；新近

engineer /ˌendʒɪ'nɪə(r)/ *n.* 工程师

major /'meɪdʒə(r)/ *adj.* 主要的；*n.* 专业（学生）；*vi.* 主修，专攻

记忆 词根记忆：maj（大）+or →较大的→主要的

breakthrough /'breɪkθruː/ *n.* 突破；重要的新发现

记忆 合成词：break（打破）+through（通过）→打破，突破

so-called /ˌsəʊ 'kɔːld/ *adj.* （表示不认同）所谓的

code /kəʊd/ *n.* 密码；代码；*vt.* 把…编码

搭配 moral code 道德准则

code of the school 校规

break a code 打破规则

come close to 几乎达到；接近

ultimate /'ʌltɪmət/ *adj.* 最后的，最终的；根本的；*n.* 最终

记忆 词根记忆：ultim（最后的）+ate（…的）→最后的，最终的

搭配 in ultimate 到最后，结果

the ultimate authority 最高当局

the ultimate principle 基本原理

同根 ultimately *adv.* 最后，终于

maximum /'mæksɪməm/ *n.* 最大量，极限；*adj.* 最大的，最高的

记忆 词根记忆：max（大，高）+imum →最大的，最高的

transmit /træns'mɪt/ *vt.* 传送；传染；发射

记忆 词根记忆：trans（横过）+mit（送）→跨距离传达、寄送→传送

同根 transmitter *n.* 传送人；发射机

reliably /rɪ'laɪəbli/ *adv.* 可靠地，确实地

play a role in 在…起作用

mobile /'məʊbaɪl/ *adj.* 移动的

296

videophone /ˈvɪdiəʊfəʊn/ *n.* 可视电话；电视电话；视像电话

记忆 合成词：video（录影，录像）+phone（与声音有关的机器）→可视电话

revolution /ˌrevəˈluːʃn/ *n.* 革命；旋转

记忆 词根记忆：re（相反）+volu（转）+tion →反转→起义→革命

主题归纳

与"发明，发现行为"有关的词：

accurate /ˈækjərət/ *adj.* 正确无误的；精确的

同根 accuracy *n.* 正确度；精确性

inaccurate *adj.* 错误的

contrive /kənˈtraɪv/ *v.* 计划，图谋；设计；发明

同义 plan *v.* 计划，设计

criterion /kraɪˈtɪəriən/ *n.* 评判的标准

devise /dɪˈvaɪz/ *v.* 设计，发明

同义 invent *v.* 发明

dissect /dɪˈsekt/ *v.* 详细评论；剖析

expertise /ˌekspɜːˈtiːz/ *n.* 专门知识；专门技能

搭配 technical expertise 专业技术

gauge /geɪdʒ/ *n.* 测量仪表，量具；规格；计量单位；*vt.* 测量

记忆 发音记忆："规矩"→规格，测量

indirect /ˌɪndəˈrekt/ *adj.* 间接的

搭配 indirect cost 间接成本

与"移动电话"有关的词：

android /ˈændrɔɪd/ *n.* 安卓系统

app store 应用程序商店

app /æp/ *n.* 应用程序

搭配 mobile app 手机应用程序

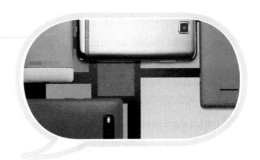

bar phone 直板手机

battery /ˈbætri/ *n.* 电池

搭配 battery life 电池寿命

bluetooth headset 蓝牙耳机

cellular /ˈseljələ(r)/ *adj.* （电话系统）蜂窝式的

搭配 cellular phone 移动电话

charger /ˈtʃɑːdʒə(r)/ *n.* 充电器

搭配 battery charger 电池充电器

digital camera 数字照相机

digital video camera 数码摄像机

download /ˌdaʊnˈləʊd/ *v.* 下载

搭配 download center 下载中心

GPS navigation unit 全球定位系统导航

iCloud /aɪ ˈklaʊd/ *n.* 云程序

iOS /aɪ əʊ ˈes/ *n.* iOS 系统

iTunes /ˈaɪˌtjuːnz/ *n.* （苹果手机）数字媒体播放器

low battery 低电量

media player 媒体播放机

mobile banking 手机银行

mobile broadband 移动宽带

mobile payment 移动支付

motion sensor 运动传感器

operating system 操作系统

PDA (personal digital assistant) /ˌpi di ˈeɪ/ *n.* 个人数字助理

pocket-sized /ˈpɒkɪt saɪzd/ *adj.* 袖珍的；可放进衣袋中的

搭配 pocket-sized device 口袋大小的设备

portable power source 移动电源

power off 关机

program crash 程序崩溃

resolution /ˌrezəˈluːʃn/ *n.* 分辨率

搭配 image resolution 图像分辨率

retina /ˈretɪnə/ *n.* 视网膜

搭配 retina screen 视网膜屏幕

ringtone /ˈrɪŋtəʊn/ *n.* 手机铃声

搭配 cell phone ringtone 手机铃声

roaming /ˈrəʊmɪŋ/ *n.* 漫游

搭配 roaming service 漫游服务
roaming fee 漫游费

screen protector 手机膜，屏保

selfie stick 自拍杆

slide phone 滑盖手机

smart phone 智能手机

touch screen 触摸屏

user interface 用户界面

video games 电子游戏；视频游戏

Review

If a life span is a genetically determined biological characteristic, it is logically necessary to propose the existence of an internal clock, which in some way measures and controls the ageing process and which finally determines death as the last step in a fixed programme.

若寿命是一种由遗传决定的生物特征，那从逻辑上来看，有必要提出生物钟的存在，生物钟以某种方式测量并控制老化过程，并作为一个固定程序的最后一步左右着死亡。

（剑桥雅思 8 ）

语法笔记

本句的主干是 it is logically necessary to propose the existence of an internal clock。if 引导条件状语从句；句中两个 which 分别引导非限制性定语从句，修饰先行词 internal clock。in some way 在此处作方式状语。

核心词表

genetically /dʒə'netɪkli/ *adv.* 从基因方面；从遗传学角度

biological /ˌbaɪə'lɒdʒɪkl/ *adj.* 生物的，生物学的，生物学上的，有关生物学的

记忆 词根记忆：bio（生命）+logical（…学的）→生命学的→生物学的

logically /'lɒdʒɪkli/ *adv.* 合乎逻辑地

搭配 logically coherent 逻辑一致的

propose /prə'pəʊz/ *v.* 提议，建议；提名，推荐；打算，（向某人）求婚

记忆 词根记忆：pro（在前）+pos（放）+e →向前放→提议

同根 proposal *n.* 提案，建议

internal /ɪn'tɜːnl/ *adj.* 内部的；国内的；内心的

搭配 internal organs 内脏

　　 internal clock 生物钟

　　 internal trade 国内贸易

measure /'meʒə(r)/ *n.* 量具，计量单位；*vt.* 测量

fixed /fɪkst/ *adj.* 固定的

programme /'prəʊɡræm/ *n.* 节目；工作计划；课程；*v.* 使…按预定的步骤进行

搭配 a political programme 政治纲领

　　 programmed learning 程序性学习

主题归纳

形容"控制"的词：

clutch /klʌtʃ/ *vi.*（企图）抓；*vt.* 抓紧；*n.* 离合器

curb /kɜːb/ *n.* 路缘；（街道的）镶边石；马勒 *v.* 控制

记忆 词根记忆：cur（跑）+b →沿路跑→路缘

domination /ˌdɒmɪ'neɪʃn/ *n.* 控制，统治，支配

记忆 来自 dominate（*v.* 统治）

manipulate /mə'nɪpjuleɪt/ *v.* 控制，应付，处理；操纵，影响

记忆 词根记忆：mani（手）+pul（看作 pull，拉）+ate →用手拉→操纵

同义 handle *vt.* 操作，操纵

maneuver *vt.* 操纵

mastery /'mɑːstəri/ *n.* 精通，熟练；控制

记忆 词根记忆：master（掌握）+y →精通，熟练

与"人口"有关的词：

demography /dɪ'mɒgrəfi/ *n.* 人口学

同根 demographer *n.* 人口学家

emigration /ˌemɪ'greɪʃn/ *n.* 移居国外，移民出境

搭配 emigration policy 移民政策

expectation of life 预期寿命

general mortality rate 总死亡率

immigration /ˌɪmɪ'greɪʃn/ *n.* 移居入境，外来移民

搭配 immigration office 移民局

infant mortality rate 婴儿死亡率

internal migration 国内迁移

migrant /'maɪgrənt/ *n.* 移居者；候鸟；*adj.* 移居的

搭配 migrant population 流动人口

migration rate 迁移率

mortality /mɔː'tæləti/ *n.* 死亡率

搭配 mortality rate 死亡率

NPG (negative population growth) /ˌen pi 'dʒi/ *abbr.* 人口负增长

random sampling 随机抽样

vital statistics 人口动态统计

ZPG (zero population growth) /ˌzi pi 'dʒi/ *abbr.* 人口零增长

与"老龄化"有关的词：

annuity /ə'njuːəti/ *n.* 养老金

搭配 annuity insurance 养老金保险

desolate /'desələt/ *adj.* 孤独的，凄凉的；/'desəˌleɪt/ *v.* 使孤独凄凉

同义 deserted *adj.* 荒凉的

dink (Double Income No Kids) /dɪŋk/ *abbr.* 丁克一族

搭配 dink family 丁克家庭

disease prevention 疾病预防

elder /'eldə(r)/ *adj.* 年长的；*n.* 老人

搭配 elder generation 先辈

fertility level 生育水平

longevity /lɒn'dʒevəti/ *n.* 长寿

记忆 词根记忆：long（长）+ev（年龄）+ity（性质）→年龄长→长寿

同根 longevous *adj.* 长寿的

medical level 医疗水平

nursing home 疗养院；养老院

pension /'penʃn/ *n.* 退休金；*vt.* 给…发养老金

搭配 old-age pension 养老金

professional care 专业护理

progeny /'prɒdʒəni/ *n.* 后代，子孙

同义 descendant *n.* 后代，后裔

workforce shortage 劳动力不足

Review

Participants in the online debate argued that our biggest challenge is to address the underlying causes of the agricultural system's inability to ensure sufficient food for all, and they identified as drivers of this problem our dependency on fossil fuels and unsupportive government policies.

在线辩论参加者认为，我们面临的最大挑战是找出农业系统无法确保所有人都能获得足够粮食的根本原因，同时还认为我们对化石燃料的依赖和政府政策的不支持是这一问题的驱动因素。

（剑桥雅思12）

语法笔记

本句是由 and 连接的一个并列句。前一个分句的主干是 Participants argued+that 宾语从句，that 引导宾语从句，to address... food for all 在从句中作表语。后一个分句的主干是 they identified as drivers our dependency and government policies，分句中将介词 as 提前，实际语法结构是 they identified our dependency and government policies as drivers。

核心词表

debate /dɪ'beɪt/ n./vi. 争论，辩论

记忆 词根记忆：de（加强）+bat（打）+e →是否加大打击力度，大家争论不休 →争论，辩论

搭配 beyond debate 无异议，无可争辩

open the debate 在辩论时首先发言

debate upon/on 讨论（问题）

challenge /'tʃælɪndʒ/ n./vt. 挑战；质疑；艰巨任务

搭配 face a challenge 面对挑战

take up challenges 接受挑战

address /ə'dres/ n. 地址；致词；v. 写姓名地址；向…讲话；演说

搭配 address a letter 给信写上地址

address sb. 向…致词

underlying /ˌʌndə'laɪɪŋ/ adj. 在下面的；根本的；潜在的

记忆 合成词：under（在…下）+lying（躺着的）→在下面躺着的→潜在的

ensure /ɪn'ʃʊə(r)/ vt. 确保，保证；担保；赋予

记忆 词根记忆：en（使…）+sure（确定的）→使确定→保证

identify /aɪ'dentɪfaɪ/ vt. 认出，识别；查明，确定

搭配 identify...with... 把…与…等同

同根 identifiable adj. 可辨认的，可确认的

同义 recognize vt. 认出，识别

determine vt. 查明，确定

distinguish v. 区别，辨别

dependency /dɪ'pendənsi/ n. 依赖

记忆 词根记忆：de（加强）+pend（悬挂）+ency →一再挂靠→依赖

unsupportive /ˌʌnsə'pɔːtɪv/ adj. 不支持的

记忆 词根记忆：un（不）+support（支持）+ive（…的）→不支持的

主题归纳

与"农业种植"有关的词：

agricultural /ˌæɡrɪˈkʌltʃərəl/ *adj.* 农业的

搭配 agricultural production 农业生产

agrochemical /ˌæɡrəʊˈkemɪkl/ *n.* 农药

barren /ˈbærən/ *adj.* （土地等）贫瘠的

搭配 barren land 不毛之地

barn /bɑːn/ *n.* 谷仓

by-product /ˈbaɪ prɒdʌkt/ *n.* 副产品

compost /ˈkɒmpɒst/ *n.* 混合肥料；堆肥

fallow /ˈfæləʊ/ *adj.* 休耕的

farm machine 农业机械

fecund /ˈfiːkənd/ *adj.* 肥沃的，多产的

搭配 fecund soil 肥沃的土地

harvest /ˈhɑːvɪst/ *v.* 收割（庄稼）；*n.* 收获；收割

搭配 harvest time 收割期

irrigation /ˌɪrɪˈɡeɪʃn/ *n.* 灌溉

搭配 irrigation sprinkler 喷灌

irrigation canal 灌溉渠

muck /mʌk/ *n.* （牲畜的）粪便；粪肥

plant /plænt/ *n.* 植物，庄稼；*v.* 种植

搭配 indoor plant 室内植物

plant breeding 种植育种

planting /ˈplæntɪŋ/ *n.* 栽培

pump /pʌmp/ *n.* 抽水机；*v.* 用泵抽

搭配 water pump 水泵

pump into 注入

reap /riːp/ *v.* 收割（庄稼）；收获

reaper /ˈriːpə(r)/ *n.* 收割机，收割者

throughput /ˈθruːpʊt/ *n.* 生产量

tractor /ˈtræktə(r)/ *n.* 拖拉机

搭配 walking tractor 手扶拖拉机

warehouse /ˈweəhaʊs/ *n.* 仓库

yield /jiːld/ *n.* 产量；*vt.* 出产（作物）

搭配 a high crop yield 丰收

表示"解决"的词：

resolve /rɪˈzɒlv/ *v.* 解决；决心；决议；分解，溶解；*n.* 决心；解决；决议

记忆 词根记忆：re（重新）+solv（松）+e →重新松解（困难）→解决

soluble /ˈsɒljəbl/ *adj.* 可溶的；可以解决的

同根 resoluble *adj.* 可解决的；可分解的

unsolvable *adj.* 不能溶解的；无法解决的

solution /səˈluːʃn/ *n.* 解决办法；溶解，溶液

solve /sɒlv/ *vt.* 解答；解决

表示"确保"的词：

assure /əˈʃʊə(r)/ *v.* 使确信，使确保；保证

记忆 词根记忆：as（加强）+sur（肯定）+e →一再肯定→使确信

solidify /səˈlɪdɪfaɪ/ *v.* 巩固，确保；（使）固化；团结

表示"常见作物类型"的词：

cash crop 经济作物

grain crop 谷类作物，粮食作物

grass crop 饲料作物

green manure crop 绿肥作物

horticultural crop 园艺作物

medicinal plant 药用植物

ornamental plant 观赏植物

vegetable crop 蔬菜作物

表示"依赖"的词：

interdependent /ˌɪntədɪ'pendənt/ *adj.* 互相依赖的，互助的

记忆 词根记忆：inter（相互）+dependent（依赖的）→互相依赖的

recourse /rɪ'kɔːs/ *n.* 求助，依靠，求援

记忆 词根记忆：re（回）+cours（跑）+e →跑回来→求助

reliance /rɪ'laɪəns/ *n.* 依靠，依赖

同义 trust *n.* 信任，信赖

反义 distrust *n.* 不信任

rely /rɪ'laɪ/ *vi.* 依靠；信赖

记忆 联想记忆：re（一再）+ly（音似："lie"撒谎）→又撒谎了，不值得信赖→信赖

Review

Sentence 99

Already in laboratory trials they have tested strategies for neutralising the power of thunderstorms, and this winter they will brave real storms, equipped with an armoury of lasers that they will be pointing towards the heavens to discharge thunderclouds before lightning can strike.

他们已经在实验室测试中试验了中和雷暴能量的各种方法；今年冬天，他们将勇敢面对现实中的雷暴，使用全套激光器射向空中的雷雨云，使其在闪电之前放电。

（剑桥雅思 8）

语法笔记

本句是 and 连接的并列句。前一分句的主干是 they have tested strategies，后一分句的主干是 they will brave real storms。for neutralising the power of thunderstorms 作后置定语修饰 strategies；过去分词短语 equipped with... can strike 表被动，作方式状语，意为"配备着"；that 引导定语从句，修饰 an armoury of lasers。

核心词表

laboratory /ləˈbɒrətri/ *n.* 实验室，研究室

记忆 词根记忆：labor（工作）+atory（地点）→工作的地方→实验室

trial /ˈtraɪəl/ *n.* 审讯；试验；*adj.* 试验性的

搭配 clinical trials 临床试验

trial period 试用期

time trial 计时游，计时比赛

on trial （指人）在试用期间；（指物）在试验中

同义 experiment *n.* 试验

test *n.* 试验

neutralise /ˈnjuːtrəlaɪz/ *v.* （使）中和；使失效，抵消

记忆 词根记忆：neutral（中立的）+ise（使…）→使中立的→（使）中和

thunderstorm /ˈθʌndəstɔːm/ *n.* 雷暴

brave /breɪv/ *v.* 勇敢地面对

equip /ɪˈkwɪp/ *v.* 装备，配备，准备，行装

搭配 be equipped with 配备有，装备有

同根 equipment *n.* 装备

armoury /ˈɑːməri/ *n.* 宝库，锦囊；（一国的）军事装备

laser /ˈleɪzə(r)/ *n.* 激光

记忆 发音记忆："镭射"→激光

discharge /dɪsˈtʃɑːdʒ/ *v.* 放电；解雇；卸下；放出；清偿；履行；/ˈdɪstʃɑːdʒ/ *n.* 排出；卸货；放电

记忆 词根记忆：dis（分离）+charge（电荷）→分离出电荷→放电

thundercloud /ˈθʌndəˌklaʊd/ *n.* 雷雨云

lightning /ˈlaɪtnɪŋ/ *n.* 闪电；*adj.* 闪电般的；快速的

搭配 a flash of lightning 一道闪电

with lightning speed 很快

strike /straɪk/ *v.* 打；折磨；爆发；*n.* 罢工

形容"释放，散发"的词：

emit /i'mɪt/ *v.* 发出（光、热、声音等），射出，散发，排放；发表

记忆 词根记忆：e（出）+mit（放出）→散发，排放

搭配 emit light 发光

exhale /eks'heɪl/ *v.* 呼出（气）；散发

记忆 词根记忆：ex（出）+hale（气）→呼出（气），散发

release /rɪ'liːs/ *v.* 释放，解放；发表，发行；*n.* 发表，发布

搭配 release news 发布新闻

smell /smel/ *v.* 散发…的气味；有…的气味；闻到

与"研究，实验"有关的词：

analyse /'ænəlaɪz/ *vt.* 分析

搭配 analyze data 分析数据

annotation /ænə'teɪʃn/ *n.* 注释

记忆 词根记忆：an（加强）+not（标记）+ation→做标记→注释

collect data 收集数据

control group 控制组

experiment /ɪk'sperɪmənt/ *n.* 实验

同根 experimental *adj.* 实验的，用于实验的

finding /'faɪndɪŋ/ *n.* 发现

interpret /ɪn'tɜːprɪt/ *vt.* 解释，说明；口译；翻译

同根 interpreter *n.* 口译者，讲解员

lab /læb/ *n.* 实验室

lab report 实验报告

model /'mɒdl/ *n.*（用于示范运作方法等的）模型

null /nʌl/ *adj.* 零值的

搭配 null hypothesis 无效假设

research /rɪ'sɜːtʃ/ *n./v.* 研究，调查

research result 研究结果

revision /rɪ'vɪʒn/ *n.* 修改

同根 revise *vt.* 修订，修改

sample /'sæmpl/ *n.* 样本

记忆 联想记忆：简单的（simple）的样本（sample）

simulation /ˌsɪmju'leɪʃn/ *n.* 模拟

同根 simulate *vt.* 模仿，模拟

subject /'sʌbdʒɪkt/ *n.* 实验对象

treatment group 实验组

与"常见能源"有关的词：

alternative energy 替代能源

clean energy 清洁能源

electric /ɪ'lektrɪk/ *adj.* 电动的，电的

搭配 electric energy 电能

fuel /'fjuːəl/ *n.* 燃料

搭配 fossil fuel 化石燃料

gas /gæs/ *n.* 天然气

new energy 新能源

nuclear energy 核能

ore /ɔː(r)/ *n.* 矿；矿石

记忆 联想记忆：矿石（ore）多一个 m 就是更多（more）

petrol /'petrəl/ *n.* 汽油

petroleum /pə'trəʊliəm/ *n.* 石油

搭配 crude petroleum 原油

resource /'riːsɔːs/ *n.* [常 pl.] 资源，财力

同根 resourceful *adj.* 足智多谋的

resourcefulness *n.* 足智多谋

solar energy 太阳能

tidal energy 潮汐能

white coal 作动力来源的水

wind energy 风能

wind power generation 风力发电

Review

Sentence
100

Eliminating the secrecy surrounding pay by openly communicating everyone's remuneration, publicizing performance bonuses and allocating annual salary increases in a lump sum rather than spreading them out over an entire year are examples of actions that will make rewards more visible and potentially more motivating.

通过公开交流每个人的薪酬，公开绩效奖金并把年度加薪一次付清，而不是分摊到全年来消除围绕薪酬的秘密，这样的行为范例会让奖励更明显，更有可能起到激励作用。

（剑桥雅思 6）

语法笔记

本句的主干是 Eliminating the secrecy surrounding pay are examples of actions。现在分词短语 surrounding pay 作后置定语，修饰 secrecy。by 后面由 and 连接的三个现在分词结构作 eliminating the secrecy 的方式状语。that 引导了定语从句，修饰 actions。

核心词表

eliminate /ɪˈlɪmɪneɪt/ *v.* 消除；淘汰

搭配 eliminate difference 消除分歧

secrecy /ˈsiːkrəsi/ *n.* 秘密；保密

记忆 词根记忆：secre(t)（秘密）+cy（性质）→秘密

surround /səˈraʊnd/ *v.* 围绕；包围

记忆 联想记忆：sur+round（圆）→在圆的外边→围绕；包围

搭配 be surrounded by sth. 被某物围绕

surround yourself with sth. 用某物把自己包围住

openly /ˈəʊpənli/ *adv.* 公开的

communicate /kəˈmjuːnɪkeɪt/ *v.* 交流

搭配 communicate with... 和…交流

remuneration /rɪˌmjuːnəˈreɪʃn/ *n.* 报酬

搭配 remuneration package 薪酬福利条件

publicise /ˈpʌblɪsaɪz/ *v.* 宣传；推广

bonus /ˈbəʊnəs/ *n.* 奖金，红利；好处

记忆 联想记忆：bon（好的）+us（我们）→发奖金啦，我们都说好！→奖金

搭配 annual bonus 年终分红

allocate /ˈæləkeɪt/ *vt.* 分配；分派

记忆 词根记忆：al（加强）+loc（地方）+ate（做）→不断往地方送→分配

annual /ˈænjuəl/ *adj.* 每年的，年度的；*n.* 年鉴；一年生的植物

记忆 词根记忆：ann（年）+ual（…的）→每年的

搭配 annual income 年收入

annual leave 年假

annual salary 年薪

salary /ˈsæləri/ *n.* 薪水（按月、年发放）

lump /lʌmp/ *n.* 块，肿块；*v.* 结块；将…归并在一起

搭配 a lump sum 一次总付的钱款

sum /sʌm/ *n.* 总数；金额；算术；*vi.* 共计

搭配 in sum 简言之

　　　 sum up 计算…的总数；概括

spread out 散开；伸展

action /'ækʃn/ *n.* 行为；动作

记忆 词根记忆：act（做）+ion（表名词）→行为

搭配 put into action 将…付诸行动

　　　 take action 采取行动

　　　 in action 在运转

reward /rɪ'wɔːd/ *n.* 奖赏；报酬；*vt.* 酬谢；奖励

记忆 联想记忆：re（重新）+ward（看作 word，话语）→再次发话给予奖赏→奖赏

visible /'vɪzəbl/ *adj.* 可见的；有形的；显而易见的

记忆 词根记忆：vis（看）+ible（可…的）→可见的

同根 invisible *adj.* 看不见的，无形的

potentially /pə'tenʃəli/ *adv.* 可能的；潜在的

同根 potential *adj.* 潜在的 *n.* 潜能

motivating /ˌməʊtɪ'veɪtɪŋ/ *adj.* 激励人的

记忆 词根记忆：motivat（e）（激励）+ing（令人…的）→激励人的

主题归纳

与"薪酬"相关的词：

added /'ædɪd/ *adj.* 额外的，附加的

搭配 added expense 额外花销

allowance /ə'laʊəns/ *n.* 津贴；允许，容忍

记忆 词根记忆：allow（允许）+ance（状态）→允许，容忍

搭配 housing allowance 住房津贴

base on 基于…

basic wage 基本工资

daily wage 日工资

day-off /ˌdeɪ 'ɒf/ *n.* 休息日

flexible time 弹性工时

give a raise 加薪

hourly wage 计时工资

income /'ɪnkʌm/ *n.* 收入

longevity pay 工龄津贴

merit pay 绩效工资

perquisite /'pɜːkwɪzɪt/ *n.* 固定津贴；利益

记忆 词根记忆：per（贯穿）+quis（获得）+ite（物）→要求全部获得→利益

plus /plʌs/ *prep.* 加，加上

post wage 岗位工资

premium /'priːmiəm/ *n.* 保险费；额外费用；奖金，津贴；*adj.* 优质的；售价高的

记忆 词根记忆：pr(e)（前）+em（拿，引申为买）+ium →提前买保险→保险金

搭配 premium loan （缴付）保费贷款

probation /prə'beɪʃn/ *n.* 试用

记忆 词根记忆：prob（证明）+ation →证明能力→试用

probationary period 试用期

reasonable request 合理的请求

regular /'reɡjələ(r)/ *adj.* 正式的

搭配 regular worker 正式工人

salary man 上班族

salary range 薪酬范围

seniority pay 工龄工资

starting salary 起薪

subsidy /'sʌbsədi/ *n.* 津贴，补助金

记忆 词根记忆：sub（下面）+sid（坐）+y →
在台下就座领津贴→津贴

title allowance 职称津贴

wage /weɪdʒ/ *n.* 薪水（按周、日发放）

表示"激励"的词：

elevate /'elɪveɪt/ *vt.* 振奋情绪等；提升…的
职位；举起

记忆 词根记忆：e（出）+lev（举起）+ate
（使…）→举起

搭配 elevate to 提高至

encourage /ɪn'kʌrɪdʒ/ *vt.* 鼓励；促进，激发

记忆 词根记忆：en（使…）+courage（勇气）
→使有勇气→鼓励

搭配 encourage sb. to do sth. 鼓励某人做某事

encouragement /ɪn'kʌrɪdʒmənt/ *n.* 鼓励，
激励

记忆 词根记忆：encourage（鼓励）+ment
（表名词）→鼓励

搭配 moral encouragement 精神鼓励

hearten /'hɑːtn/ *v.* 鼓励，激励

搭配 hearten up 激励

incentive /ɪn'sentɪv/ *n.* 刺激；动机

记忆 联想记忆：in+cent（分，分币）+ive →
用钱（分币）刺激→刺激

同义 motivation *n.* 刺激

impetus *n.* 推动，刺激

inspire /ɪn'spaɪə(r)/ *v.* 鼓舞，激起；给…以
灵感

记忆 词根记忆：in（使…）+spir（呼吸）+e
→使…呼吸澎湃→鼓舞

同根 inspired *adj.* 有创作力的

inspiring *adj.* 鼓舞人心的

diligence / 163
diligent / 274
dilute / 264
dimension / 139
diminish / 198
dining room / 217
dink (Double Income No
  Kids) / 300
dinner jacket / 100
dinosaur / 24
dinosaur model / 24
dioxide / 216
dip / 234
diplomacy / 5
diplomatic / 114
direct / 12
direct dailing / 61
direct sunlight / 207
direction / 41
directional selection
  / 162
director / 35
director / 251
director / 270
disability / 239
disable / 135
disabled / 123
disadvantaged / 123
disagreement / 2
disappear / 13
disapprove / 209
disarm / 5
disarmament / 5
disarrange / 241
disaster / 258
disastrous / 258
disc / 164
discern / 157
discerning / 196
discharge / 305

disciple / 252
discipline / 193
disclose / 168
discord / 282
discounted / 140
discover / 177
discovery / 236
discrepancy / 219
discretion / 274
discrimination / 123
disease / 171
disease prevention
  / 300
disempower / 88
dishonest / 151
disinfection / 213
disjunction / 112
dislocation / 90
dismay / 291
dismiss / 275
dismissal / 275
disorder / 17
disorient / 26
disorientate / 144
dispensation / 114
dispenser / 126
dispersal / 60
displace / 132
display / 22
display cabinet / 23
disposable / 159
dispose / 176
disposition / 272
disprove / 2
dispute / 2
disruption / 205
dissect / 297
dissemble / 33
disseminate / 240
dissentious / 2

dissertation / 193
discipline / 193
dissolve / 35
distance / 94
distant / 95
distend / 58
distillation / 264
distilled water / 189
distinct / 219
distinction / 219
distinctive / 219
distinguish / 131
distract / 241
distraction / 141
distribution / 14
distribution / 237
district / 96
disturbance / 172
ditch / 28
diverge / 219
diverse / 219
diversion / 193
diversity / 277
divide / 138
dividend / 68
division / 72
DNA sequence / 83
do exercise / 49
doctor in charge / 123
doctrine / 181
document / 224
documentary / 36
dogmatic / 157
dolphin / 212
domain / 114
dome / 285
domestic / 8
domestic violence / 247
domesticate / 8
dominance / 196
dominant / 64

dominant heredity / 83
dominant language
  / 278
dominate / 214
domination / 299
domineering / 19
donkey / 7
donor / 253
dormancy / 9
dormant / 120
dormitory / 216
downcomer / 285
downfall / 208
downhearted / 95
download / 297
downpour / 208
dozen / 38
draft / 275
draftsman / 285
dragonfly / 106
drain / 189
drainage / 189
drama / 10
drastic / 39
draw / 220
drawback / 77
dread / 271
dreaminess / 172
dress code / 100
drift / 234
drinking water / 189
drive less / 159
drive-in theater / 36
drizzle / 208
drone / 254
drop / 126
drop / 190
droplet / 50
drought / 50
drudgery / 275

hardly / 39
hardy / 75
hardy / 98
harelip / 123
harmful / 216
harmonic / 283
harmonica / 80
harmony / 246
harp / 80
harsh / 52
harsh / 81
harvest / 303
hassle / 52
hasten / 175
hasty / 42
hasty / 151
hatch / 9
haunt / 210
hawthorn / 46
hazardous / 116
haze / 209
headhunting company
　/ 226
headline / 14
headquarter / 127
headset / 184
heal / 89
healing / 89
health / 49
healthcare / 140
healthful / 49
healthy lifestyle / 49
hearing / 20
hearsay / 149
hearten / 310
heat / 48
heat wave / 129
heating / 129
heavily / 125
hectic / 275

hectopascal / 208
heedless / 77
heel / 280
helium / 107
hemiplegia / 173
hemisphere / 130
hepatitis / 90
herbal / 126
herbicide / 117
herbivorous / 8
herd / 8
heredity / 82
heritage / 180
hero / 11
heroine / 11
hesitate / 181
heuristic / 228
hibernation / 49
hiccup / 53
hickory / 75
hide / 33
hieroglyphic / 41
high technology / 215
high-efficiency / 172
high-end / 81
higher education / 70
highland barley / 26
highlight / 279
highly productive / 81
high-pitched / 146
high-rise flat / 217
high-tech / 81
hike / 231
hilarious / 110
hinge / 132
hip-hop / 164
hippo / 8
hiring / 224
hiss / 280
historic / 24

historical / 180
hoarse / 149
hobby / 226
hoist / 190
holder / 55
holistic / 83
hollow / 28
homeopathy / 123
homicide / 248
hominid / 162
homogeneous / 218
homotherm / 9
honesty / 163
hop / 293
horde / 8
horizon / 27
horizontal / 57
horn / 8
horrify / 271
horror / 271
horsefly / 117
horticultural crop / 304
horticulture / 46
hostel / 231
hostile / 73
hostility / 209
hourly wage / 309
house / 164
house property / 68
houseman / 123
hub USB / 184
hubbub / 149
hull / 153
hum / 281
human activity / 129
human resources / 224
Human Resources
　Department / 72
humanitarian / 253
humanities / 228

humanity / 207
humid / 209
humidity / 2
humility / 163
humorous / 151
hunger / 144
hunt / 226
hurdle / 101
hurricane / 50
hut / 217
hybrid / 222
hybrid electric vehicle
　/ 160
hydrate / 107
hydrocarbon / 107
hydronic / 108
hydrophone / 283
hydrosphere / 104
hygiene / 126
hyperbola / 138
hyperinflation / 200
hypertension / 90
hypocritical / 151
hypotension / 90
ice sheet / 128
ice water / 294
iced tea / 294
iCloud / 297
icon / 61
ideal / 31
identical / 82
identification / 70
identify / 302
identity / 196
ideology / 114
idiot / 123
idyllic / 169
ignite / 108
ignominy / 114
ignorance / 147